La retraite de Moscou.

(D'après le tableau d'Alph.... ... reproduction faite avec la gracieuse permission du conseil

La Campagne de Russie

Mémoires du Général Cte de Ségur
(Aide de camp de Napoléon)
de l'Académie française

Introduction par le Vte E.-M. de Vogüé
de l'Académie française

Paris
Nelson, Éditeurs
189, rue Saint-Jacques
Londres, Édimbourg, et New-York

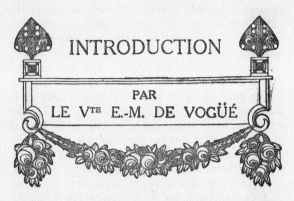

INTRODUCTION

PAR
LE Vᵀᴱ E.-M. DE VOGÜÉ

LE matin du 18 Brumaire an VIII (9 novembre 1799) un jeune homme de dix-neuf ans se tenait appuyé contre la grille du jardin des Tuileries, à l'endroit où le Pont-Tournant faisait communiquer l'ancien jardin royal à la place de la Révolution, aujourd'hui de la Concorde. L'adolescent regardait avec une curiosité hostile les mouvements des troupes qui se massaient sous les arbres, les allées et venues des officiers généraux qui se hâtaient vers la rue Chantereine ou en arrivaient, précédant ou suivant le général Bonaparte. — L'Elu du Destin parut, harangua les soldats dans le jardin, dirigea son cheval sur le palais des Tuileries où il allait dicter ses volontés au Conseil des Anciens. — Dans le cœur de l'enfant qui regardait passer l'avenir, il n'y avait qu'orages et détresse, furieux conflits de sentiments. Son âme vide et tourmentée de l'être reflétait le trouble de la ville où s'élaborait une révolution, de la foule qui affluait sur la place ; âme lasse de ses

3

propres agitations, comme cette foule, et comme elle prête à se donner à un maître, celui qui donnerait en retour une raison de vivre, une direction aux activités inutiles.

Pauvre, inoccupé, malheureux, tout bouillant des grands rêves où sa nature ardente s'enflammait tour à tour pour les succès mondains et pour ceux de la politique, pour la gloire des lettres et pour celle des armes, ce jeune homme portait, comme un fardeau qui ne servait qu'à le meurtrir, un des beaux noms de l'ancienne Société détruite. Petit-fils d'un maréchal de France, ministre de la guerre sous Louis XVI, le Ségur illustré par sa conduite héroïque à Laufeld et à Closterkampf, fils de ce comte Louis-Philippe de Ségur, ambassadeur en Russie, qui avait donné le ton du bel esprit et de l'élégance à la cour de Versailles, séduit la grande Catherine à Pétersbourg, rivalisé chez elle de grâce et de faveur avec l'étincelant prince de Ligne, — le pauvre hère collé à la grille des Tuileries gagnait péniblement son pain en écrivant des vaudevilles, en rimant des petits vers pour les gazettes.

Né en 1780, le garçonnet de douze ans avait vu tous les siens ruinés et proscrits par la Terreur, son grand-père, le maréchal, jeté dans un cachot de La Force, — le vieillard n'échappa que par miracle à la guillotine, — son père menacé chaque jour du même sort dans la maison villageoise de Chatenoy où le comte s'était réfugié, où il élevait ses fils dans la gêne et l'appréhension du lendemain. L'enfant s'éveillait à la vie, au bruit de l'écroulement d'un monde, d'un ordre social dont il devait être l'un des plus heureux privilégiés. La Révolution grondait à ses oreilles comme une

bête monstrueuse, incompréhensible ; douée, d'ailleurs, d'un tel pouvoir de destruction qu'il en subissait
l'influence en la haïssant, et qu'il sentait son monde
intérieur s'écrouler comme celui du dehors, se vider
de toutes les certitudes du passé, de tous les points
d'appui de la conscience et de la raison.

Dans l'admirable préambule de ses *Mémoires*,
Philippe de Ségur analyse avec une sagacité éloquente
cette crise morale de son adolescence ; et il nous dit
que beaucoup de ses contemporains l'avaient traversée comme lui : "Toute croyance était ébranlée,
tcute direction effacée ou devenue incertaine ; et
plus les âmes neuves étaient pensives et ardentes,
plus elles erraient et se fatiguaient sans soutien dans
ce vague infini, désert sans limites, où rien ne contenait leurs écarts, où beaucoup s'affaissant enfin,
et retombant désenchantées sur elles-mêmes, n'apercevaient de certain, au travers de la poussière de
tant de débris, que la mort pour borne ! Bientôt, à
mes regards, son spectre grandissant dans le vide
m'apparut comme la seule vérité qui en ressortait
incontestable. Je ne vis plus qu'elle en tout et partout.... Ainsi mon âme s'usait, emportait tout le
reste : je languissais, j'allais misérablement et ridi-
culement finir...."

Singulière coïncidence ! Tout près de la petite
maison de Chatenoy où le jeune désespéré analysait
sa vague souffrance et n'y voyait plus d'autre remède
que le suicide, un autre naufragé de la Révolution,
le vicomte de Chateaubriand, allait bientôt s'enfermer dans la maison de Savigny où il achèverait de
composer son *René*, l'autobiographie à peine déguisée
qui décrit en termes identiques "le mal du Siècle."

Comparez *René* au premier livre des *Mémoires* de
Ségur : vous croirez voir deux portraits d'un même
personnage. Le plus sincère et le plus pathétique
des deux n'est peut-être pas le plus fameux.

Ce dégoût de la vie, qui n'était qu'une soif d'action
inapaisée, grandissait dans l'âme de Philippe aux
derniers jours du Directoire. En vain il avait essayé
de s'étourdir avec une gloriole littéraire flattée par
quelques essais applaudis, avec les passions réaction-
naires des muscadins dont il outrait la violence ; les
crises de découragement revenaient toujours plus
accablantes. Il était en proie à l'un de ces accès, le
matin de brumaire où il vint s'échouer devant le
jardin des Tuileries. — Soudain, la grille du Pont-
Tournant s'ouvrit, un régiment sortit au galop : les
dragons de Murat, qui allaient occuper Saint-Cloud.
Cette vision eut sur le jeune homme l'effet foudroyant
de celle qui terrassa Paul sur le chemin de Damas.
Il se sentit soulevé, emporté par une force irrésistible
derrière ces soldats révolutionnaires qu'il détestait
quelques heures plus tôt. Le magnétisme du héros
agissait à travers eux sur ce cœur qui s'élançait vers
lui, et toutes les voix de sa race criaient à Philippe
que la rédemption était là, dans ce régiment où elles
l'appelaient : " A cet aspect martial, le sang guerrier
que j'avais reçu de mes pères bouillonna dans toutes
mes veines. Ma vocation venait de se décider : dès
ce moment, je fus soldat ; je ne rêvai que combats
et je méprisai toute autre carrière."

Peu de jours après, malgré l'opposition de ses
proches et les rebuffades de ses amis scandalisés, il
s'engageait dans le corps nouvellement créé des hussards de Bonaparte. Un instant, il y porta l'espoir

chimérique de " royaliser " l'armée consulaire ; bientôt, il se donna corps et âme au prestigieux général. Le Premier Consul, satisfait d'avoir arraché cette recrue au camp adverse, le fit d'emblée lieutenant. Les grades supérieurs lui vinrent en peu d'années, avec les batailles où il payait largement de sa personne. Grièvement blessé à Sommo-Sierra, le commandant de Ségur fut rapporté d'Espagne sur un lit de drapeaux, les étendards qu'il eut l'honneur de présenter au corps législatif. Aide de camp de l'Empereur, général à trente ans, presque toujours rapproché de Napoléon, Ségur le servit jusqu'au dernier jour et put l'étudier de près. L'Empire tomba, il déposa son épée, reprit la plume de ses jeunes années, non plus pour écrire des fictions légères, mais pour raconter l'épopée dont il avait été témoin et acteur. Son histoire de la campagne de Russie, parue en 1824, eut tout d'abord le vif succès que méritait cette poignante évocation de l'héroïsme et des souffrances de la Grande Armée, dix éditions se succédèrent en moins de trois ans. L'auteur fut élu membre de l'Académie française en 1830 ; il y retrouvait son père, dont les nombreux ouvrages historiques étaient alors fort goûtés. Pendant les quelques mois que le vieux comte avait encore à vivre, les deux confrères, le père et le fils, purent se croire reportés à ces jours du Directoire où, dans la maisonnette de Chatenoy, ils collaboraient aux travaux qui assuraient leur subsistance. Philippe devait siéger quarante-trois ans à l'Académie. Le soldat laissé pour mort sur tant de champs de bataille atteignit l'extrême vieillesse ; il mourut en 1873. Il avait employé ces longs loisirs à rédiger les sept volumes de *Mémoires* qui embrassent toute la période de l'Empire.

Ces *Mémoires* ne furent publiés qu'au lendemain de la mort du général, en 1873. Si tous les ouvrages que nous possédons sur Napoléon et son temps devaient disparaître demain, et si l'on n'en pouvait conserver qu'un seul, je n'hésite pas à dire qu'il faudrait choisir la déposition capitale de Ségur, comme la plus instructive, la plus représentative des sentiments d'une époque et de la grande figure qui remplit cette époque. Pourtant, l'œuvre totale n'eut pas d'abord la fortune brillante qui avait souri à la partie publiée sous la Restauration, *l'Histoire de Napoléon et de la Grande Armée pendant l'année* 1812. Je consulte l'excellent *Guide bibliographique de la littérature française de* 1800 *à* 1906, que nous devons au professeur Hugo Thieme, de l'Université de Michigan. Nous ne saurions assez rendre hommage à l'information presque infaillible de l'érudit américain : son répertoire mentionne les moindres productions de notre littérature ; les omissions qu'on y peut relever sont extrêmement rares. M. Hugo Thieme donne une longue liste des ouvrages du comte Louis-Philippe de Ségur, le père du général ; il fait une large place aux livres publiés par d'autres membres de cette famille. (On sait qu'elle est représentée aujourd'hui à l'Académie française par mon confrère le marquis Pierre de Ségur, l'historien du XVIIIe siècle, qui s'est acquis rapidement une réputation européenne.) Un seul des écrivains du nom est absent du *Guide bibliographique :* le général et ses *Mémoires* y sont ignorés. L'inadvertance du bibliographe étranger est bien excusable ; la volumineuse *Histoire de la littérature française* publiée naguère, sous la direction de feu Petit de Julleville, par une réunion de savants professeurs de la Sorbonne, nomme une seule fois le général Philippe de Ségur, pour lui accorder cinq lignes, à propos de *Napoléon et la Grande Armée.* Elle, aussi, ignore les *Mémoires.*

On peut donner de cette injustice diverses explications plausibles. Quand l'ouvrage parut, en 1873, Adolphe Thiers vivait, gouvernait la France. Son grand nom faisait loi pour tout ce qui touche à l'époque napoléonienne ; il régnait despotiquement sur cette période de notre histoire, il n'y souffrait aucune usurpation, aucune nouveauté. Il était d'avis, et on l'en croyait, que son livre avait clos les études sur ce sujet. La critique ne se souciait pas de déplaire à un personnage aussi puissant dans la république des lettres. D'autre part, le premier empire n'était pas en faveur trois ans après la chute désastreuse du second. Douze ou quinze années encore devaient passer, avant que l'aversion, ou tout au moins l'indifférence pour le nom des Napoléons, fît place à l'engouement renaissant pour la Légende épique, à la vogue des Mémoires militaires exhumés en si grand nombre durant les dernières années du dix-neuvième siècle, alors que ce siècle finissant se retournait avec une curiosité passionnée vers son berceau. Enfin, le style un peu suranné du général eût fait sourire les lecteurs d'Émile Zola, s'ils en avaient pris connaissance ; ils l'eussent traité de poncif, et je crois bien qu'ils eussent dit : *pompier.* Leur impression n'eût pas été la même devant la prose vieillie d'un ancêtre déjà classé, accrédité depuis trois quarts de siècle ; mais paraître comme une nouveauté en plein triomphe du réalisme, du naturalisme ! Imaginez *les Martyrs*, ou même *l'Itinéraire* de Chateaubriand, révélés pour la première fois au public français à ce moment !

Nourri des auteurs classiques, Ségur aspire visiblement à s'approprier la manière de Thucydide et de Tite-Live. Il aime le tour oratoire, il met parfois des discours fictifs dans la bouche de ses personnages. Il était de plus, comme tous les hommes de sa génération, un lecteur fervent et un disciple inconscient de Rousseau. De là dans ses récits, un peu d'emphase, un apprêt trop solennel, des réflexions à la Jean-Jacques. Il veut être historien, et l'historien d'un très grand homme, il ne se laisse jamais aller à l'aisance familière des mémorialistes sans prétentions. Mais sous le vêtement passé de mode, un œil attentif discerne vite la vie intense, le mouvement dramatique, le réalisme profond de ces témoignages authentiques ; l'esprit s'y attache avec un intérêt croissant.

L'injustice est aujourd'hui réparée. Notre nouvelle école historique a compris l'importance et goûté l'attrait de ce document hors de pair ; elle l'a remis en honneur, elle l'impose chaque jour davantage à un public mieux averti. Sans vouloir comparer deux œuvres très dissemblables, on ne peut s'empêcher de penser qu'il a fallu près d'un siècle pour que l'histoire de Louis XIV fût renouvelée par la diffusion des *Mémoires* de Saint-Simon. Lus d'abord sous le manteau, par quelques privilégiés : "Cette lecture vous amuserait, écrivait en 1770 Mme de Deffand, quoique le style en soit abominable, les portraits mal faits ; l'auteur n'était point un homme d'esprit..." — le chef-d'œuvre déconcertant, d'une langue si bizarre dans sa magnificence, ne conquit la popularité qu'avec l'édition de 1829. — Le regretté Albert Sorel, l'un des hommes qui ont eu la plus sûre connaissance et la plus vive intelligence de l'histoire napoléonienne, disait souvent que les récits de Ségur éclairaient pour lui cette époque mieux que tous les documents d'archives. Je sais que mon confrère Albert Vandal souscrirait à ce jugement avec sa haute autorité.

Les narrations limpides d'Adolphe Thiers nous apprennent les faits, elles nous montrent à merveille les ressorts de l'Empire, la grandeur et les détails des constructions civiles, militaires, diplomatiques, du consul et de l'empereur. Mais le for intérieur du génial constructeur, pourquoi et comment il put fonder l'édifice nouveau, en si peu de temps, dans un vaste champ de ruines, sur l'agitation d'un peuple soumis par enchantement, Thiers ne nous en instruit que par des déductions raisonnées. Ségur nous le fait voir d'une vision rapide, intuitive; il nous refait contemporains du miracle et participants aux sentiments qui le rendaient possible. Car le grand miracle, celui qu'aujourd'hui encore nous comprenons difficilement et qui nous intéresse plus que le récit des batailles, c'est le revirement subit et total d'une nation qui venait de ruiner furieusement tous les abris séculaires, c'est l'abdication enthousiaste de la liberté entre les mains d'un petit officier corse, l'acclamation du nouveau César cinq ans à peine après les dernières saturnales révolutionnaires, prolongés dans l'anarchie du Directoire. Ségur nous donne le mot de l'irritante énigme en nous livrant son propre secret. Je me suis étendu longuement, on me le pardonnera, sur la jeunesse du soldat écrivain, sur sa préparation mentale, sur l'instant décisif où son âme fut soudainement renouvelée, sa vie fixée dans une direction contre laquelle il eût protesté la veille. J'y ai insisté, parce qu'il m'apparaît à cet instant comme un symbole, parfaitement représentatif de la nation comme lui métamorphosée, ravie et jetée d'un seul élan, par les forces ancestrales, aux pieds de son ravisseur. Nous surprenons dans ce cœur le changement de tous les cœurs.

Sur l'empereur lui-même, Ségur nous renseigne mieux et plus complètement que tous les autres témoins. Rapproché de lui, dans une place d'où il pouvait tout voir, il l'observe pendant quinze ans, d'un regard sympathique, mais lucide ; il nous permet de tâter à chaque moment, si je peut dire, les pulsations du génie, tantôt accélérées, tantôt plus rares, jusqu'au jour où le bon serviteur en constate avec chagrin l'affaiblissement progressif chez le maître. Pour ceux qui demandent avant tout à l'histoire d'être une science psychologique, révélatrice du mystère des foules et de l'âme des grands hommes, les *Mémoires* du général sont un incomparable instrument de connaissance.

J'espère et je crois savoir que la " Collection Nelson " en tirera plus tard un autre volume, où seront groupés les chapitres les plus intéressants. Elle débute aujourd'hui en offrant au public international la partie capitale, publiée en France dés 1824, devenue aussitôt classique pour nos pères ; cette *Histoire de Napoléon et de la Grande Armée en* 1812 qui forma d'abord un livre distinct. 1812 ! La retraite de

Russie ! C'est le point culminant et tragique de l'épopée, l'immortel effroi des imaginations, attirées et révoltées par l'héroïque folie, transportées d'admiration devant le sublime du courage militaire, saisies d'horreur devant le spectacle de souffrances et de misères auxquelles on s'étonne que des hommes aient pu survivre. Ségur fut un de ces survivants. Il était de trop bonne compagnie pour entretenir ses lecteurs de son rôle personnel ; mais ses camarades d'infortune ont dit avec quel stoïcisme il traversa la grande épreuve, le général qui faisait chaque matin sa barbe dans la neige du bivouac, qui soutenait les autres par l'exemple de sa force d'âme. Elle lui permit de garder intactes ses facultés habituelles d'observation ; il vit bien et il put raconter les scènes atroces que la plupart de ses compagnons apercevaient dans une brume de cauchemar.

Dès la première page, sa narration est emportée par un souffle dramatique qui ne se démentira pas un instant. C'est l'ébranlement formidable de la Grande Armée, partie pour renouveler les exploits fabuleux d'Alexandre, entraînant derrière elle les contingents de toutes les nations de l'Europe qu'elle veut conduire jusqu'aux frontières de l'Asie. Ce sont bientôt les premières déceptions, les résistances farouches des hommes et des éléments russes, la poursuite décevante de l'ennemi fugace qui oppose le vide à l'impétuosité française dans Smolensk, les hésitations qui commencent, et les murmures des chefs raisonnables, les aigres compétitions des maréchaux Berthier, Ney, Davout, Murat. Napoléon feint de céder aux sages remontrances, il dissimule avec des ruses tout italiennes, finement devinées par Ségur, sa volonté

d'aller de l'avant. Elle l'emporte, il obéit aux
fascinations du mirage qui l'attire à l'horizon de la
steppe vide où il se promet d'écraser enfin l'adversaire. Et c'est la Moskowa, l'interminable bataille,
la victoire indécise, le champ de carnage où chacune
des deux armées couche le soir sur ses monceaux de
cadavres. On pourra comparer au récit français,
qui groupe les faits par larges masses, les tableaux
minutieux et réalistes de Tolstoï, dans le chapitre
de *Guerre et Paix* où il décrit les péripéties de la
journée avec les procédés d'un autre art. Je causais
un jour avec le prêtre russe de Borodino, il me parlait
des espérances de la prochaine moisson, sujet ordinaire des préoccupations rurales. Elle ne s'annonçait
pas très belle cette année-là. Le prêtre remarqua
négligemment : " Dans mon enfance, les blés étaient
beaucoup plus riches ici ; notre terre avait été si
bien engraissée, pour longtemps."

Ségur note chez l'empereur certaines défaillances
de l'attention aux instants les plus critiques, une
sorte de résignation fataliste, une irrésolution toute
nouvelle avant de donner l'ordre urgent ; déjà un
obscurcissement de ce coup d'œil si prompt qui
décidait la victoire à Marengo, à Austerlitz. Effets
du mal physique dont Napoléon souffrait, nous dit
l'historien qui en diagnostique les premières atteintes.
Puis, un éclair de satisfaction, l'entrée à Moscou,
l'émerveillement de l'armée devant la cité orientale
qu'elle a conquise, l'espoir de la paix que le tsar russe
ne pourra plus différer de signer ; et bientôt la muraille de flamme rabattue sur les conquérants, la ville
de rêve s'effondrant dans le brasier allumé par
Rostoptchine. Ségur parle avec admiration de cet

homme singulier ; il tranche résolument une question toujours controversée en Russie, il fait honneur au gouverneur général du forfait patriotique dont Rostoptchine, retranché dans son silence énigmatique, ne voulut jamais s'avouer l'auteur. — Rapprochement piquant ! La fille de l'incendiaire allait devenir, quelques années plus tard, nièce par alliance du général français qui avait violé la sainte Moscou ; la comtesse de Ségur devait ajouter un fleuron de plus à la couronne littéraire de la famille où elle entrait, avec les agréables livres qui ont enchanté plusieurs générations d'enfants.

C'est enfin la longue retraite, la fuite de la Grande Armée dans la neige sanglante, la procession chaque jour réduite des spectres affamés, leur détresse croissante et leur morne désespoir, le cercle glacé de l'enfer dantesque qui s'élargit à l'infini devant eux ; jusqu'au passage de la Bérézina, le fleuve traître où beaucoup de ceux qui ont échappé aux balles des Cosaques trouvent un affreux tombeau. C'est l'abandon par Napoléon de ces tronçons d'armée, qui vont achever de s'enliser dans les marais de la Pologne.... Les descriptions de l'historien témoin reflètent fidèlement les couleurs de plus en plus sinistres des scènes qu'il retrace ; elles donnent la sensation continue de cette navrance que Meissonier a su rendre sur la toile fameuse où les maréchaux cheminent derrière l'empereur, tête basse, dans la boue glaciale, sous un ciel hostile. Je voulais citer quelques lignes choisies sur les pages où la vigueur du pinceau s'accusa le mieux : à quoi bon ? Toutes se valent, on va les lire, et je ne doute pas que l'émotion du lecteur ne justifie l'éloge préventif que j'ai fait de ce beau livre.

Il y verra l'empereur tel que le voyait l'observateur sagace, indulgent sans illusions, qui nous inspire une pleine confiance dans la vérité de ses jugements, un Napoléon que la légende n'a pas encore déformé, humain et sensible à certaines heures, inhumain et surhumain quand il s'abandonne au démon de l'orgueil, à la folie de son rêve ; un génie tantôt égal à lui-même et aux difficultés de la tâche insensée qu'il s'est volontairement créée, fort encore de son prodigieux ascendant sur les victimes qu'il sacrifie ; tantôt inférieur à ce qu'attendaient de lui ses anciens serviteurs, démonté par la tempête sans vouloir l'avouer, déclinant déjà, guetté par la maladie, se dérobant enfin par la fuite à ses sujets, à des soldats qui commençaient de se dérober à cet ascendant diminué dans la défaite. Devant ces portraits qui nous donnent l'impression de la vie, d'une vie exceptionnelle, mais réelle et bien intelligible, le lecteur estimera sans doute que le peintre ne présumait pas trop de son œuvre, quand il écrivait, dans la conclusion de l'Avant-Propos placé en tête des *Mémoires* : "On y verra le héros dans l'homme, l'homme dans le héros, et sa puissante influence sur les générations dont les derniers restes vont s'éteindre."

Vte E.-M. DE VOGÜÉ.

Vᵗᵉ E.-M. DE VOGÜÉ.

Ces pages ont été écrites quelques jours avant la mort soudaine et tragique de M. de Vogüé. Elles sont les dernières qui soient sorties de la plume de l'illustre écrivain. Dès le début il s'était enthousiasmé pour notre entreprise. La "Collection Nelson" aura été sa dernière pensée littéraire, et en même temps sa dernière pensée patriotique, car il y voyait avant tout un admirable instrument de diffusion de la langue française dans les Deux Mondes.   Ch. S.

TABLE.

TABLE DES GRAVURES.

LA CAMPAGNE DE RUSSIE

LA CAMPAGNE DE RUSSIE

MÉMOIRES

D'UN

AIDE DE CAMP DE L'EMPEREUR NAPOLÉON Iᵉʳ

MES COMPAGNONS,

J'ENTREPRENDS de tracer l'histoire de la Grande-Armée et de son chef pendant l'année 1812 !

J'adresse ce tableau à ceux d'entre vous que les glaces du Nord ont désarmés, et qui ne peuvent plus servir la patrie que par les souvenirs de leurs malheurs et de leur gloire ! Arrêtés dans votre noble carrière, vous existez plus encore dans le passé que dans le présent ; mais quand les souvenirs sont si grands, il est permis de ne vivre que de souvenirs. Je ne craindrai donc pas, en vous rappelant le plus funeste de vos faits d'armes, de troubler un repos si chèrement acheté. Qui de nous ignore que, du sein de son obscurité, les regards de l'homme déchu se tournent involontairement vers l'éclat de son existence passée, même lorsque cette lueur brille sur

l'écueil où se brisa sa fortune, et quand elle éclaire
les débris du plus grand des naufrages ?

Moi-même, je l'avouerai, un sentiment irrésistible me ramène sans cesse vers cette désastreuse
époque de nos malheurs publics et privés. Je ne sais
quel triste plaisir ma mémoire trouve à contempler
et à reproduire les traces douloureuses que tant
d'horreurs lui ont laissées. L'âme aussi est-elle donc
fière de ses profondes et nombreuses cicatrices ?
se plaît-elle à les montrer ? est-ce une possession
dont elle doive s'enorgueillir ? ou plutôt, après
le désir de connaître, son premier besoin serait-il
de faire partager ses sensations ? Sentir et faire
éprouver, sont-ce là les plus puissants mobiles de
notre âme ?

Mais enfin, quelle que soit la cause du sentiment
qui m'entraîne, je cède au besoin de retracer toutes
les émotions que j'ai éprouvées dans le cours de
cette funeste guerre. Je veux occuper mes loisirs
à démêler, à rassembler avec ordre, et à résumer mes
souvenirs épars et confondus. Compagnons, j'invoque aussi les vôtres ! ne laissez pas se perdre de si
grands souvenirs, achetés si cher, et qui sont pour
nous le seul bien que le passé laisse à l'avenir. Seuls
contre tant d'ennemis, vous tombâtes avec plus de
gloire qu'ils ne se relevèrent. Sachez donc être vaincus sans honte ! Relevez ces nobles fronts, sillonnés
de toutes les foudres de l'Europe ! N'abaissez pas
ces yeux qui ont vu tant de capitales soumises, tant
de rois vaincus ! Le sort vous devait sans doute un

plus glorieux repos ; mais, quel qu'il soit, il dépend
de vous d'en faire un noble usage. Dictez à l'histoire vos souvenirs ; la solitude et le silence du
malheur sont favorables à ses travaux ; et qu'enfin
la vérité, toujours présente aux longues nuits de
l'adversité, éclaire des veilles qui ne soient pas in-
fructueuses !

Pour moi, j'userai du privilège, tantôt cruel,
tantôt glorieux, de dire ce que j'ai vu ; j'en retracerai,
peut-être avec un soin trop scrupuleux, jusqu'aux
moindres détails. Mais j'ai cru que rien n'était
minutieux dans ce prodigieux génie et dans ces faits
gigantesques, sans lesquels nous ne saurions pas
jusqu'où peut aller la force, la gloire, et l'infortune
de l'homme !

Depuis 1807 l'intervalle entre le Rhin et le Niémen se trouvait franchi ; ces deux fleuves étaient
devenus rivaux. Par ses concessions à Tilsitt, aux
dépens de la Prusse, de la Suède et de la Turquie,
Napoléon n'avait gagné qu'Alexandre. Ce traité
était le résultat de la défaite de la Russie, et la date
de sa soumission au système continental. Il attaquait, chez les Russes, l'honneur, compris par quelques-uns, et l'intérêt, que tous comprennent.

Par le système continental Napoléon avait dé-
claré une guerre à mort aux Anglais ; il y attachait
son honneur, son existence politique, et celle de la
France. Ce système repoussait du continent toutes
les marchandises, ou anglaises, ou qui avaient payé
un droit quelconque à l'Angleterre. Il ne pouvait

réussir que par un accord unanime ; on ne devait l'espérer que d'une domination unique et universelle.

D'ailleurs la France s'était aliéné les peuples par ses conquêtes, et les rois par sa révolution et sa dynastie nouvelle. Elle ne pouvait plus avoir d'amis ni de rivaux, mais seulement des sujets ; car les uns eussent été faux, et les autres implacables : il fallait donc que tous lui fussent soumis, ou elle à tous !

A quelque hauteur qu'il eût élevé le trône du sud et de l'ouest de l'Europe, Napoléon apercevait le trône septentrional d'Alexandre, prêt encore à le dominer par sa position éternellement menaçante. Sur ces sommets glacés de l'Europe, d'où jadis s'étaient précipités tant de flots barbares, il voyait se former tous les éléments d'un nouveau débordement. Jusque-là l'Autriche et la Prusse avaient été des barrières suffisantes ; mais lui-même les avait renversées ou abaissées. Il restait donc seul en présence, et seul le défenseur de la civilisation, de la richesse et de toutes les jouissances des peuples du Sud, contre la rudesse ignorante, contre les désirs avides des peuples pauvres du Nord, et contre l'ambition de leur empereur et de sa noblesse.

Il était évident que la guerre seule pouvait décider de ce grand débat, de cette grande et éternelle lutte du pauvre contre le riche ; et cependant, de notre côté, cette guerre n'était ni européenne ni même nationale. L'Europe y marchait à contre-cœur, parce que le but de cette expédition était d'ajouter aux forces de celui qui l'avait conquise. La France, épuisée, voulait du repos ; ses grands, qui formaient la cour de Napoléon, s'effrayaient de ce redoublement de guerre, de la dispersion de nos armées de Cadix à Moscou ; et, tout en concevant la nécessité à venir de ce grand débat, l'urgence ne leur en était pas démontrée.

Mais l'Empereur, entraîné par sa position, et poussé par son caractère entreprenant, se remplit du vaste projet de rester seul maître de l'Europe, en écrasant la Russie et en lui arrachant la Pologne. Il le contenait avec tant de peine, que déjà il commençait à lui échapper de toutes parts. Les immenses préparatifs que nécessitait une si lointaine entreprise, ces amas de vivres et de munitions, tous ces bruits d'armes, de chariots, et des pas de tant de soldats, ce mouvement universel, ce cours majestueux et terrible de toutes les forces de l'Occident contre l'Orient, tout annonçait à l'Europe que ses deux colosses étaient près de se mesurer.

Pour atteindre la Russie, il fallait dépasser l'Autriche, traverser la Prusse, et marcher entre la Suède et la Turquie : une alliance offensive avec ces quatre puissances était donc indispensable. L'Autriche était soumise à l'ascendant de Napoléon, et la Prusse à ses armes ; il n'eut qu'à leur montrer son entreprise : l'Autriche s'y précipita d'elle-même ; il y poussa facilement la Prusse. Enlacée dans un réseau de fer, par le traité du 24 février 1812, elle se résigna à mettre vingt à trente mille hommes et la plupart de ses forteresses et de ses magasins à la disposition de l'armée française.

Néanmoins, l'Autriche s'y jeta sans aveuglement. Située entre les deux colosses du Nord et de l'Ouest, elle se plut à les voir aux prises ; elle espéra qu'ils s'affaibliraient mutuellement, et que sa force s'accroîtrait de leur épuisement. Le 14 mars 1812 elle promit trente mille hommes à la France ; mais elle leur prépara en secret de prudentes instructions. Elle obtint une promesse vague d'agrandissement pour indemnité de ses frais de guerre, et se fit garantir la possession de la Galicie. Toutefois elle admit la possibilité, à venir, de la cession d'une partie de cette province au royaume de Pologne ; elle eût reçu en dédommagement les provinces illyriennes : l'article 6 du traité secret en fait foi.

Ainsi le succès de la guerre ne dépendit pas de la cession de la Galicie, et des ménagements qu'imposait la jalousie autrichienne pour cette possession. Napoléon aurait donc pu, dès son entrée à Vilna, proclamer ouvertement la libération de toute la Pologne, au lieu de tromper son attente, de l'étonner, de l'attiédir par des paroles incertaines.

C'était là pourtant un de ces points saillants qui, dans toute affaire de politique comme de guerre, sont décisifs, auxquels tout se rattache, et sur lesquels il faut s'opiniâtrer. Mais, soit que Napoléon comptât trop sur l'ascendant de son génie, sur la force de son armée, et sur la faiblesse d'Alexandre, ou qu'envisageant ce qu'il laissait derrière lui, il crût une guerre si lointaine trop dangereuse à faire lentement et méthodiquement ; soit, comme lui-même va le dire, incertitude sur le succès de son entreprise, il négligea de proclamer la libération du pays qu'il venait affranchir ou n'osa point encore s'y décider.

Il négligea même de nettoyer les provinces polonaises du sud des faibles armées ennemies qui contenaient leur patriotisme, et de s'assurer, par leur insurrection, fortement organisée, une base solide d'opération. Accoutumé aux voies courtes, à des coups de foudre, il voulut s'imiter lui-même, malgré la différence des lieux et des circonstances ; car telle est la faiblesse de l'homme, qu'il se conduit toujours par imitation, ou des autres, ou de lui-même ; c'est-à-dire, dans ce dernier cas, celui des grands hommes, par l'habitude, qui n'est qu'une imitation de soi-même ; aussi est-ce par leur côté le plus fort que ces hommes extraordinaires périssent !

Celui-ci s'en remit au destin des batailles. Il s'était préparé une armée de six cent cinquante mille hommes : il crut que c'était avoir assez fait pour la victoire. Il attendit tout d'elle. Au lieu de tout sacrifier pour arriver à cette victoire, c'est par elle qu'il voulut arriver à tout : il s'en servit comme d'un moyen, quand elle devait être son but. Elle n'était déjà que trop nécessaire. Mais il lui confia tant d'avenir, il la surchargea d'une telle responsabilité, qu'il la fit pressante et indispensable.

De là sa précipitation pour l'atteindre, afin de sortir d'une position si critique.

Au reste, qu'on ne se presse point de juger un génie aussi grand et aussi universel ! Bientôt on l'entendra lui-même ; on verra combien de nécessités l'entraînèrent, et qu'en admettant même que la rapidité de son expédition ait été téméraire, le succès l'aurait vraisemblablement couronnée, si l'affaiblissement précoce de sa santé n'eût point ôté aux forces physiques de ce grand homme une partie de la vigueur qu'avait conservée son esprit.

Ces deux traités avec l'Autriche et la Prusse ouvraient à Napoléon le chemin de la Russie ; mais, pour pénétrer dans les profondeurs de cet empire, il fallait encore s'assurer de la Suède et de la Turquie.

Toutes les combinaisons militaires s'étaient tellement agrandies, qu'il ne s'agissait plus, pour tracer un plan de guerre, de considérer la configuration d'une province, celle d'une chaîne de montagnes, ou le cours d'un fleuve. Quand des souverains tels qu'Alexandre et Napoléon se disputaient l'Europe, c'était la position générale et relative de tous les empires qu'il fallait embrasser d'un coup d'œil universel ; ce n'était plus sur des cartes particulières, mais sur le globe entier que leur politique devait tracer ses plans guerriers !

Or la Russie est maîtresse des hauteurs de l'Europe ; ses flancs sont appuyés aux mers du nord et du sud. Son gouvernement ne peut que difficilement être acculé et forcé à composer, dans un espace presque imaginaire, dont la conquête exigerait de longues campagnes, auxquelles son climat s'oppose. Il en résulte que, sans le concours de la Turquie et de la Suède, la Russie est moins attaquable. C'était donc avec leur secours qu'il fallait la surprendre, attaquer au cœur cet empire dans sa moderne capitale, tourner au loin, en arrière de sa gauche, sa grande armée du Niémen, et non pas brusquer seulement des attaques sur une partie de son front, dans des plaines où l'espace empêche le désordre, et laisse toujours mille chemins ouverts à la retraite de cette armée.

Aussi les plus simples dans nos rangs s'attendaient-ils à apprendre la marche combinée du Grand Vizir vers Kief, et celle de Bernadotte en Finlande. Déjà huit monarques étaient rangés sous les drapeaux de Napoléon ; mais les deux souverains les plus intéressés à sa querelle manquaient encore à son commandement. Il était digne du grand Empereur de faire marcher toutes les puissances, toutes les religions de l'Europe à l'accomplissement de ses grands desseins. Alors leur succès était assuré ; et si la voix d'un nouvel Homère eût manqué à ce roi de tant de rois, la voix du dix-neuvième siècle, devenu le grand siècle, l'aurait remplacé ; et ce cri d'étonnement d'un âge entier, pénétrant et traversant l'avenir, aurait retenti, de génération en génération, jusqu'à la postérité la plus reculée !

Tant de gloire ne nous était pas réservée.

Qui de nous, dans l'armée française, ne se souvient de son étonnement, au milieu des champs russes, à la nouvelle des funestes traités des Turcs et des Suédois avec Alexandre, et comme alors nos regards inquiets se tournèrent vers notre droite découverte, vers notre gauche affaiblie, et sur notre retraite menacée ?

L'Empereur des Français, à la tête de plus de six cent mille hommes, et déjà engagé trop avant, espéra que sa force déciderait de tout ; qu'une victoire sur le Niémen, trancherait toutes ces difficultés diplomatiques qu'il méprisa trop peut-être ; qu'alors tous les princes de l'Europe, forcés de reconnaître son étoile, s'empresseraient de rentrer dans son système, et qu'il entraînerait dans son tourbillon tous ces satellites !

Le 9 mai 1812, Napoléon, jusque-là toujours triomphant, sort d'un palais où il ne devait plus rentrer que vaincu !

De Paris à Dresde, sa marche fut un triomphe continuel. Vaincus et soumis, les Allemands, soit amour-propre, soit penchant pour le merveilleux, étaient tentés de voir dans Napoléon un être surnaturel. Etonnés, comme hors d'eux-mêmes, et emportés par le mouvement universel, ces bons peuples s'efforçaient d'être de bonne foi ce qu'il fallait paraître.

Ils vinrent border la longue route que suivait l'Empereur. Leurs princes quittèrent leurs capitales et remplirent les villes où devait s'arrêter quelques instants cet arbitre de leurs destins. L'Impératrice et une cour nombreuse suivaient Napoléon ; il marchait aux terribles chances d'une guerre lointaine et décisive, comme on en revient vainqueur et triomphant. Ce n'était pas ainsi que jadis il avait coutume de se présenter au combat.

Il avait souhaité que l'empereur d'Autriche, plusieurs rois, et une foule de princes, vinssent à Dresde sur son passage ; son désir fut satisfait ; tous accoururent, les uns guidés par l'espoir, d'autres poussés par la crainte ; pour lui, son motif fut de s'assurer de son pouvoir, de le montrer et d'en jouir.

Dans ce rapprochement avec l'antique maison d'Autriche, son ambition se plut à montrer à l'Allemagne une réunion de famille. Il pensa que cette assemblée brillante de souverains contrasterait avec l'isolement du prince russe ; qu'il s'effrayerait peut-être de cet abandon général. Enfin cette réunion de monarques coalisés semblait déclarer que la guerre de Russie était européenne.

Là, il était au centre de l'Allemagne, lui montrant son épouse, la fille des Césars, assise à ses côtés. Des peuples entiers s'étaient déplacés pour se précipiter sur ses pas : riches et pauvres, nobles comme plébéiens, amis et ennemis, tous accouraient. On voyait leur foule curieuse, attentive, se presser dans les rues, sur les routes, dans les places publiques ; ils passaient des jours, des nuits entières, les yeux fixés sur la porte et sur les fenêtres de son palais. Ce n'est point sa couronne, son rang, le luxe de sa

Cour, c'est lui seul qu'ils viennent contempler ;
c'est un souvenir de ses traits qu'ils cherchent à
recueillir : ils veulent pouvoir dire à leurs compatriotes, à leurs descendants moins heureux, qu'ils
ont vu Napoléon !

Sur les théâtres, des poètes s'abaissèrent jusqu'à
le diviniser : ainsi des peuples entiers étaient ses
flatteurs !

Son lever offrait un spectacle encore plus remarquable ! Des princes souverains y vinrent attendre
l'audience du vainqueur de l'Europe ; ils étaient tellement mêlés à ses officiers, que souvent ceux-ci
s'avertissaient de prendre garde, et de ne point froisser involontairement ces nouveaux courtisans, confondus avec eux. Ainsi la présence de Napoléon
faisait disparaître les différences : il était autant leur
chef que le nôtre. Cette dépendance commune semblait tout niveler autour de lui. Alors peut-être
l'orgueil militaire, mal contenu, de plusieurs généraux français, choqua ces princes ; on se croyait
élevé jusqu'à eux ; car enfin quels que soient la
noblesse et le rang du vaincu, le vainqueur est son
égal.

Cependant les plus sages d'entre nous s'effrayaient :
ils disaient, mais sourdement, qu'il fallait se croire
surnaturel pour tout dénaturer et déplacer ainsi,
sans crainte d'être entraîné soi-même dans ce bouleversement universel. Ils voyaient ces monarques
quitter le palais de Napoléon, l'œil et le sein gonflés
des plus amers ressentiments. Ils croyaient les en-

tendre, la nuit, seuls avec leurs ministres, faisant
sortir de leurs cœurs cette multitude de chagrins
qu'ils avaient dévorés. Tout avait aigri leur douleur ! Qu'elle était importune cette foule qu'il leur
avait fallu traverser, pour parvenir à la porte de leur
superbe dominateur ! et cependant la leur restait
déserte ; car tout, même leurs peuples, semblait
les trahir. En proclamant son bonheur, ne voyait-on
pas qu'on insultait à leur infortune ? Ils étaient
donc venus à Dresde pour relever l'éclat du triomphe de Napoléon ! car c'était d'eux qu'il triomphait
ainsi : chaque cri d'admiration pour lui étant un
cri de reproche contre eux ; sa grandeur étant leur
abaissement ; ses victoires, leurs défaites !

Ils répandaient sans doute ainsi leur amertume,
et chaque jour la haine se creusait dans leur sein
de plus profondes demeures. On vit d'abord un
prince se soustraire à cette pénible position par un
départ précipité. L'impératrice d'Autriche, dont le
général Bonaparte avait dépossédé les aïeux en
Italie, se distinguait par son aversion, qu'elle
déguisait vainement : elle lui échappait par de premiers mouvements que saisissait Napoléon, et
qu'il domptait en souriant ; mais elle employait son
esprit et sa grâce à pénétrer doucement dans les
cœurs pour y semer la haine.

L'Impératrice de France augmenta involontairement cette funeste disposition. On la vit effacer sa
belle-mère par l'éclat de sa parure ; si Napoléon
exigeait plus de réserve, elle résistait, pleurait même,

et l'Empereur cédait, soit attendrissement, fatigue,
ou distraction. On assure encore que, malgré son
origine, il échappa à cette princesse de mortifier
l'amour-propre allemand par des comparaisons peu
mesurées, entre son ancienne et sa nouvelle patrie.
Napoléon l'en grondait, mais doucement : ce patriotisme qu'il avait inspiré lui plaisait ; il croyait
réparer ces imprudences par des présents.

Cette réunion ne put donc que froisser beaucoup
de sentiments. Napoléon, s'étant efforcé de plaire,
pensa les avoir satisfaits ; en attendant à Dresde
le résultat des marches de son armée, dont les nombreuses colonnes traversaient encore les terres des
alliés, il s'occupa surtout de sa politique.

Le général Lauriston, ambassadeur de France à
Pétersbourg, reçut l'ordre de demander à l'empereur russe qu'il l'autorisât à venir lui communiquer à Vilna des propositions définitives. Le général
Narbonne, aide de camp de Napoléon, partit pour
le quartier impérial d'Alexandre, afin d'assurer ce
prince des dispositions pacifiques de la France, et
pour l'attirer, dit-on, à Dresde. L'archevêque de
Malines fut envoyé pour diriger les élans du patriotisme polonais. Le roi de Saxe s'attendait à perdre
le Grand-Duché ; il fut flatté de l'espoir d'une indemnité plus solide.

Cependant, dès les premiers jours, on s'était
étonné de n'avoir point vu le roi de Prusse grossir la
cour impériale ; mais bientôt l'on apprit qu'elle lui
était comme interdite. Ce prince s'effraya d'autant

plus qu'il avait moins de torts. Sa présence devait
embarrasser. Toutefois, encouragé par Narbonne,
il se décide à venir. On annonce son arrivée à l'Empereur ; celui-ci, irrité, refuse d'abord de le recevoir :
« Que lui veut ce prince ! N'était-ce pas assez de
« l'importunité de ses lettres et de ses réclamations
« continuelles ? Pourquoi vient-il encore le persé-
« cuter de sa présence ? Qu'a-t-il besoin de lui ? »
Mais Duroc insiste : il rappelle le besoin que Napoléon a de la Prusse contre la Russie, et les portes de
l'Empereur s'ouvrent au monarque. Il fut reçu
avec les égards que l'on devait à son rang suprême.
On accepta les nouvelles assurances de son dévouement, dont il donna des preuves multipliées.

On dit qu'alors on lui fit espérer la possession des
provinces russes allemandes, que ses troupes devaient être chargées d'envahir. On assure même
qu'après leur conquête, il en demanda l'investiture
à Napoléon. On a dit encore, mais vaguement, que
Napoléon laissa le prince royal de Prusse prétendre
à la main de l'une de ses nièces. C'était là le prix
des services que lui rendrait la Prusse dans cette
nouvelle guerre. Il allait, disait-il, l'essayer. Ainsi
Frédéric, devenu l'allié de Napoléon, pourrait conserver une couronne affaiblie ; mais les preuves manquent pour affirmer que cette union séduisit le roi
de Prusse, comme l'espoir d'une alliance pareille
avait séduit le prince d'Espagne.

Cependant Napoléon attendait encore le résultat
des négociations de Lauriston et du général Nar-

bonne. Il espérait vaincre Alexandre par le seul
aspect de son armée réunie, et surtout par l'éclat
menaçant de son séjour à Dresde. A Posen, quelques jours après, lui-même en convint, quand il
répondit au général Dessoles : « La réunion de
« Dresde n'ayant pas déterminé Alexandre à la
« paix, il ne faut plus l'attendre que de la guerre ! »

Au reste, ces pourparlers étaient, non seulement
une tentative de paix, mais encore une ruse de
guerre. Par eux, il espérait rendre les Russes, ou
assez négligents pour se laisser surprendre dispersés, ou assez présomptueux, s'ils étaient réunis,
pour oser l'attendre. Dans l'un ou l'autre cas, la
guerre se serait trouvée terminée par un coup de
main ou par une victoire. Mais Lauriston ne fut pas
reçu. Pour Narbonne, il revint. « Il avait, dit-il,
« trouvé les Russes sans abattement et sans jac-
« tance. De tout ce que leur empereur lui avait
« répondu, il résultait qu'on préférait la guerre à
« une paix honteuse ; qu'on se garderait bien de
« s'exposer à une bataille contre un adversaire trop
« redoutable ; qu'enfin, on saurait se résoudre à
« tous les sacrifices, pour traîner la guerre en lon-
« gueur et rebuter Napoléon. »

Cette réponse, qui arrivait à l'Empereur au milieu
du plus grand éclat de sa gloire, fut dédaignée.
S'il faut tout dire, j'ajouterai qu'un grand seigneur
russe avait contribué à l'abuser : soit erreur ou
feinte, ce Moscovite avait su lui persuader que son
souverain se rebutait devant les difficultés, et se

laissait facilement abattre par les revers. Malheureusement le souvenir des complaisances d'Alexandre à Tilsitt et à Erfurt confirma l'Empereur de France dans cette fausse opinion.

Il resta jusqu'au 29 mai à Dresde.

Enfin, impatient de vaincre les Russes et d'échapper aux hommages des Allemands, Napoléon quitte Dresde. Il ne reste à Posen que le temps nécessaire pour plaire aux Polonais. Il néglige Varsovie, où la guerre ne l'appelait pas assez impérieusement, et où il aurait retrouvé la politique. Il séjourne à Thorn pour y voir ses fortifications, ses magasins, ses troupes. Là, les cris des Polonais, que nos alliés pillent impitoyablement, et qu'ils insultent, se firent entendre. Napoléon adressa des reproches sévères au roi de Westphalie, même des menaces. Mais on sait qu'il les prodigue vainement ; que leur effet se perd au milieu d'un mouvement trop rapide ; que d'ailleurs, ainsi que tous les autres accès, ceux de sa colère sont suivis d'affaissement ; qu'alors rendu à sa douceur naturelle, il regrette et cherche même souvent à atténuer la peine qu'il a causée ; qu'enfin, lui-même peut se reprocher d'être la cause de ces désordres qui l'irritent : car, de l'Oder à la Vistule et jusqu'au Niémen, si les vivres sont suffisants et bien placés, les fourrages, moins portatifs, manquent. Déjà nos cavaliers ont été forcés de couper les seigles verts, et de dépouiller les maisons de leur toit de chaume pour en nourrir leurs chevaux. Il est vrai que tous ne s'en sont pas tenus là ;

mais quand un désordre est autorisé, comment défendre les autres ?

De Thorn, Napoléon descendit la Vistule. Grau-
dentz était prussienne; il évite d'y passer. Cette forteresse importait à la sûreté de l'armée ; un officier
d'artillerie et des artificiers y furent envoyés ; le
motif apparent était d'y faire des cartouches, le
motif réel resta secret, car la garnison prussienne
était nombreuse ; elle se tint sur ses gardes, et l'Empereur, qui avait passé outre, n'y songea plus.

Ce fut à Marienbourg que l'Empereur revit Davout. Soit fierté naturelle ou acquise, ce maréchal
n'aimait à reconnaître pour son chef que celui de
l'Europe. D'ailleurs son caractère est absolu, opiniâtre, tenace : il ne plie guère plus devant les circonstances que devant les hommes. En 1809 Berthier avait été son chef pendant quelques jours, et
Davout avait gagné une bataille et sauvé l'armée en
lui désobéissant. De là une haine terrible ; pendant
la paix elle s'augmenta, mais sourdement, car ils
vivaient éloignés l'un de l'autre, Berthier à Paris,
Davout à Hambourg ; mais cette guerre de Russie
les remit en présence.

Berthier s'affaiblissait. Depuis 1805, toute guerre
lui était odieuse. Son talent était surtout dans son
activité et dans sa mémoire. Il savait recevoir et
transmettre, à toutes les heures du jour et de la
nuit, les nouvelles et les ordres les plus multipliés.
Mais dans cette occasion, il se crut en droit d'ordonner lui-même. Ces ordres déplurent à Davout.

Leur première entrevue fut une violente altercation; elle eut lieu à Marienbourg, où l'Empereur venait d'arriver, et devant lui.

Davout s'expliqua durement ; il s'emporta jusqu'à accuser Berthier d'incapacité ou de trahison. Tous deux se menacèrent ; et quand Berthier fut sorti, Napoléon, entraîné par le caractère naturellement soupçonneux du maréchal, s'écria : « Il m'arrive quelquefois de douter de la fidélité de mes « plus anciens compagnons d'armes ; mais alors la « tête me tourne de chagrin, et je m'empresse de « repousser de si cruels soupçons. ! »

Pendant que Davout jouissait peut-être du dangereux plaisir d'avoir humilié son ennemi, l'Empereur se rendait à Dantzick, et Berthier, plein de vengeance, l'y suivit. Dès lors, le zèle, la gloire de Davout, ses soins pour cette nouvelle expédition, tout ce qui devait le servir commença à lui devenir contraire. Cette impression fâcheuse s'approfondit, elle eut des suites funestes : elle éloigna de sa confiance un guerrier hardi, tenace et sage, et favorisa son penchant pour Murat, dont la témérité flatta bien mieux ses espérances. Au reste, cette désunion entre ses grands ne déplaisait pas à Napoléon, elle l'instruisait ; leur accord l'eût inquiété.

De Dantzick l'Empereur se rendit, le 12 juin, à Kœnigsberg. Là se termina la revue de ses immenses magasins, et du deuxième point de repos et de départ de sa ligne d'opération. Des approvisionnements de vivres, énormes comme l'entreprise, y

étaient rassemblés. Aucun détail n'avait été négligé.
Le génie actif et passionné de Napoléon était alors
fixé tout entier sur cette partie importante, et la
plus difficile, de son expédition. Il fut en cela prodigue de recommandations, d'ordres, d'argent même ;
ses lettres l'attestent. Les jours se passaient à dicter
des instructions sur cet objet ; la nuit il se relevait
pour les répéter encore. Un seul général reçut, dans
une seule journée, six dépêches de lui, toutes rem-
plies de cette sollicitude.

Dans l'une, on remarque ces mots : « Pour des
« masses comme celles-ci, si les précautions ne sont
« pas prises, les montures d'aucun pays ne pour-
« ront suffire. » Dans une autre : « Il faut, dit-il,
« que tous les caissons puissent être employés, et
« chargés de farine, pain, riz, légumes et eau-de-
« vie, hormis ce qui est nécessaire pour les ambu-
« lances. Le résultat de tous mes mouvements
« réunira quatre cent mille hommes sur un seul
« point. Il n'y aura rien alors à espérer du pays, et il
« faudra tout avoir avec soi. » Mais d'une part, les
moyens de transport furent mal calculés, et de
l'autre, il se laissa emporter dès qu'il fut en mouvement.

I

PASSAGE DU NIÉMEN.

Napoléon avait réuni ses troupes en Pologne et dans la Prusse orientale de Kœnigsberg à Gumbinnem. Il passa, à la fin du printemps 1812, en revue plusieurs de ses armées ; parlant aux soldats d'un air gai, ouvert et souvent brusque : sachant bien qu'avec ces hommes simples et endurcis, la brusquerie est franchise ; la rudesse, force ; la hauteur, noblesse ; et que les délicatesses et les grâces que quelques-uns apportent de nos salons, sont à leurs yeux faiblesse, pusillanimité ; que c'est pour eux comme une langue étrangère qu'ils ne comprennent pas, et dont l'accent les frappe en ridicule.

Suivant son usage, il se promène devant les rangs. Il sait quelles sont les guerres que chaque régiment a faites avec lui. Il s'arrête aux plus vieux soldats : à l'un c'est la bataille des Pyramides, à l'autre celles de Marengo, d'Austerlitz, d'Iéna, ou de Friedland, qu'il rappelle d'un mot, accompagné d'une caresse familière ; et le vétéran, qui se croit reconnu de son Empereur, se grandit tout glorieux au milieu de ses compagnons moins anciens, qui l'envient !

Napoléon continue, il ne néglige pas les plus jeunes ; il semble que chez eux tout l'intéresse : leurs moindres besoins lui sont connus, il les interroge : Leurs capitaines ont-ils soin d'eux ? Leur solde est-elle payée ? Ne leur manque-t-il aucun effet ? Il veut voir leurs sacs.

Enfin il s'arrête au centre du régiment. Là, il s'informe des places vacantes, et demande à haute voix quels en sont les plus dignes. Il appelle à lui ceux désignés et les questionne : combien d'années de service ? quelles campagnes ? quelles blessures ? quelles actions d'éclat ? Puis il les nomme officiers et les fait recevoir sur-le-champ, en sa présence, indiquant la manière : particularités qui charment le soldat ! Ils se disent que ce grand Empereur, qui juge des nations en masse, s'occupe d'eux dans le moindre détail ; qu'ils sont sa plus ancienne, sa véritable famille ! C'est ainsi qu'il fait aimer la guerre, la gloire et lui !

Cependant l'armée marchait de la Vistule sur le Niémen.

Nous touchions à la frontière russe. De la droite à la gauche, ou du midi au nord, l'armée était ainsi disposée devant le Niémen. D'abord, à l'extrême droite, et sortant de la Gallicie sur Drogiczin, le prince Schwartzenberg et trente-quatre mille Autrichiens ; à leur gauche, venant de Varsovie et

marchant sur Bialystock et Grodno, le roi de
Westphalie, à la tête de soixante-dix-neuf mille deux
cents Westphaliens, Saxons et Polonais ; à côté
d'eux, le vice-roi d'Italie, achevant de réunir vers
Marienpol et Pilony soixante-dix-neuf mille cinq
cents Bavarois, Italiens et Français ; puis l'Empereur, avec deux cent vingt mille hommes, commandés par le roi de Naples, le prince d'Eckmühl, les
ducs de Dantzick, d'Istrie, de Reggio et d'Elchin-
gen. Ils venaient de Thorn, de Marienwerder et
d'Elbing, et se trouvaient, le 23 juin, en une seule
masse vers Nogarisky, à une lieue au-dessus de
Kowno. Enfin, devant Tilsitt, Macdonald et trente-
deux mille cinq cents Prussiens, Bavarois et Polonais formaient l'extrême gauche de la Grande
Armée.

Tout était prêt. Des bords du Guadalquivir et de
la mer des Calabres jusqu'à ceux de la Vistule, six
cent dix-sept mille hommes, dont quatre cent
quatre-vingt mille déjà présents ; six équipages
de pont, un de siège : plusieurs milliers de voitures
de vivres ; d'innombrables troupeaux de bœufs ;
treize cent soixante-douze pièces de canon, et des
milliers de caissons d'artillerie et d'ambulance,
avaient été appelés, réunis et placés à quelques pas
du fleuve des Russes.

Ainsi la Grande Armée marchait au Niémen en
trois masses séparées.

Le roi de Westphalie, avec quatre-vingt mille
hommes, se dirigeait sur Grodno ; le vice-roi d'Ita-

lie, avec soixante-quinze mille hommes, sur Pilony;
Napoléon, avec deux cent vingt mille hommes, sur
Nogarisky, ferme située à trois lieues au-dessus de
Kowno. Le 23 juin, avant le jour, la colonne impé-
riale atteignit le Niémen, mais sans le voir. La li-
sière de la grande forêt prussienne de Pilwisky
et les collines qui bordent le fleuve cachaient cette
Grande Armée prête à le franchir.

Napoléon, qu'une voiture avait transporté jusque-là, monta à cheval à deux heures du matin. Il
reconnut le fleuve russe, en se couvrant de la nuit
pour franchir cette frontière, que, cinq mois après,
il ne put repasser qu'à la faveur d'une même obscurité. Comme il paraissait devant cette rive, son
cheval s'abattit tout à coup, et le précipita sur le
sable. Une voix s'écria : « Ceci est d'un mauvais
présage ; un Romain reculerait ! » On ignore si ce
fut lui, ou quelqu'un de sa suite, qui prononça ces
mots.

Sa reconnaissance faite, il ordonna qu'à la chute
du jour suivant trois ponts fussent jetés sur le
fleuve, près du village de Poniémen ; puis il se retira
dans son quartier, où il passa toute cette journée
tantôt dans sa tente, tantôt dans une maison polonaise, étendu sans force dans un air immobile, au
milieu d'une chaleur lourde, et cherchant en vain
le repos.

Dès que la nuit fut revenue, il se rapprocha du
fleuve. Ce furent quelques sapeurs, dans une nacelle,
qui le traversèrent d'abord. Etonnés, ils abordent

et descendent, sans obstacle, sur la rive russe ! Là ils trouvent la paix ; c'est de leur côté qu'est la guerre ; tout est calme sur cette terre étrangère, qu'on leur a dépeinte si menaçante. Cependant un simple officier de cosaques, commandant une patrouille, se présente bientôt à eux. Il est seul, il semble se croire en pleine paix, et ignorer que l'Europe entière en armes est devant lui. Il demande à ces étrangers qui ils sont. « Français ! » lui répondirent-ils. « Que voulez-vous ? reprit cet officier, et pourquoi venez-vous en Russie ? » Un sapeur lui répliqua brusquement : « Vous faire la « guerre ! prendre Vilna ! délivrer la Pologne ! » Et le cosaque se retire ; il disparaît dans les bois, sur lesquels trois de nos soldats, emportés d'ardeur et pour sonder la forêt, déchargent leurs armes.

Ainsi le faible bruit de trois coups de feu, auxquels on ne répondit pas, nous apprit qu'une nouvelle campagne s'ouvrait, et qu'une grande invasion était commencée !

Ce premier signal de guerre irrita violemment l'Empereur, soit prudence ou pressentiment. Trois cents voltigeurs passèrent aussitôt le fleuve, pour protéger l'établissement des ponts.

Alors sortirent des vallons et de la forêt toutes les colonnes françaises. Elles s'avancèrent silencieusement jusqu'au fleuve, à la faveur d'une profonde obscurité. Il fallait les toucher pour les reconnaître. On défendit les feux et jusqu'aux étincelles. On se reposa les armes à la main, comme en présence de

l'ennemi. Les seigles verts et mouillés d'une abon-
dante rosée servirent de lit aux hommes et de nourriture aux chevaux.

La nuit, sa fraîcheur qui interrompait le sommeil,
son obscurité qui allonge les heures et augmente les
besoins, enfin les dangers du lendemain, tout rendait
grave cette position. Mais l'attente d'une grande
journée soutenait. La proclamation de Napoléon
venait d'être lue ; on s'en répétait à voix basse
les passages les plus remarquables, et le génie des
conquêtes enflammait notre imagination !

Devant nous était la frontière russe. Déjà, à
travers les ombres, nos regards avides cherchaient à
envahir cette terre promise à notre gloire. Il nous
semblait entendre les cris de joie des Lithuaniens
à l'approche de leurs libérateurs. Nous nous figu-
rions ce fleuve bordé de leurs mains suppliantes ! Ici
tout nous manquait, là tout nous serait prodigué !
Ils s'empresseraient de pourvoir à nos besoins ;
nous allions être entourés d'amour et de reconnaissance. Qu'importe une mauvaise nuit ? le jour allait
bientôt renaître, et avec lui sa chaleur et toutes ses
illusions ! Le jour parut !... Il ne nous montra qu'un
sable aride, désert, et de mornes et sombres forêts !
Nos yeux alors se tournèrent tristement sur nous-
mêmes, et nous nous sentîmes ressaisis d'orgueil
et d'espoir par le spectacle imposant de notre armée
réunie.

A trois cents pas du fleuve, sur la hauteur la plus
élevée, on apercevait la tente de l'Empereur. Au-

tour d'elle, toutes les collines, les pentes, les vallées, étaient couvertes d'hommes et de chevaux.
Dès que la terre eut présenté au soleil toutes ces
masses mobiles, revêtues d'armes étincelantes, le
signal fut donné, et aussitôt cette multitude commença à s'écouler en trois colonnes vers les trois
ponts. On les voyait serpenter en descendant la
courte plaine qui les séparait du Niémen, s'en
approcher, gagner les trois passages, s'allonger, se
rétrécir pour les traverser, et atteindre enfin ce sol
étranger, qu'ils allaient dévaster, et qu'ils devaient
bientôt couvrir de leurs vastes débris !

L'ardeur était si grande, que deux divisions
d'avant-garde, se disputant l'honneur de passer les
premières, furent près d'en venir aux mains ; on
eut quelque peine à les calmer. Napoléon se hâta
de poser le pied sur les terres russes. Il fit, sans
hésiter, ce premier pas vers sa perte. Il se tint d'abord
près du pont, encourageant les soldats de ses regards.
Tous le saluèrent de leur cri accoutumé ! Ils parurent plus animés que lui, soit qu'il se sentît peser
sur le cœur une si grande agression ; soit que son
corps affaibli ne pût supporter le poids d'une chaleur excessive, ou que déjà il fût étonné de ne rien
trouver à vaincre.

L'impatience enfin le saisit. Tout à coup il s'enfonça à travers le pays, dans la forêt qui bordait le
fleuve. Il courait de toute la vitesse de son cheval ;
dans son empressement il semblait qu'il voulût
tout seul atteindre l'ennemi. Il fit plus d'une lieue

dans cette direction, toujours dans la même solitude ; après quoi il fallut bien revenir près des ponts d'où il redescendit, avec le fleuve et sa garde, vers Kowno.

On croyait entendre gronder le canon. Nous écoutions, en marchant, de quel côté le combat s'engageait. Mais, à l'exception de quelques troupes de cosaques, ce jour-là, comme les suivants, le ciel seul se montra notre ennemi. En effet, à peine l'Empereur avait-il passé le fleuve qu'un bruit sourd avait agité l'air. Bientôt le jour s'obscurcit, le vent s'éleva et nous apporta les sinistres roulements du tonnerre. Ce ciel menaçant, cette terre sans abri nous attristèrent. Quelques-uns même, naguère enthousiastes, en furent effrayés comme d'un funeste présage. Ils crurent que ces nuées enflammées s'amoncelaient sur nos têtes, et s'abaissaient sur cette terre, pour nous en défendre l'entrée.

Il est vrai que cet orage fut grand comme l'entreprise. Pendant plusieurs heures, ses lourds et noirs nuages s'épaissirent et pesèrent sur toute l'armée ; de la droite à la gauche, et sur cinquante lieues d'espace, elle fut tout entière menacée de ses feux et accablée de ses torrents : les routes et les champs furent inondés ; la chaleur insupportable de l'atmosphère fut changée subitement en un froid désagréable. Dix mille chevaux périrent dans la marche, et surtout dans les bivouacs qui suivirent. Une grande quantité d'équipages resta abandonnée dans les sables ; beaucoup d'hommes succombèrent ensuite.

Un couvent servit d'abri à l'Empereur contre la première fureur de cet orage. Il en partit bientôt pour Kowno, où régnait le plus grand désordre. Le fracas des coups de tonnerre n'était plus entendu ; ces bruits menaçants, qui grondaient encore sur nos têtes, semblaient oubliés. Car si ce phénomène, commun dans cette saison, a pu étonner quelques esprits, pour la plupart le temps des présages est passé. Un scepticisme, ingénieux chez les uns, insouciant ou grossier chez les autres, de terrestres passions, des besoins impérieux ont détourné l'âme des hommes de ce ciel d'où elle vient, et où elle doit retourner. Aussi, dans ce grand désordre, l'armée ne vit qu'un accident naturel arrivé mal à propos ; et loin d'y reconnaître la réprobation d'une si grande agression, dont au reste elle n'était pas responsable, elle n'y trouva qu'un motif de colère contre le sort ou le ciel qui, par hasard ou autrement, lui donnait un si terrible présage.

Ce jour-là même, un malheur particulier vint se joindre à cette épreuve générale. Au delà de Kowno, Napoléon s'irrite contre la Vilna, dont les cosaques ont rompu le pont, et qui s'oppose au passage d'Oudinot. Il affecte de la mépriser, comme tout ce qui lui faisait obstacle, et il ordonne à un escadron des Polonais de sa garde de se jeter dans cette rivière. Ces hommes d'élite s'y précipitèrent sans hésiter.

D'abord ils marchèrent en ordre, et quand le fond leur manqua, il redoublèrent d'efforts. Bientôt

ils atteignirent à la nage le milieu des flots. Mais ce
fut là que le courant plus rapide les désunit. Alors
leurs chevaux s'effrayent : ils dérivent, et sont emportés par la violence des eaux. Ils ne nagent plus,
ils flottent dispersés. Leurs cavaliers luttent et se
débattent vainement, la force les abandonne ;
enfin ils se résignent. Leur perte est certaine, mais
c'est à leur patrie, c'est devant elle, c'est pour leur
libérateur qu'ils se sont dévoués, et près d'être en-
gloutis, suspendant leurs efforts, ils tournent la tête
vers Napoléon et s'écrient : *Vive l'Empereur !* On
en remarqua trois surtout, qui ayant encore la bouche hors de l'eau, répétèrent ce cri, et périrent aussitôt. L'armée était saisie d'horreur et d'admiration !

Quant à Napoléon, il ordonna vivement et avec
précision tout ce qu'il fallut pour en sauver le plus
grand nombre, mais sans paraître ému : soit habitude
de se maîtriser ; soit qu'à la guerre il regardât les
émotions du cœur comme des faiblesses, dont il ne
devait pas donner l'exemple, et qu'il fallait vaincre ;
soit, enfin, qu'il entrevît de plus grands malheurs,
devant lesquels celui-ci n'était rien.

De Kowno Napoléon se rendit, en deux jours,
jusques aux défilés qui défendent la plaine de Vilna.
Il attendit, pour s'y montrer, des nouvelles de ses
avant-postes. Il espérait qu'Alexandre lui dispute-
rait cette capitale. Le bruit de quelques coups de
feu flattait déjà son espoir, quand on vint lui annoncer que la ville était ouverte. Il s'avance soucieux et

mécontent. Il accuse ses généraux d'avant-garde d'avoir laissé s'échapper l'armée russe. C'est à Montbrun, au plus actif, qu'il adresse ce reproche, et il s'emporte jusqu'à le menacer : paroles sans effet, violence sans aucune suite, et, dans un homme d'action, moins condamnables que remarquables en ce qu'elles prouvaient toute l'importance qu'il attachait à une prompte victoire.

Au milieu de son emportement, il mit de l'adresse dans ses dispositions pour entrer à Vilna : il se fit précéder et suivre par des régiments polonais. Mais plus occupé de la retraite des Russes que des cris d'admiration et de reconnaissance des Lithuaniens, il traversa rapidement la ville et courut aux avant-postes.

L'armée russe avait disparu. Il fallait se lancer à sa poursuite.

II

COMBAT D'OSTROWNO, PRISE DE VITEPSK ET SMO-LENSK, COMBATS DE VALOUTINA, DE POLOTSK ET DE VIAZMA.

DEPUIS le Niémen l'armée n'avait cessé de marcher en avant à la poursuite des Russes. Le 25 juillet, Murat se dirigeait vers Ostrowno avec sa cavalerie. A deux lieues de ce village, Domon, du Coëtlosquet, Carignan, et le 8ᵉ de hussards, s'avançaient en colonne sur une large route marquée par un double rang de grands bouleaux. Ces hussards étaient près d'atteindre le sommet d'une colline, sur laquelle ils n'entrevoyaient que la plus faible partie d'un corps composé de trois régiments de la cavalerie de la garde russe, et de six pièces de canon. Pas un tirailleur ne couvrait cette ligne.

Les chefs du 8ᵉ se croyaient précédés par deux régiments de leur division, qui marchaient à travers champs, à droite et à gauche de la route, et dont les arbres qui la bordent leur dérobaient la vue. Mais

ces corps s'étaient arrêtés, et le 8e déjà bien en
avant d'eux, s'avançait toujours, persuadé que
ce qu'il entrevoyait au travers des arbres, à
cent cinquante pas devant lui, était ces deux mêmes
régiments, que, sans s'en apercevoir, il venait de
dépasser.

L'immobilité des Russes acheva de tromper les
chefs du 8e. L'ordre de charger leur paraissant une
erreur, ils envoyèrent un officier reconnaître la
troupe qu'ils avaient devant eux, et s'avancèrent
toujours sans défiance. Tout à coup ils voient leur
officier sabré, renversé, saisi, et le canon ennemi
abattre leurs hussards. Ils n'hésitent plus, et sans
perdre de temps à étendre leur troupe sous ce feu,
ils se jettent au milieu des arbres et courent dessus
pour l'éteindre. D'un premier élan ils se saisissent
des pièces, ils culbutent le régiment qui est au centre
de la ligne ennemie, et l'écrasent. Dans le désordre
de ce premier succès, ils voient le régiment russe de
droite, qu'ils venaient de dépasser, rester comme saisi
d'étonnement ; ils reviennent sur lui par derrière, et
le défont. Au milieu de cette seconde victoire, ils
aperçoivent le troisième régiment de gauche de
l'ennemi, qui, tout déconcerté, s'ébranlait et cherchait à se retirer ; ils se retournent agilement, avec
tout ce qu'ils peuvent réunir, vers ce troisième
ennemi qu'ils attaquent au milieu de son mouvement et qu'ils dispersent encore.

Animé par ce succès, Murat pousse dans les bois
d'Ostrowno l'ennemi, qui semble s'y cacher. Ce

prince voulut y pénétrer, mais alors une forte résistance l'arrêta.

La position d'Ostrowno était bien choisie : elle dominait ; on y voyait sans être vu ; elle coupait une grande route ; la Düna à droite, un ravin devant, des bois épais sur sa surface et à gauche. D'ailleurs elle était à portée des magasins, elle les couvrait ainsi que Vitepsk, la capitale de ces contrées. Ostermann accourait pour la défendre.

De son côté Murat, toujours prodigue de sa vie, alors celle d'un roi victorieux, comme jadis il l'avait été des jours d'un soldat obscur, s'obstine contre ce bois, malgré les feux qui en sortent ; mais il s'aperçoit qu'il ne s'agit plus d'un premier élan. Le terrain enlevé par les hussards du 8e lui est disputé, et il faut que sa tête de colonne, composée des divisions Bruyères et Saint-Germain, du 8e d'infanterie, s'y maintienne contre une armée.

On s'y défendit comme des vainqueurs se défendent, en attaquant. Chaque corps ennemi qui se présenta sur nos flancs comme assaillant fut assailli ; la cavalerie fut refoulée dans les bois, et l'infanterie rompue à coups de sabre. Pourtant on se fatiguait à vaincre, quand la division Delzons survint ; le roi la jeta promptement sur la droite et vers la retraite de l'ennemi, qui devient inquiet et ne disputa plus la victoire.

Ces défilés ont plusieurs lieues. Le soir même, le vice-roi rejoignit Murat, et le lendemain ils virent les Russes dans une nouvelle position. Pahlen et

Konownitzin s'étaient joints à Ostermann. Déjà, après avoir contenu la gauche des Russes, les deux princes français marquaient aux troupes de leur aile droite la position qui devait leur servir de point d'appui et de départ pour attaquer, quand tout à coup de grandes clameurs s'élèvent à leur gauche : ils regardent ; deux fois la cavalerie et l'infanterie de cette aile viennent d'aborder l'ennemi, deux fois elles ont été repoussées, et voilà les Russes enhardis qui sortent en masses de leurs bois, en poussant des cris épouvantables. L'audace, l'ardeur de l'attaque a passé chez eux, et chez les Français l'incertitude et l'étonnement de la défense.

Un bataillon de Croates et le 84e régiment essayaient vainement de résister ; leur ligne diminuait : devant eux, la terre se jonchait de leurs morts ; derrière eux, la plaine se couvrait de leurs blessés, qui se retiraient du combat, de ceux qui les portaient, et de bien d'autres encore qui, sous prétexte de soutenir les blessés, ou d'être blessés eux-mêmes, se détachaient successivement des rangs. Ainsi commence une déroute. Déjà les artilleurs, troupe toujours d'élite, ne se voyant plus soutenus, se retiraient avec leurs pièces ; quelques instants de plus, et les troupes des différentes armes, dans leur fuite vers un même défilé, allaient s'y rencontrer ; de là une confusion où la voix et les efforts des chefs sont perdus, où tous les éléments de résistance, se confondant, deviennent inutiles.

On dit qu'à cette vue, Murat irrité s'élança à la

tête d'un régiment de lanciers polonais, et que ceux-
ci, excités par la présence du roi, exaltés par ses
paroles, et que d'ailleurs la vue des Russes transpor-
tait de rage, se précipitèrent sur ses pas. Murat
n'avait voulu que les ébranler et les lancer sur l'ennemi ; il ne lui convenait pas de se jeter avec eux
dans la mêlée, d'où il n'aurait pu ni voir ni commander ; mais les lances polonaises étaient en arrêt et
serrées derrière lui ; elles occupaient toute la largeur
du terrain ; elles le poussaient en avant de toute la
vitesse des chevaux. Il ne put se mettre de côté, ni
s'arrêter : il fallut qu'il chargeât devant ce régiment, comme il s'y était mis pour le haranguer, et
en soldat, ce qu'il fit de bonne grâce.

En même temps le général d'Anthouard courut
à ses canonniers, le général Girardin au 106ᵉ régiment qu'il arrête, rallie, et ramène contre l'aile
droite russe, à laquelle il enlève sa position, deux
pièces de canon et la victoire. De son côté, le général
Piré aborde et tourne la gauche ennemie ; il ressaisit la fortune : les Russes rentrent dans leurs
forêts.

Cependant, à leur gauche, ils s'obstinaient à
défendre un bois épais dont la position avancée
rompait notre ligne. Le 92ᵉ régiment, étonné du feu
qui en sortait, étourdi par une grêle de balles, demeurait immobile, n'osant ni avancer ni reculer,
retenu par deux craintes contraires, celles de la
honte et du danger, et n'évitant ni l'une ni l'autre ;
mais le général Belliard, que suivit bientôt le

général Roussel, courut la ranimer par ses paroles,
l'entraîner par son exemple, et le bois fut emporté.

Par ce succès une forte colonne, qui s'était avancée sur notre droite pour la tourner, se trouva
tournée elle-même ; Murat s'en aperçut ; aussitôt,
l'épée à la main : « Que les plus braves me suivent ! »
s'écria-t-il. Mais ce pays est sillonné de ravins, qui
protégèrent la retraite des Russes : tous allèrent
s'enfoncer dans une forêt de deux lieues de profondeur, dernier rideau qui nous cachait Vitepsk.

Après un combat aussi vif, le roi de Naples et le
vice-roi hésitaient à se hasarder dans un pays si
couvert, quand l'Empereur survint ; ils accoururent
vers lui, lui montrant ce qui venait d'être fait et
ce qui restait à faire. Napoléon se porta d'abord sur
le sommet le plus élevé et le plus près de l'ennemi.
De là son génie, planant sur tous les obstacles, eut
bientôt percé le mystère de ces forêts et l'épaisseur
de ces montagnes ; il ordonna sans hésiter : et ces
bois, qui avaient arrêtés l'audace des deux princes,
furent traversés de part en part ; enfin, ce soir-là
même, du haut de sa double colline, Vitepsk put
voir nos tirailleurs déboucher dans la plaine qui
l'environne.

Ici tout arrêta l'Empereur : la nuit, la multitude
des feux ennemis qui couvraient cette plaine, une
terre inconnue, la nécessité de la reconnaître pour
y diriger les divisions, et surtout le temps qu'il
fallait à cette foule de soldats, engagés dans un long
et étroit défilé, pour en sortir. On fit donc halte

pour respirer, pour se reconnaître, se rallier, se nourrir, et préparer ses armes pour le lendemain. Napoléon coucha sous sa tente, sur une hauteur à gauche de la grande route, et derrière le village de Kukowiaczi.

Le 27 l'Empereur parut aux avant-postes avant le jour ; ses premiers rayons lui montrèrent enfin l'armée russe campée sur une plaine haute qui domine toutes les avenues de Vitepsk. La Luczissa, rivière qui s'est creusé profondément son lit, marquait le pied de cette position. En avant d'elle, dix mille cavaliers et quelque infanterie semblaient vouloir en défendre les approches ; l'infanterie au centre sur la grande route, sa gauche dans des bois élevés ; toute la cavalerie à droite, en ligne redoublée, et s'appuyant à la Düna.

Le front des Russes n'était plus en face de notre colonne, mais sur notre gauche : il avait changé de direction avec le fleuve, qu'un détour éloignait de nous. Il fallut que la colonne française, après avoir passé sur un pont étroit, un ravin qui la séparait de ce nouveau champ de bataille, se déployât par un changement de front à gauche, l'aile droite en avant, pour conserver de ce côté l'appui du fleuve, et faire face à l'ennemi. Déjà, sur les bords de ce ravin, près du pont, et à gauche de la grande route, un monticule isolé avait attiré l'Empereur : de là il pouvait voir les deux armées, placé sur le côté du champ de bataille, comme l'est un témoin dans un duel.

Ce furent deux cents voltigeurs parisiens, du

9e régiment de ligne, qui débouchèrent les premiers ; ils furent aussitôt jetés à gauche devant toute la cavalerie russe s'appuyant comme elle à la Düna, et marquant la gauche de la nouvelle ligne ; le 16e de chasseurs à cheval vint ensuite, puis quelques pièces légères. Les Russes nous regardaient froidement défiler devant eux, et préparer notre attaque.

Cette inaction nous était favorable ; mais le roi de Naples qu'enivraient tant de regards, se livrant à sa fougue ordinaire, précipita les chasseurs du 16e sur toute la cavalerie russe. On vit alors avec effroi cette faible ligne française, rompue dans sa marche par un terrain tranché de profondes ravines, s'avancer contre les masses ennemies. Ces malheureux se sentant sacrifiés, marchaient avec hésitation à une perte certaine. Aussi dès le premier mouvement que firent les lanciers de la garde russe, tournèrent-ils le dos ; mais les ravins qu'il fallait passer arrêtèrent leur fuite : ils furent atteints, et culbutés dans ces bas-fonds, où beaucoup périrent.

A cette vue Murat, saisi de douleur, se précipite le sabre à la main au travers de cette mêlée, avec les soixante officiers et cavaliers qui l'entourent ; son audace étonne les lanciers russes : ils s'arrêtent. Pendant que ce prince combat et que le piqueur qui le suit lui sauve la vie en abattant le bras d'un ennemi levé sur sa tête, les restes du 16e se rallient et vont se réfugier près du 53e régiment qui les protège.

Cette charge heureuse des lanciers de la garde

russe les avait fait pénétrer jusqu'au pied de la colline d'où Napoléon donnait aux corps d'armée leur direction. Quelques chasseurs de la garde française venaient de mettre pied à terre, suivant l'usage, pour former une enceinte autour de lui ; ils écartèrent les lanciers ennemis à coups de carabine. Ceux-ci repoussés rencontrèrent, en retournant sur leurs pas, les deux cents voltigeurs parisiens, que la fuite du 16e chasseurs à cheval avait laissés seuls entre les deux armées ; ils les assaillirent. Tous les regards se fixèrent sur ce point.

Des deux côtés on jugeait ces fantassins perdus ; mais seuls ils ne désespèrent pas d'eux-mêmes. D'abord leurs capitaines gagnèrent, en combattant, un terrain entrecoupé de buissons et de crevasses, que bordait la Düna ; tous s'y réunirent aussitôt, par l'habitude que chacun avait de la guerre, par le besoin de s'appuyer l'un de l'autre, et par le danger qui rapproche. Alors, comme il arrive toujours dans les périls imminents, ils se regardent entre eux, les plus jeunes, leurs anciens et tous, leurs officiers, cherchant à lire dans leur contenance ce qu'ils devaient espérer, craindre ou faire ; ils se virent pleins d'assurance, et tous comptant les uns sur les autres, chacun compta plus sur soi-même.

On s'aida du terrain avec habileté. Les lanciers russes, embarrassés dans les broussailles et arrêtés par les crevasses, allongeaient en vain leurs longues lances : pendant qu'ils cherchaient à pénétrer, atteints par les balles, ils tombaient blessés ; leurs

corps et ceux de leurs chevaux s'ajoutaient aux
obstacles que présentait le terrain. Enfin ils se rebutèrent : leur fuite, les cris de joie de notre armée,
l'ordre d'honneur que l'Empereur envoya, sur-le-
champ même, aux plus braves, ses paroles que
l'Europe a lues, tout apprit à ces vaillants soldats
leur gloire, qu'ils n'appréciaient pas encore, les
belles actions paraissant toujours simples à ceux
qui les font. Ils s'étaient crus près d'être tués ou
pris, ils se virent presque au même instant victorieux et récompensés !

Cependant l'armée d'Italie et la cavalerie de
Murat, que suivaient trois divisions du premier
corps, confiées, depuis Vilna, au comte de Lobau,
attaquaient la grande route et les bois où s'appuyait
la gauche de l'ennemi. L'engagement fut d'abord vif,
mais il tourna court. L'avant-garde russe se retira
précipitamment derrière le ravin de la Luczissa,
pour ne pas y être jetée. Alors l'armée ennemie se
trouva toute réunie sur l'autre rive ; elle présentait
quatre-vingt mille hommes.

Leur contenance audacieuse, dans une forte position, et devant une capitale, trompa Napoléon : il
crut qu'ils tiendraient à honneur de s'y défendre.
Il n'était que onze heures ; il fit cesser l'attaque, afin
de pouvoir parcourir paisiblement tout le front de la
ligne, et de se préparer à un combat décisif pour le
jour suivant. D'abord il s'alla placer sur un tertre,
parmi les tirailleurs, au milieu desquels il déjeuna.
De là il observait l'ennemi, dont une balle blessa un

des siens fort près de lui. Les heures suivantes furent employées à reconnaître le terrain, et à attendre les autres corps d'armée.

Napoléon annonçait une bataille pour le lendemain. Ses adieux à Murat furent ces paroles : « A demain à cinq heures, le soleil d'Austerlitz ! » Elles expliquent cette suspension d'hostilités au milieu d'un succès qui animait les soldats. Eux furent étonnés de cette inaction, à l'instant où ils avaient atteint une armée dont la fuite les épuisait. Murat, que chaque jour un espoir pareil avait déçu, fit observer à l'Empereur que Barclay ne se montrait si audacieux à cette heure qu'afin de pouvoir se retirer plus tranquillement pendant la nuit. Ne pouvant persuader son chef, il alla témérairement planter sa tente sur le bord de la Luczissa, presque au milieu des ennemis. Cette position plut à son désir d'entendre les premiers bruits de leur retraite, à son espoir de la troubler, et à son caractère aventureux.

Murat se trompait, et il parut avoir le mieux vu ; Napoléon avait raison, et l'événement lui donna tort : tels sont les jeux de la fortune. L'Empereur des Français avait bien jugé des intentions de Barclay. Le général russe, croyant Bagration vers Orcha, s'était décidé à se battre pour lui donner le temps de le joindre. Ce fut la nouvelle, qu'il reçut le soir, de la retraite de Bagration par Novoï-Bickof, vers Smolensk, qui changea subitement sa détermination.

En effet, le 28, dès l'aurore, Murat fit dire à l'Empereur qu'il allait poursuivre les Russes, qu'on n'apercevait déjà plus. Napoléon persévéra dans son opinion, s'obstinant à prétendre que toute l'armée ennemie était là, et qu'il fallait avancer prudemment ; cela fit perdre du temps. Enfin il monta à cheval ; chaque pas détruisit son illusion : il se trouva bientôt au milieu du camp que Barclay venait d'abandonner.

Tout y attestait la science de la guerre : son heureux emplacement, la symétrie de toutes ses parties, l'exacte et exclusive observation de l'emploi auquel chacune d'elles avait été destinée, l'ordre et la propreté qui en résultaient ; du reste, rien d'oublié : pas une arme, pas un effet, aucune trace, rien enfin, dans cette marche subite et nocturne, qui pût indiquer au delà du camp la route que les Russes venaient de suivre. Il parut plus d'ordre dans leur défaite que dans notre victoire ! Vaincus, ils nous laissaient, en fuyant, des leçons dont les vainqueurs ne profitent jamais : soit que le bonheur méprise, ou qu'on attende le malheur pour se corriger.

Un soldat russe, qu'on surprit endormi sous un buisson, fut le seul résultat de cette journée qui devait être décisive. On entra dans Vitepsk, qu'on trouva déserte comme le camp des Russes.

Toutes les routes furent essayées inutilement. Les Russes s'étaient-ils dirigés vers Smolensk ? Avaient-ils remonté la Düna ? Enfin une bande de cosaques irréguliers nous attira dans cette dernière direction,

pendant que Ney tentait la première. Nous fîmes
six lieues dans un sable profond, à travers une poussière épaisse et par une chaleur suffocante ; la nuit
nous arrêta autour d'Aghaponovchtchina.

Pendant qu'altérée et épuisée de fatigue et de
faim, l'armée n'y recueillait qu'une eau bourbeuse,
Napoléon, le roi de Naples, le vice-roi, et le prince
de Neuchâtel tinrent conseil sous les tentes impériales, dressées dans la cour d'un château et sur
une hauteur à gauche de la grande route.

« Cette victoire tant désirée, tant poursuivie, et
« que chaque jour rendait plus nécessaire, venait
« donc encore de s'échapper de nos mains comme à
« Vilna ! On avait rejoint l'arrière-garde russe,
« il est vrai ; mais était-ce celle de leur armée?
« N'était-ce pas plus vraisemblable que Barclay
« avait fui vers Smolensk par Rudnia ? Jusqu'où
« faudrait-il donc poursuivre les Russes, pour les
« décider à une bataille? La nécessité d'organiser
« la Lithuanie reconquise, de former des magasins,
« des hôpitaux, d'établir un nouveau point de
« repos, de défense, et de départ, pour une ligne
« d'opération qui s'allongeait d'une manière si
« effrayante, tout enfin ne devait-il pas décider à
« s'arrêter sur les confins de la vieille Russie ? »

Il venait de se passer, non loin de là, une échauffourée sur laquelle Murat se taisait. Notre avant-
garde avait été culbutée ; on avait vu des cavaliers
forcés de mettre pied à terre pour continuer leur
retraite ; d'autres n'avaient pu ramener du combat

leurs chevaux exténués qu'en les traînant par la bride. L'Empereur interpella Belliard : ce général déclara franchement que les régiments étaient déjà affaiblis, qu'ils étaient harassés, qu'il leur fallait du repos ; que, si l'on marchait six jours encore, il n'y aurait plus de cavalerie, et qu'il était temps de s'arrêter.

A ces motifs se joignirent les rayons d'un soleil dévorant, réfléchis par un sable ardent. L'Empereur fatigué se décida : le cours de la Düna et celui du Borysthène marquèrent la ligne française. L'armée fut ainsi cantonnée sur les bords de ces deux fleuves et dans leur intervalle : Poniatowski et ses Polonais à Mohilef ; Davout et le premier corps à Orcha, Dubrowna, et Luibowiczi ; Murat, Ney, l'armée d'Italie, et la garde, depuis Orcha et Dubrowna jusqu'à Vitepsk et Suraij ; les avant-postes à Lyadi, Inkowo, et Velij, devant ceux de Barclay et de Bagration : car ces deux armées ennemies, l'une fuyant Napoléon au travers de la Düna, par Drissa et Vitepsk ; l'autre s'échappant des mains de Davout au travers de la Bérézina et du Borysthène, par Bobruisk, Bickof et Smolensk, venaient enfin de se réunir dans l'intervalle de ces deux fleuves.

Les grands corps détachés de l'armée centrale étaient alors placés comme il suit : à la droite, Dombrowski devant Bobruisk, et devant le corps de douze mille hommes du général russe Hœrtel ;

A la gauche, le duc de Reggio et Saint-Cyr à Polotsk et à Bieloé, sur la route de Pétersbourg, que défendaient Wittgenstein et trente mille hommes ;

A l'extrême gauche, Macdonald et trente-huit mille Prussiens et Polonais devant Riga ; ils se prolongeaient à droite sur l'Aa et vers Dünabourg.

En même temps Schwartzenberg et Regnier, à la tête des corps saxon et autrichien, occupaient, vers Slonim, l'intervalle du Niémen au Bug, couvrant Varsovie et les derrières de la Grande Armée, que Tormasof inquiétait. Le duc de Bellune partait de la Vistule avec une réserve de quarante mille hommes ; enfin Augereau rassemblait une onzième armée à Stettin.

Quant à Vilna, le duc de Bassano y était resté au milieu des envoyés de plusieurs cours. Ce ministre gouvernait la Lithuanie, correspondait avec tous les chefs, leur envoyait les instructions qu'il recevait de Napoléon, et poussait en avant les vivres, les recrues et les traîneurs, à mesure qu'ils lui arrivaient.

Dès que l'Empereur eut pris sa résolution, il revint à Vitepsk avec ses gardes. Là, le 28 juillet, en entrant dans son quartier impérial, il détacha son épée, et, la posant brusquement sur les cartes dont ses tables étaient couvertes, il s'écria : « Je « m'arrête ici ; je veux m'y reconnaître, y rallier, « y reposer mon armée, et organiser la Pologne ; « la campagne de 1812 est finie ! celle de 1813 fera « le reste ! »

La Lithuanie conquise, le but de la guerre était atteint, et pourtant la guerre semblait à peine commencée ; car on avait vaincu les lieux, et non les hommes. L'armée russe était entière : ses deux ailes, séparées par la vivacité d'une première attaque, venaient de se réunir. On était dans la plus belle saison de l'année. Ce fut dans cette situation que Napoléon se crut irrévocablement décidé à s'arrêter sur les rives du Borysthène et de la Düna. Alors il put tromper d'autant mieux sur ses intentions qu'il se trompa lui-même.

Déjà sa ligne de défense est tracée sur ses cartes : l'artillerie de siège marche sur Riga ; à cette ville forte s'appuiera la gauche de l'armée ; puis, à Dünabourg et à Polotsk, elle va garder une défensive menaçante. Vitepsk, si facile à fortifier, et ses hauteurs boisées serviront de camp retranché au centre. De là, jusqu'au sud, la Bérézina et ses marais, que couvre le Borysthène, n'offrent pour passages que quelques défilés ; peu de troupes y suffiront. Plus loin, Bobruisk marque la droite de cette grande ligne, et l'ordre est donné de se saisir de cette forteresse. Quant au reste, on compte sur l'insurrection des provinces populeuses du sud : elles aideront Schwartzenberg à chasser Tormasof, et l'armée s'accroîtra de leurs nombreux cosaques. Un des plus grands propriétaires de ces provinces, un seigneur, en qui tout, jusqu'à l'extérieur, est distingué, est accouru se joindre aux libérateurs de sa patrie. C'est lui que l'Empereur désigne pour commander cette insurrection.

Dans cette position, rien ne manquera : la Cour-

lande nourrira Macdonald ; la Samogitie, Oudinot ;
les plaines fertiles de Klubokoé, l'Empereur ; les
provinces du sud feront le reste. D'ailleurs, le grand
magasin de l'armée est à Dantzick, ses grands en-
trepôts à Vilna et à Minsk. Ainsi l'armée se trouvera
liée au sol qu'elle vient d'affranchir ; et sur cette
terre, fleuve, marais, productions, habitants, tout
s'unit à nous, tout est d'accord pour se défendre.

Tel fut le plan de Napoléon. On le vit alors parcourir Vitepsk et ses environs, comme pour reconnaître des lieux qu'il devait longtemps habiter. Des
établissements de toute espèce y furent formés.
Trente-six fours, qui pouvaient donner à la fois
vingt-neuf mille livres de pain, s'y construisirent.
On ne s'en tint pas à l'utile, on voulut des embellisse-
ments. Des maisons de pierre gâtaient la place du
Palais, l'Empereur ordonna à sa garde de les abattre et d'en enlever les débris. Déjà même il songe aux
plaisirs de l'hiver : des acteurs de Paris viendront à
Vitepsk ; et, comme cette ville est déserte, des spec-
tatrices de Varsovie et de Vilna y seront attirées.

Alors son étoile l'éclairait ; heureux s'il n'eût pas
pris ensuite les mouvements de son impatience pour
des inspirations de génie !

Ce jour-là même, il interpella hautement un ad-
ministrateur par ces mots remarquables : « Pour
« vous, Monsieur, songez à nous faire vivre ici ! car,
« ajouta-t-il à haute voix, en s'adressant à ses offi-
« ciers, nous ne ferons pas la folie de Charles XII ! »
Mais bientôt ses actions démentirent ses paroles, et

chacun s'étonna de son indifférence à donner des
ordres pour un si grand établissement.

Au reste, la modération des premiers discours de
Napoléon n'avait pas trompé ceux de son intérieur.
Ils se rappelaient qu'à la première vue du camp vide
des Russes et de Vitepsk abandonnée, les entendant
se réjouir de cette conquête, il s'était retourné
brusquement vers eux, en s'écriant : « Croyez-
« vous donc que je sois venu de si loin pour
« conquérir cette masure ? » On savait d'ailleurs
qu'avec un grand but il ne formait jamais qu'un
plan vague, n'aimant à prendre conseil que de
l'occasion, ce qui convenait à la promptitude de son
génie.

Napoléon s'était flatté de recevoir de nouvelles
propositions de paix de la part d'Alexandre, et la
misère et l'affaiblissement de l'armée l'avaient
occupé. Il fallait bien laisser à la longue file des
traîneurs et des malades le temps de joindre, les
uns leurs corps, les autres les hôpitaux ; enfin,
créer ces hôpitaux, rassembler des vivres, refaire
les chevaux, et attendre les ambulances, l'artillerie,
les pontons, qui se traînaient encore péniblement
dans les sables lithuaniens pour nous atteindre. Sa
correspondance avec l'Europe devait encore le distraire. Enfin un ciel dévorant l'arrêtait ! car tel est
ce climat : le ciel y est extrême, immodéré ; il des-
sèche ou inonde, brûle ou glace cette terre et ses
habitants, qu'il semble fait pour protéger : atmosphère perfide, dont la chaleur amollissait nos corps

comme pour les rendre plus accessibles aux frimas, qui devaient bientôt les pénétrer !

L'Empereur n'y était pas le moins sensible ; mais quand le repos l'eut rafraîchi, qu'il ne vit arriver aucun envoyé d'Alexandre, et que ses premières dispositions furent prises, l'impatience le saisit. On le vit inquiet : soit que, comme à tous les hommes d'action, l'inaction lui pesât, et qu'à l'ennui d'attendre il préférât le péril, ou qu'il fût agité par cet espoir d'acquérir qui, chez la plupart, est plus fort que la douceur de conserver ou la crainte de perdre.

Ce fut alors surtout que l'image de Moscou prisonnière obséda son esprit : c'était le terme de ses craintes, le but de ses espérances ; dans sa possession il trouvait tout ! Dès lors on commença à prévoir qu'un génie ardent, inquiet, accoutumé aux voies courtes, n'attendrait pas huit mois, quand il sentait son but à sa portée, quand vingt journées suffisaient pour l'atteindre.

Au reste, qu'on ne se presse pas de juger cet homme extraordinaire sur des faiblesses communes à tous les hommes ; on va l'entendre lui-même, on verra jusqu'à quel point sa position politique compliquait sa position militaire. Plus tard encore on blâmera moins la résolution qu'il va prendre, quand on verra que le sort de la Russie tint à un jour de santé de plus, qui manqua à Napoléon sur le champ même de la Moskowa.

Cependant il parut d'abord ne pas oser s'avouer à lui-même une si grande témérité ; mais peu à peu il s'enhardit à la considérer. Alors il délibère ; et cette grande irrésolution, qui tourmente son esprit, s'empare de toute sa personne. On le voyait errer dans ses appartements comme poursuivi par cette dangereuse tentation. Rien ne peut plus le fixer : à chaque instant il prend, quitte, et reprend son travail ; il marche sans objet, demande l'heure, considère le temps ; et, tout absorbé, il s'arrête, puis il fredonne d'un air préoccupé, et marche encore.

Dans sa perplexité, il adresse des paroles entrecoupées à ceux qu'il rencontre. « Eh bien ! que ferons-nous ? Resterons-nous ? Irons-nous plus avant ? Comment s'arrêter dans un si glorieux chemin ! » Il n'attend pas leur réponse, il erre encore ; il semble chercher quelque chose ou quelqu'un qui le décide.

Enfin, tout surchargé du poids d'une si considérable pensée, et comme accablé d'une si grande incertitude, il s'est jeté sur un des lits de repos qu'il a fait étendre sur le parquet de ses chambres ; son corps, qu'épuisent la chaleur et la contention de son esprit, n'a gardé qu'un léger vêtement ; c'est ainsi qu'il passe à Vitepsk une partie de ses journées.

Mais quand son corps est en repos, son esprit est encore plus actif. « Que de motifs le précipitent vers Moscou ! Comment supporter à Vitepsk l'ennui de sept mois d'hiver ! Lui qui jusqu'alors a toujours attaqué, il va donc être réduit à se défendre ! rôle indigne de lui, dont il n'a pas l'expérience, et qui convient mal à son génie. »

Alors décidé, il se relève soudainement, comme pour ne pas laisser à ses réflexions le temps de lui rendre une pénible incertitude ; et déjà, tout rempli du plan qui doit lui livrer sa conquête, il court à ses cartes. Elles lui montrent Smolensk et Moscou, la grande Moscou, *la ville sainte !* noms qu'il répète avec complaisance, et qui semblent accroître son désir. A cette vue, plein du feu de sa redoutable conception, il paraît possédé du génie de la guerre. Sa voix s'endurcit, son regard devient étincelant, et son air farouche. On s'écarte de lui par frayeur autant que par respect ; mais enfin son plan est arrêté, sa détermination prise, sa marche tracée ! Aussitôt tout en lui s'apaise ; et, délivré de sa terrible conception, ses traits reprennent une gaieté douce et sereine.

Sa résolution fixée, il lui importait qu'elle ne mécontentât pas ses entours ; mais chacun, suivant son caractère, y apporta son opposition : Berthier par une contenance triste, des plaintes, et même des larmes ; Lobau et Caulaincourt par une franchise qui, chez le premier, avait une haute et froide rudesse, excusable dans un si brave guerrier ; et qui, dans le second, était persévérante jusqu'à l'opiniâtreté, et impétueuse jusqu'à la violence. L'Empereur repoussa leurs observations avec humeur ; il s'écriait, en s'adressant surtout à son aide de camp, ainsi qu'à Berthier : « Qu'il avait fait ses généraux « trop riches ; qu'ils n'aspiraient plus qu'aux plai- « sirs de la chasse, qu'à faire briller dans Paris

« leurs somptueux équipages, et que sans doute ils
« étaient dégoûtés de la guerre ! » L'honneur ainsi
attaqué, il n'y avait plus de réponse ; on baissait la
tête et l'on se résignait. Dans un mouvement
d'impatience, il avait dit à l'un des généraux de sa
garde : « Vous êtes né au bivouac, et vous y mour-
« rez ! »

Duroc désapprouva : d'abord par un froid silence,
puis par des réponses nettes, des rapports véridi-
ques, et de courtes observations. L'Empereur lui
répondit : « Qu'il voyait bien que les Russes ne cher-
« chaient qu'à l'attirer ; mais que pourtant il
« fallait encore aller jusqu'à Smolensk ; qu'il s'y
« établirait, et qu'au printemps de 1813, si la Rus-
« sie n'avait pas fait la paix, elle était perdue ; que
« Smolensk était la clef des deux routes de Péters-
« bourg et de Moscou ; qu'il fallait s'en saisir ; alors
« il pourrait marcher en même temps sur ces deux
« capitales, pour tout détruire dans l'une, et tout
« conserver dans l'autre...

« Qu'il tournerait ses armes contre la Prusse,
« et qu'il lui ferait payer les frais de la guerre. »

Daru vint à son tour. Ce ministre est droit jusqu'à la roideur, et ferme jusqu'à l'impassibilité. La
grande question de la marche sur Moscou s'engagea ; Berthier seul était présent ; elle fut agitée
pendant huit heures consécutives. L'Empereur
demanda à son ministre sa pensée sur cette guerre :
« Qu'elle n'est point nationale, répondit Daru ; que
« l'introduction de quelques denrées anglaises en

« Russie, que même l'érection d'un royaume de
« Pologne, ne sont pas des raisons suffisantes pour
« une guerre si lointaine; que vos troupes, que nous-
« mêmes, nous n'en concevons ni le but ni la né-
« cessité, et que tout conseille de s'arrêter ici ? »
L'Empereur se récria :

« Il n'y a pas encore de sang versé, et la Russie
« est trop grande pour céder sans combattre.
« Alexandre ne peut traiter qu'après une grande
« bataille. S'il le faut, j'irai chercher jusqu'à la
« *ville sainte* cette bataille, et je la gagnerai. La
« paix m'attend aux portes de Moscou. Mais,
« l'honneur sauvé, si Alexandre s'obstine encore,
« eh bien, je traiterai avec les boyards, sinon avec
« la population de cette capitale ; elle est considé-
« rable, et conséquemment éclairée : elle entendra
« ses intérêts, elle comprendra la liberté. » Et il
termina en disant : « Que d'ailleurs Moscou haïs-
« sait Pétersbourg ; qu'il profiterait de cette riva-
« lité ; que les résultats d'une telle jalousie étaient
« incalculables. »

Ainsi, l'Empereur, que la conversation avait
échauffé, découvrait son espoir. Daru lui répliqua :
« Que déjà, soit désertion, maladie ou famine,
« l'armée était diminuée d'un tiers.

« Si les vivres manquaient à Vitepsk, que se-
« rait-ce plus loin ? »

Berthier ajouta : « Que si nous marchions plus
« avant, les Russes auraient pour eux nos flancs
« trop allongés, la famine, et surtout leur puissant

« hiver ; tandis qu'en s'arrêtant, l'Empereur met-
« trait l'hiver de son côté, et se rendrait maître de
« la guerre ; qu'il la fixerait à sa portée, au lieu
« de la suivre trompeuse, vagabonde, indéter-
« minée. »

Berthier et Daru répliquaient ainsi. L'Empereur
les écoutait doucement ; plus souvent il les interrompait par des raisonnements subtils : posant la
question suivant ses désirs, ou la déplaçant quand
elle devenait trop pressante. Mais, quelques fâcheuses
que fussent les vérités qu'il eut à entendre, il les
écouta patiemment et y répondit de même. Dans
toute cette discussion, ses paroles, ses manières,
tous ses mouvements furent remarquables par une
facilité, une simplicité, une bonhomie qu'au reste
il avait presque toujours dans son intérieur ; ce qui
explique pourquoi, malgré tant de malheurs, il est
encore aimé par ceux qui ont vécu dans son intimité.

L'Empereur, peu satisfait, fit venir successivement plusieurs généraux de son armée ; mais ses
questions leur indiquèrent leurs réponses ; et quelques-uns de ces chefs, nés soldats et accoutumés à
obéir à sa voix, lui furent soumis dans ces entretiens
comme aux champs de bataille.

On se sentait engagé trop avant ; il fallait une
victoire pour se dégager promptement ; lui seul
pouvait la donner ! Puis le malheur avait épuré
l'armée : ce qui en restait n'en pouvait être que
l'élite, d'esprit comme de corps. Pour être arrivé
jusque-là, il fallait avoir résisté à tant d'épreuves !

L'ennui et le mal-être de leurs misérables cantonnements agitaient de tels hommes. Rester leur paraissait insupportable ; reculer, impossible; il fallait
donc avancer.

Les grands noms de Smolensk et de Moscou
n'effrayaient pas. Dans des temps et pour des
hommes ordinaires, ce sol inconnu, ces peuples nouveaux, cet éloignement qui agrandit tout, auraient
repoussé. C'était ce qui les attirait ; ils ne se plai-
saient que dans des situations hasardeuses, que plus
de dangers rendent plus piquantes, et auxquelles
des périls nouveaux donnent un air de singularité :
émotions pleines d'attraits pour des esprits actifs
qui avaient goûté de tout, et auxquels il fallait des
choses nouvelles !

Alors l'ambition était sans entraves ; tout inspirait la passion de la renommée ; on avait été lancé
dans une carrière sans terme. Eh ! comment mesurer l'ascendant qu'avait dû prendre, et l'élan
qu'avait donné un puissant Empereur, capable de
dire à ses soldats d'Austerlitz, après cette victoire :
« Donnez mon nom à vos enfants, je vous le permets;
« et si parmi eux il s'en trouve un digne de nous, je
« lui lègue tous mes biens, et je le nomme mon suc-
« cesseur ! »

Cependant la réunion des deux ailes de l'armée
russe vers Smolensk avait forcé Napoléon de rapprocher l'un de l'autre ses corps d'armée. Aucun
signal d'attaque n'était encore donné ; mais la
guerre l'entourait ; elle semblait tenter son génie

par des succès, et l'exciter par des revers.

Presque en même temps on apprit à Vitepsk que l'avant-garde du vice-roi avait eu des succès vers Suraij, mais qu'au centre, près du Dnieper, à In-kowo, Sébastiani, surpris par le nombre, avait été battu.

Napoléon écrivait alors au duc de Bassano d'annoncer chaque jour de nouvelles victoires aux Turcs ; vraies ou fausses, il n'importait, pourvu que ces communications suspendissent leur paix avec les Russes. Il s'occupait encore de ce soin, quand des députés de la Russie-Rouge vinrent à Vitepsk, et apprirent à Duroc qu'ils avaient entendu le canon des Russes proclamer la paix de Bucharest. Cette paix, signée par Kutusof, venait d'être ratifiée.

A cette nouvelle, que Duroc transmit à Napoléon, celui-ci fut saisi d'un violent chagrin. Il ne s'étonne plus du silence d'Alexandre.

Cet événement lui rend une prompte victoire encore plus nécessaire. Tout espoir de paix est détruit Il vient de lire les proclamations des Russes. Pour des peuples grossiers, elles devaient être grossières. En voici quelques passages : « L'ennemi, avec une « perfidie sans pareille, annonce la destruction de « notre pays. Nos braves veulent se jeter sur ses « bataillons et les détruire ; mais nous ne voulons « pas les sacrifier sur les autels de ce Moloch. Il « faut une levée générale contre le tyran universel. « Il vient, la trahison dans le cœur et la loyauté « sur les lèvres, nous enchaîner avec ses légions

« d'esclaves. Chassons cette race de sauterelles !
« Portons la croix dans nos cœurs, le fer dans nos
« mains ! Arrachons les dents à cette tête de lion,
« et renversons le tyran qui veut renverser la
« terre ! »

L'Empereur s'émut. Ces injures, ces succès, ces
revers, tout l'excite. La marche en avant de Barclay sur trois colonnes, vers Rudnia, qu'avait déce-
lée l'échec d'Inkowo, et la vigoureuse défensive de
Wittgenstein, promettaient une bataille. Il fallait
opter entre elle et une défensive longue, pénible,
sanglante, inaccoutumée, difficile à soutenir à cette
distance de ses renforts, et encourageante pour ses
ennemis.

Napoléon se décide ; mais sa décision, sans être
téméraire, est grande et hardie comme l'entreprise.
S'il s'écarte d'Oudinot, c'est après l'avoir renforcé de
Saint-Cyr, et lui avoir ordonné de se lier au duc de
Tarente. S'il marche à l'ennemi, c'est en changeant
devant lui, à sa portée, et à son insu, sa ligne d'opération de Vitepsk contre celle de Minsk. Sa manœuvre
est si bien combinée, il a accoutumé ses lieutenants
à tant de ponctualité, de précision, et de secret, que
dans quatre jours, pendant que l'armée ennemie,
surprise, cherchera vainement un Français devant
elle, lui se trouvera, avec une masse de cent quatre-
vingt-cinq mille hommes, sur le flanc gauche et sur
les derrières de cet ennemi, qui, un moment, ose
concevoir la pensée de le surprendre.

C'est le 10 août que Napoléon donne l'ordre de

mouvement. Dans quatre jours, toute son armée doit être rassemblée sur la rive gauche du Borysthène, vers Liady. Ce fut le 13 qu'il partit de Vitepsk ; il y était resté quinze jours.

Le 15 août, à trois heures, on découvrit Krasnoé, ville de bois, qu'un régiment russe voulut défendre ; mais il n'arrêta le maréchal Ney que le temps nécessaire pour arriver sur lui et le renverser. La ville prise, on vit au delà six mille hommes d'infanterie russe en deux colonnes, dont plusieurs escadrons couvraient la retraite : c'était le corps de Newerowskoï, qui fit une retraite de lion. Toutefois il laissa sur le champ de bataille douze cents morts, mille prisonniers et huit pièces de canon. La cavalerie française eut l'honneur de cette journée. L'attaque y fut aussi acharnée que la défense opiniâtre ; elle eut plus de mérite, n'ayant à employer que le fer contre le fer et le feu.

Newerowskoï, presque écrasé, courut se renfermer dans Smolensk. Il laissa derrière lui quelques cosaques pour brûler les fourrages ; les habitations furent respectées.

Pendant que la Grande Armée remontait ainsi le Dnieper par sa rive gauche, Barclay et Bagration placés entre ce fleuve et le lac Kasplia, vers Inkowo, s'y croyaient encore en présence de l'armée française. Ils hésitaient : deux fois, entraînés par les conseils du quartier-maître général Toll, ils avaient résolu d'enfoncer la ligne de nos cantonnements ; et deux fois, étonnés d'une détermination si hardie, ils s'étaient arrêtés au milieu de leur mouvement commencé. Enfin, trop timides pour ne prendre conseil que d'eux-mêmes, ils paraissaient attendre leur décision des événements, et notre attaque pour y conformer leur défense.

La vue de Smolensk enflamme l'ardeur impatiente du maréchal Ney. On ne sait s'il se rappela mal à propos les merveilles de la guerre de Prusse, quand les citadelles tombaient devant les sabres de nos cavaliers, ou s'il ne voulut d'abord que reconnaître cette première forteresse russe ; mais il s'en approcha trop : une balle le frappa au cou. Irrité, il lança un bataillon contre la citadelle, au travers d'une grêle de balles et de boulets, qui lui firent perdre les deux tiers de ses soldats ; les autres continuèrent, les murailles russes purent seules les arrêter ; quelques-uns seulement en revinrent. On parla peu de l'effort héroïque qu'ils venaient de tenter, parce qu'il était une faute de leur général, et qu'il fut inutile.

Refroidi, le maréchal Ney se retira sur une hauteur, sablonneuse et boisée, qui bordait le fleuve. Il observait la ville et le pays, quand de l'autre côté du Dnieper, il crut entrevoir au loin des masses de troupes en mouvement. Il courut appeler l'Empereur, et le guida à travers les taillis et dans les fonds, pour le dérober aux feux de la place.

Napoléon, parvenu sur la hauteur, vit dans un nuage de poussière de longues et noires colonnes, d'où jaillissait le reflet d'une multitude d'armes ;

ces masses s'avançaient si rapidement qu'elles semblaient courir. C'était Barclay, Bagration, près de
cent vingt mille hommes, enfin toute l'armée russe !

A cette vue Napoléon, transporté de joie, frappa
des mains et s'écria : « Enfin ! je les tiens ! » Il
n'en fallait pas douter, cette armée surprise accourait pour se jeter dans Smolensk, pour la traverser,
pour se déployer sous ses murs, et nous livrer enfin
cette bataille tant désirée ; l'instant décisif du sort
de la Russie était donc enfin venu !

Aussitôt il parcourt toute la ligne, et marque à
chacun sa place. Davout, puis le comte de Lobau, se
déploieront à la droite de Ney ; la garde au centre
en réserve et plus loin, l'armée d'Italie. La place de
Junot et des Westphaliens fut indiquée ; mais un
faux mouvement les avait égarés. Murat et Poniatowski formèrent la droite de l'armée ; déjà ces
deux chefs menaçaient la ville, il les fit reculer jusqu'à la lisière d'un taillis, et laisser vide devant
eux une vaste plaine, qui s'étend depuis ce bois jusqu'au Dnieper. C'était un champ de bataille qu'il
offrait à l'ennemi. L'armée française, ainsi placée,
était adossée à des défilés et à des précipices ;
mais la retraite importait peu à Napoléon ; il ne
songeait qu'à la victoire.

Cependant Bagration et Barclay revenaient vers
Smolensk à grands pas : l'un pour la sauver par une
bataille ; l'autre pour protéger la fuite de ses habitants et l'évacuation de ses magasins : il était décidé
à ne nous abandonner que ses cendres. Les deux

généraux russes arrivèrent hors d'haleine sur les hauteurs de la rive droite ; ils ne respirèrent qu'en se voyant encore maîtres des ponts qui réunissent les deux villes.

Napoléon faisait alors harceler l'ennemi par une nuée de tirailleurs, afin de l'attirer sur la rive gauche et d'engager une bataille pour le jour suivant. On assure que Bagration s'y serait laissé entraîner, mais que Barclay ne l'exposa pas à cette tentation. Il l'envoya vers Elnia et se chargea de la défense de la ville.

Selon Barclay, la plus grande partie de notre armée marchait sur Elnia pour aller se placer entre Moscou et l'armée russe. Il se trompait par cette disposition, commune à la guerre, de prêter à son ennemi des desseins contraires à ceux qu'il montre : car la défensive, étant inquiète de sa nature, grandit souvent l'offensive, et la crainte, échauffant l'imagination, fait supposer à l'ennemi mille projets qu'il n'a pas. Il se peut aussi que Barclay, ayant en tête un ennemi colossal, dût s'attendre à des mouvements gigantesques.

Depuis, les Russes eux-mêmes ont reproché à Napoléon de ne s'être point décidé à cette manœuvre. Mais ont-ils assez songé qu'aller ainsi se placer par delà un fleuve, une ville forte, et une armée ennemie, c'eût été, pour couper aux Russes le chemin de la capitale, se faire couper à soi-même toute communication avec ses renforts, ses autres armées, et l'Europe ? Ceux-là ne savent guère apprécier les difficultés d'un tel mouvement, s'ils s'étonnent qu'on ne l'ait pas improvisé en deux jours, au travers d'un fleuve et d'un pays inconnus, avec de telles masses, et au milieu d'une autre combinaison, dont l'exécution n'était pas achevée.

Quoi qu'il en puisse être, dans la soirée même du 16, Bagration commença son mouvement vers Elnia. Napoléon venait de faire planter sa tente au milieu de sa première ligne, presque à portée du canon de Smolensk, et sur les bords du ravin qui cerne la ville. Il appelle Murat et Davout. Le premier vient de remarquer chez les Russes des mouvements qui annoncent une retraite ; chaque jour, depuis le Niémen, il a l'habitude de les voir ainsi s'échapper : il ne croit donc pas à une bataille pour le lendemain. Davout fut d'un avis contraire. Quant à l'Empereur, il n'hésita pas à croire ce qu'il désirait.

Le 17, dès le point du jour, l'espérance de voir l'armée russe rangée devant lui réveilla Napoléon, mais le champ qu'il lui avait préparé était resté désert ; néanmoins il persévéra dans son illusion. Davout la partageait : ce fut de ce côté qu'il se rendit. Dalton, l'un des généraux de ce maréchal, a vu des bataillons ennemis sortir de la ville, et se ranger en bataille. L'Empereur saisit cet espoir, que Ney, d'accord avec Murat, combat en vain.

Mais, pendant qu'il espère et attend, Belliard, fatigué de ces incertitudes, se fait suivre par quelques cavaliers ; il pousse une bande de cosaques

dans le Dnieper, au-dessus de la ville, et voit, sur
la rive opposée, la route de Smolensk à Moscou
couverte d'artillerie et de troupes en marche. Il
n'y a plus à en douter, les Russes sont en pleine retraite. L'Empereur est averti qu'il faut renoncer
à l'espoir d'une bataille, mais que, d'une rive à
l'autre, ses canons pourront inquiéter la marche
rétrograde de l'ennemi.

Belliard proposa même de faire franchir le fleuve
à une partie de l'armée, afin de couper la retraite
à l'arrière-garde russe, chargée de défendre Smolensk ; mais les cavaliers envoyés pour découvrir
un gué firent deux lieues sans en trouver, et noyèrent plusieurs chevaux. Il existait cependant un
passage large et commode à une lieue au-dessus de
la ville. Dans son agitation, Napoléon poussa lui-
même son cheval de ce côté : il fit plusieurs verstes
dans cette direction, se fatigua, et revint.

Dès lors il parut ne plus considérer Smolensk que
comme un passage, qu'il fallait enlever de vive force
et sur-le-champ. Mais Murat, prudent quand la présence de l'ennemi ne l'échauffait pas, et qui, avec
sa cavalerie, n'avait rien à faire à un assaut, combattit cette résolution.

Un si violent effort lui paraissait inutile, puisque
les Russes se retiraient d'eux-mêmes. Quant au
projet de les atteindre, on l'entendit s'écrier : « Que
« puisqu'ils ne voulaient point de bataille, c'était
« assez loin les poursuivre, et qu'il était temps de
« s'arrêter ! »

L'Empereur répliqua. On n'a point recueilli le reste de leur entretien. Cependant, comme ensuite on entendit le roi dire « qu'il s'était jeté aux genoux « de son frère, qu'il l'avait conjuré de s'arrêter, « mais Napoléon ne voyait que Moscou ; qu'hon- « neur, gloire, repos, tout pour lui était là ; que « cette Moscou nous perdrait, » on vit bien quel avait été le sujet de leur dissentiment.

Un fait certain, c'est qu'en quittant son beau-frère, les traits de Murat portaient l'empreinte d'un profond chagrin ; ses mouvements étaient brusques, une violence sombre et concentrée l'agitait ; le nom de Moscou sortit plusieurs fois de sa bouche.

On avait placé non loin de là, sur la rive gauche du Dnieper, à l'endroit d'où Belliard avait aperçu la retraite de l'ennemi, une batterie formidable. Les Russes nous en avaient opposé deux plus terribles encore. A chaque instant nos canons étaient écrasés, nos caissons sautaient. Ce fut au milieu de ce volcan que le roi poussa son cheval ; là, il s'arrête, met pied à terre, et reste immobile. Belliard l'avertit qu'il se fera tuer inutilement et sans gloire ; le roi, pour toute réponse, pousse plus avant. On n'en doute plus autour de lui : il désespère du sort de cette guerre ; il prévoit un désastreux avenir, et il cherche la mort pour y échapper ! Toutefois Belliard insiste, et lui fait remarquer que sa témérité causera la perte de ceux qui l'entourent. « Eh bien ! « répond Murat, retirez-vous donc tous, et laissez-moi « seul ici ! » Mais tous s'y refusèrent. Alors le roi, se retournant avec emportement, s'arracha de ce lieu de carnage comme quelqu'un à qui l'on fait violence.

L'assaut général venait d'être ordonné. Ney avait à attaquer la citadelle ; Davout et Lobau, les faubourgs qui couvrent les murs de la ville. Poniatowski, déjà sur les bords du Dnieper, avec soixante pièces de canon, dut redescendre ce fleuve jusque dans le faubourg qui le borde, détruire les ponts de l'ennemi, et ôter à la garnison sa retraite. Napoléon voulut qu'en même temps l'artillerie de la garde abattît la grande muraille avec ses pièces de douze, impuissantes contre une masse si épaisse. Elle désobéit, prolongea ses feux dans le chemin couvert et le nettoya.

Tout réussit à la fois, hors l'attaque de Ney, la seule qui aurait dû être décisive, mais qu'on négligea. L'ennemi fut rejeté brusquement dans ses murs. Tout ce qui n'eut pas le temps de s'y précipiter périt ; mais, en montant à cet assaut, nos colonnes d'attaque laissèrent une longue et large traînée de sang, de blessés et de morts.

On remarqua un bataillon qui, s'étant présenté de flanc aux batteries russes, perdit un rang entier de l'un de ses pelotons par un seul boulet ; vingt-deux hommes tombèrent par le même coup.

Cependant l'armée, sur un amphithéâtre de hauteurs, contemplait, avec une silencieuse anxiété, ses braves compagnons d'armes ; mais quand elle les vit s'élancer tout au travers d'une grêle de balles et de mitraille, et persévérer avec une ardeur, une fermeté, un ordre admirables, alors, saisie d'enthousiasme, on l'entendit battre des mains. Le bruit de ce glorieux applaudissement arriva jusqu'à nos colonnes d'attaque. Il récompensa le dévouement de ces guerriers, et quoique, dans une seule brigade, celle de Dalton, et dans l'artillerie de Reindre, cinq chefs de bataillon, quinze cents hommes et le général lui-même fussent tombés, ceux qui survécurent disent encore que cet hommage de l'enthousiasme qu'ils excitèrent est pour eux une compensation suffisante à tous les maux qu'ils ont endurés.

Parvenu jusqu'aux murs de la place, on se mit à couvert de ses feux en se servant des ouvrages et des bâtiments extérieurs qu'on venait d'enlever. La fusillade continuait ; son pétillement, redoublé par l'écho des murailles, paraissait de plus en plus vif. L'Empereur en fut fatigué ; il voulut retirer ses troupes. Ainsi la faute que Ney avait fait commettre la veille à un bataillon venait d'être répétée par l'armée entière : l'une avait coûté trois à quatre cents hommes, la seconde cinq à six mille ; mais Davout persuada à l'Empereur de persévérer dans son attaque.

La nuit vint ; Napoléon se retira dans sa tente, qu'on avait fait placer plus prudemment que la veille, et le comte de Lobau, maître du fossé, mais qui n'y pouvait plus tenir, fit jeter des obus dans la ville pour en déloger l'ennemi. Ce fut alors que l'on vit s'élever de plusieurs points d'épaisses co-

lonnes de fumée, qu'éclairèrent, ensuite, par intervalles, des lueurs incertaines, puis des étincelles ;
enfin de longues gerbes de feu jaillirent de toutes
parts : c'était comme un grand nombre d'embrase-
ments. Bientôt ils se réunirent et ne formèrent plus
qu'une vaste flamme, qui s'élevait en tourbillonnant, couvrait Smolensk et la dévorait tout entière
avec un sinistre bruissement !

Un si grand désastre, qu'il crut son ouvrage,
effraya le comte de Lobau. L'Empereur, assis devant
sa tente, contemplait silencieusement cet horrible
spectacle. On ne pouvait encore en déterminer ni la
cause ni le résultat, et l'on passa la nuit sous les
armes.

Vers trois heures du matin, un sous-officier de
Davout se hasarda jusqu'au pied de la muraille, et
l'escalada sans bruit. Enhardi par le silence qui
régnait autour de lui, il pénétra dans la ville. Tout
à coup plusieurs voix et l'accent slavon se font entendre, et le Français, surpris et environné, crut
n'avoir plus qu'à se faire tuer ou à se rendre. Mais
alors les premiers rayons du jour lui montrèrent,
dans ceux qu'ils croyaient ses ennemis, les Polonais
de Poniatowski. Les premiers ils avaient pénétré
dans la ville que Barclay venait d'abandonner.

Smolensk reconnue et ses portes déblayées, l'armée entra dans ses murs. Elle traversa ces décombres fumants et ensanglantés, avec son ordre, sa
musique guerrière, et sa pompe accoutumés, triomphante sur ces ruines désertes, et n'ayant qu'elle-

même pour témoin de sa gloire ! Spectacle sans spectateurs, victoire presque sans fruit, gloire sanglante, dont la fumée qui nous environnait, et qui semblait être notre seule conquête, n'était qu'un trop fidèle emblème !

Quand l'Empereur sut Smolensk entièrement occupée, ses feux presque éteints, et que le jour et les différents rapports l'eurent suffisamment éclairé, alors il vit que là comme au Niémen, comme à Vilna, comme à Vitepsk, ce fantôme de victoire qui l'attirait, et qu'il se croyait toujours près de saisir, avait encore cette fois reculé devant lui ; il se décida encore à la poursuivre.

Après Smolensk la route de Pétersbourg quittait le fleuve plus brusquement : deux chemins marécageux s'en détachaient à droite, l'un à deux lieues de Smolensk, l'autre à quatre ; ils traversaient des bois et rejoignaient la grande route de Moscou, après un long circuit, l'un à Bredichino, à deux lieues au delà de Valoutina, l'autre plus loin, à Slobpnewa.

Ce fut dans ces défilés que Barclay, qui fuyait toujours, ne craignit pas de s'engager avec tant de chevaux et de voitures : cette longue et lourde colonne avait à parcourir ainsi deux grands arcs de cercle, dont la grande route de Smolensk à Moscou, que Ney attaqua bientôt, était la corde. A chaque instant, et comme il arrive toujours, une voiture renversée, une roue engravée, un seul cheval embourbé, un trait rompu, arrêtait tout. Cependant le bruit du canon français s'avançait ; déjà il sem-

blait devancer la colonne russe, et être près
d'atteindre et de fermer le débouché qu'elle s'efforçait de gagner.

Enfin, après une pénible marche, la tête du convoi
ennemi revit la grande route, à l'instant où les
Français n'avaient plus pour atteindre ce débouché
qu'à forcer la hauteur de Valoutina et le passage de
la Kolowdnia. Ney venait d'emporter violemment
celui de la Stubna; mais Korf, repoussé sur Valoutina,
avait appelé à son secours la colonne qui le précédait. On assure que celle-ci, sans ordre et mal commandée, hésita ; mais que Woronzof, comprenant
l'importance de cette position, décida son chef à
revenir sur ses pas.

Les Russes se défendirent pour tout défendre,
canons, blessés, bagages ; les Français attaquèrent
pour tout prendre. Napoléon s'était arrêté à une
lieue et demie de Ney. Ne croyant qu'à une affaire
d'avant-garde, il envoya Gudin au secours du maréchal, rallia les autres divisions, et rentra dans
Smolensk. Mais ce combat devint une bataille :
trente mille hommes s'y engagèrent successivement
de part et d'autre. On s'aborda, soldats, officiers,
généraux ; la mêlée fut longue, l'acharnement
terrible ; la nuit même n'arrêta point. Maître enfin
du plateau, et épuisé de forces et de sang, Ney, ne
se sentant plus environné que de morts, de mourants
et de ténèbres, se fatigua : il fit cesser le feu, garder
le silence et présenter les baïonnettes. Les Russes,
n'entendant plus rien, se turent aussi, et profi-

tèrent de l'obscurité pour faire leur retraite.

Il y eut presque autant de gloire dans leur défaite que dans notre victoire : les deux chefs réussirent, l'un à vaincre, l'autre à n'être vaincu qu'après avoir sauvé l'artillerie, les bagages et les blessés russes. Un des généraux ennemis, resté seul debout sur ce champ de carnage, tenta de s'échapper au milieu de nos soldats, en répétant les commandements français ; la lueur des coups de feu le fit reconnaître, il fut saisi. D'autres généraux russes avaient péri ; mais la Grande Armée fit une plus grande perte. Au passage du pont mal rétabli de la Kolowdnia, le général Gudin, dont la valeur réglée n'aimait affronter que les dangers utiles, et qui d'ailleurs était peu confiant à cheval, en était descendu pour franchir le ruisseau, et dans le même moment un boulet, en rasant la terre, lui avait brisé les deux jambes. Quand la nouvelle de ce malheur parvint chez l'Empereur, elle y suspendit tout, discours et actions. Chacun s'arrêta consterné : la victoire de Valoutina ne parut plus un succès.

Gudin, transporté à Smolensk, y reçut les soins de l'Empereur ; ils furent inutiles. Ses restes furent enterrés dans la citadelle de la ville, qu'ils honorent : digne tombeau de cet homme de guerre, bon citoyen, bon époux, bon père, général intrépide, juste et doux, et à la fois probe et habile ; rare assemblage dans un siècle où trop souvent les hommes de bonnes mœurs sont inhabiles, et les habiles, sans mœurs !

Le hasard voulut qu'il fût dignement remplacé :

Gérard, le plus ancien des généraux de brigade de la division, en prit le commandement; et l'ennemi, qui ne s'aperçut point de notre perte, ne gagna rien au coup terrible qu'il venait de nous porter.

Les Russes, étonnés de n'avoir été attaqués que de front, crurent que toutes les combinaisons militaires de Murat se réduisaient à suivre leur grande route. Ils l'appelèrent, par dérision, *le général des grands chemins*. le jugeant ainsi d'après l'événement, qui souvent trompe plus qu'il n'éclaire.

En effet, pendant que Ney attaquait, Murat éclairait ses flancs avec sa cavalerie sans pouvoir la faire agir : des bois à gauche, et des marais à droite, arrêtaient ses mouvements. Mais, en combattant de front, tous deux attendaient l'effet d'une marche de flanc des Westphaliens, commandés par Junot.

Depuis la Stubna, la grande route, afin d'éviter les marais formés par les divers affluents du Dnieper, se détournait à gauche, cherchait les hauteurs, et s'éloignait du bassin de ce fleuve, pour s'en rapprocher ensuite dans un terrain plus favorable. On avait remarqué qu'un chemin de traverse, plus hardi et plus court, comme ils le sont tous, courait directement à travers ces fonds marécageux, entre le Dnieper et le grand chemin, qu'il rejoignait en arrière du plateau de Valoutina.

C'était ce chemin de traverse que Junot parcourait, après avoir passé le fleuve à Prudiszy. Il le conduisit bientôt en arrière de la gauche des Russes, sur le flanc des colonnes qui revenaient au secours de leur arrière-garde. Il ne fallait qu'attaquer pour rendre la victoire décisive. Ceux qui résistaient de front au maréchal Ney, étonnés d'entendre combattre derrière eux, seraient devenus incertains, et le désordre, jeté au milieu d'un combat, dans cette multitude d'hommes, de chevaux et de voitures, engagés sur une seule route, eût été irréparable ; mais Junot, brave comme individu, hésitait comme chef. Sa responsabilité le troubla.

Cependant Murat, le jugeant en présence, s'étonnait de ne pas entendre son attaque. La fermeté des Russes devant Ney lui fit soupçonner la vérité. Il quitte sa cavalerie, et, traversant presque seul les bois et les marais, il court à Junot, il lui reproche son inaction. Junot s'excuse : « Il n'a point l'ordre « d'attaquer ; sa cavalerie wurtembergoise est « molle, ses efforts sont simulés : elle ne se décidera « pas à mordre sur les bataillons ennemis. »

Murat répond à ces paroles par des actions. Il se précipite à la tête de cette cavalerie ; avec un autre général, ce sont d'autres soldats : il les entraîne, les jette sur les Russes, renverse leurs tirailleurs, revient à Junot et lui dit : « Achève à présent, ta gloire est là, et ton bâton de maréchal ! » Mais alors il le quitta pour rejoindre les siens, et Junot, troublé, resta immobile. Trop longtemps près de Napoléon, dont le génie actif ordonnait tout, l'ensemble et le détail, il n'avait appris qu'à obéir ; l'expérience du commandement lui manquait ; enfin des fatigues et des blessures l'avaient vieilli avant le temps.

Quant au choix de ce général pour le commandement de ce corps, il n'étonna point : on savait que
l'Empereur lui était attaché par habitude ; c'était
son plus ancien aide de camp, et par une secrète
faiblesse, car la présence de cet officier se liant
à tous les souvenirs de son bonheur et de ses victoires,
il lui répugnait de s'en séparer. On peut croire encore
que son amour-propre se plaisait à voir des hommes,
ses élèves, commander ses armées. Il était d'ailleurs
naturel qu'il comptât plus sur leur dévouement que
sur celui de tous les autres.

Néanmoins, quand le lendemain les lieux lui
parlèrent eux-mêmes, et qu'à la vue du pont sur
lequel Gudin avait été abattu, il eut observé que ce
n'était point là qu'il eût fallu déboucher ; lorsque
ensuite, fixant d'un œil enflammé la position
qu'avait occupée Junot, il se fut écrié : « C'était là
« sans doute que devaient attaquer les Westpha-
« liens ! Toute la bataille était là ! Que faisait donc
« Junot ? » alors son irritation devint si violente,
qu'aucune excuse ne put d'abord l'apaiser. Il
appelle Rapp et s'écrie : « Qu'il ôte au duc d'Abran-
« tès son commandement ! Qu'il le renvoie de l'ar-
« mée ! Qu'il a perdu sans retour le bâton de maré-
« chal ! Que cette faute va peut-être leur fermer
« le chemin de Moscou ! Que c'est à lui, Rapp,
« qu'il donne les Westphaliens ; qu'il leur parlera
« leur langue, et qu'il saura les faire battre. »
Mais Rapp refusa la place de son ancien compagnon

d'armes ; il apaisa l'Empereur, dont la colère s'éteignait toujours facilement dès qu'il l'avait exhalée en paroles.

Mais ce n'était pas seulement par sa gauche que l'ennemi avait failli être vaincu : à sa droite il avait couru un plus grand danger. Morand, l'un des généraux de Davout, avait été jeté de ce côté au travers des forêts ; il marchait sur des hauteurs boisées, et se trouvait, dès le commencement du combat, sur le flanc des Russes. Encore quelques pas, et il débouchait en arrière de leur droite. Son apparition soudaine eût infailliblement décidé la victoire, elle l'eût rendue complète ; mais Napoléon, ignorant les lieux, l'avait fait rappeler sur le point où Davout et lui s'étaient arrêtés.

Dans l'armée, on se demanda pourquoi l'Empereur, en faisant concourir pour un même but trois chefs indépendants l'un de l'autre, ne s'était pas trouvé là pour leur donner un ensemble indispensable, et sans lui impossible. Mais il était rentré dans Smolensk, soit fatigue, soit surtout qu'il ne se fût pas attendu à un combat si sérieux ; soit enfin que, par la nécessité de s'occuper de tout à la fois, il ne pût être à temps, et tout entier, nulle part. En effet, le travail de son Empire et de l'Europe, suspendu par les jours d'action qui avaient précédé, s'amoncelait. Il fallait déblayer ses portefeuilles, et donner un cours aux affaires civiles et politiques qui commençaient à s'encombrer ; il était d'ailleurs pressant et glorieux de dater de Smolensk !

Aussi quand Borelli, sous-chef d'état-major de
Murat, vint lui apporter la nouvelle du choc de
Valoutina, hésita-t-il à le recevoir ; et telle était sa
préoccupation, qu'il fallut qu'un ministre insistât
pour que cet officier fût admis sur-le-champ. Le
rapport de Borelli l'émut. « Que dites-vous ?
« s'écria-t-il ; quoi ! vous n'êtes point assez ? L'en-
« nemi montre-t-il soixante mille hommes ? Mais
« c'est donc une bataille ! » Et il s'emportait contre
la désobéissance et l'inaction de Junot. Quand
Borelli lui apprit la blessure mortelle de Gudin, la
douleur de Napoléon fut vive ; elle s'épancha en
questions multipliées, en exclamations de regret.
Puis, avec cette force d'esprit qui lui était propre,
il maîtrisa son inquiétude, ajourna sa colère, suspendit son chagrin ; et, se livrant tout entier à son travail, il remit au lendemain le soin des combats, car
la nuit était venue. Mais ensuite l'espoir d'une bataille l'agita, et il parut, avec le jour suivant, sur les
champs de Valoutina.

Les soldats de Ney et ceux de la division Gudin,
veuve de son général, y étaient rangés sur les cadavres de leurs compagnons et sur ceux des Russes, au
milieu d'arbres à demi brisés, sur une terre battue
par les pieds des combattants, sillonnée de boulets,
jonchée de débris d'armes, de vêtements déchirés,
d'ustensiles militaires, de chariots renversés et de
membres épars ; car ce sont là les trophées de la
guerre ! voilà la beauté d'un champ de victoire !

Les bataillons de Gudin ne paraissaient plus être

que des pelotons ; ils se montraient d'autant plus
fiers qu'ils étaient plus réduits ; près d'eux on respirait encore l'odeur des cartouches brûlées et celle
de la poudre, dont cette terre, dont leurs vêtements
étaient imprégnés et leurs visages encore tout noircis. L'Empereur ne pouvait passer devant leur front
sans avoir à éviter, à franchir ou à fouler des baïonnettes tordues par la violence du choc, et des cadavres.

Mais toutes ces horreurs il les couvrit de gloire. Sa
reconnaissance transforma ce champ de mort en un
champ de triomphe, où, pendant quelques heures,
régnèrent seuls l'honneur et l'ambition satisfaits !

Il sentait qu'il était temps de soutenir ses soldats de ses paroles et de ses récompenses. Jamais
aussi ses regards ne furent plus affectueux. Quant à
son langage : « Ce combat était le plus beau fait
« d'armes de notre histoire militaire ; les soldats
« qui l'entendaient, des hommes avec qui l'on
« pouvait conquérir le monde ; ceux tués, des guer-
« riers morts d'une mort immortelle ! » Il parlait ainsi, sachant bien que c'est surtout au milieu
de cette destruction que l'on songe à l'immortalité !

Il fut magnifique dans ses récompenses. Les 12ᵉ,
21ᵉ, 127ᵉ de ligne, et le 7ᵉ léger, reçurent quatre-
vingt-sept décorations et des grades ; c'étaient les
régiments de Gudin. Jusque-là le 127ᵉ avait marché
sans aigle, car alors il fallait conquérir son drapeau
sur un champ de bataille, pour prouver qu'ensuite
on saurait l'y conserver. L'Empereur lui en remit

une de ses mains. Il satisfit aussi le corps de Ney.

Ses bienfaits furent grands en eux-mêmes et par leur forme. Il ajouta au don par la manière de donner. On le vit s'entourer successivement de chaque régiment comme d'une famille. Là il interpellait à haute voix les officiers, les sous-officiers, les soldats, demandant les plus braves entre tous ces braves, ou les plus heureux, et les récompensant aussitôt. Les officiers désignaient, les soldats confirmèrent, l'Empereur approuva. Ainsi, comme il l'a dit lui-même, les choix furent faits sur-le-champ, en cercle, devant lui, et consacrés avec acclamation par les troupes.

Ces manières paternelles, qui faisaient du simple soldat le compagnon de guerre du maître de l'Europe ; ces formes, qui reproduisaient les usages toujours regrettés de la République, les transportèrent ! C'était un monarque, mais c'était celui de la Révolution, et ils aimaient un souverain parvenu qui faisait parvenir : en lui tout excitait, rien ne reprochait.

Jamais champ de victoire n'offrit un spectacle plus capable d'exalter. Le don de cette aigle, si bien méritée, la pompe de ces promotions, les cris de joie, la gloire de ces guerriers, récompensée sur le lieu même où elle venait d'être acquise ; leur valeur proclamée par une voix dont chaque accent retentissait dans l'Europe attentive, par ce grand capitaine, dont les bulletins allaient porter leurs noms dans l'univers entier, et surtout parmi leurs conci-

toyens et dans le sein de leurs familles à la fois rassurées et enorgueillies, que de biens à la fois ! Ils
en furent enivrés ; lui-même parut d'abord se laisser
échauffer à leurs transports.

Mais lorsque, hors de la vue de ses soldats, l'attitude de Ney et de Murat, et les paroles de Poniatowski, aussi franc et judicieux au conseil qu'intrépide au combat, l'eurent calmé ; quand toute la
chaleur lourde de ce jour eut pesé sur lui, et que les
rapports apprirent qu'on faisait huit lieues sans
joindre l'ennemi, il se désenchanta. Dans son retour
à Smolensk, le cahotage de sa voiture sur les débris
du combat, les embarras causés sur la route par la
longue file de blessés qui se traînaient ou qu'on
rapportait, et dans Smolensk par ces tombereaux
de membres amputés, qu'on allait jeter au loin ;
enfin tout ce qui est horrible et odieux hors des
champs de bataille, acheva de le désarmer. Smolensk n'était plus qu'un vaste hôpital, et le grand
gémissement qui en sortait l'emporta sur le cri de
gloire qui venait de s'élever des champs de Valoutina.

Les rapports des chirurgiens étaient hideux : en
ce pays, on supplée au vin et à l'eau-de-vie de raisin
par une eau-de-vie qu'on tire du grain ; on y mêle
des plantes narcotiques. Nos jeunes soldats, épuisés
de faim et de fatigue, ont cru que cette liqueur les
soutiendrait ; mais sa chaleur perfide leur a fait
jeter à la fois tout le feu qui leur restait ; après quoi
ils sont tombés épuisés, et la maladie s'est emparée
d'eux.

On en a vu d'autres, moins sobres ou plus affaiblis, frappés de vertiges, de stupéfaction et d'assoupissement ; ils s'accroupissent dans les fossés et sur
les chemins. Là, leurs yeux ternes, à demi ouverts et
larmoyants, semblent voir avec insensibilité la
mort s'emparer successivement de tout leur être :
ils expirent mornes et sans gémir !

A Vilna, on n'a pu créer d'hôpitaux que pour six
mille malades ; des couvents, des églises, des syna-
gogues et des granges servent à recueillir cette foule
souffrante. Dans ces tristes lieux, quelquefois mal-
sains, toujours trop rares et encombrés, les malades
sont souvent sans vivres, sans lits, sans couvertu-
res, sans paille même et sans médicaments. Les
chirurgiens y deviennent insuffisants, de sorte que
tout, jusqu'aux hôpitaux, contribue à faire des
malades, et rien à les guérir.

A Vitepsk, quatre cents blessés russes sont restés
sur le champ de bataille, trois cents autres ont été
abandonnés dans la ville par leur armée ; et comme
elle en a emmené les habitants, ces malheureux sont
restés, trois jours, ignorés, sans secours, entassés
pêle-mêle, mourants et morts, et croupissant dans
une horrible infection. Ils ont enfin été recueillis
et mêlés à nos blessés, qui étaient au nombre de
sept cents comme ceux des Russes. Nos chirurgiens
ont employé jusqu'à leurs chemises et celles de ces
malheureux pour les panser ; car déjà le linge manque.

Lorsque enfin les blessures de ces infortunés s'amé-

liorent, et qu'il ne faut plus qu'une nourriture saine
pour achever leur guérison, ils périssent faute de
subsistance : Français ou Russes, peu échappent.
Ceux que la perte d'un membre ou leur faiblesse
empêche d'aller chercher quelques vivres, succom-
bent les premiers. Ces désastres se répètent partout
où l'Empereur n'est pas ou n'est plus, sa présence
attirant, et son départ entraînant tout après lui,
enfin ses ordres n'étant scrupuleusement accomplis
qu'à sa portée.

A Smolensk, les hôpitaux ne manquent point :
quinze grands bâtiments de briques ont été sauvés
du feu ; on a même trouvé de l'eau-de-vie, des vins,
quelques médicaments, et nos ambulances de réserve nous ont enfin rejoints ; mais rien ne suffit.
Les chirurgiens travaillent nuit et jour ; on n'en est
qu'à la seconde nuit, et déjà tout manque pour
panser les blessés : il n'y a plus de linge, on est forcé
d'y suppléer par le papier trouvé dans les archives.
Ce sont des parchemins qui servent d'attelles et de
draps-fanons, et ce n'est qu'avec de l'étoupe et
du coton de bouleau qu'on peut remplacer la charpie.

Nos chirurgiens, accablés, s'étonnent. Depuis
trois jours un hôpital de cent blessés est oublié ;
un hasard vient de le faire découvrir : Rapp a pénétré dans ce lieu de désespoir ! J'en épargnerai l'horreur à ceux qui me liront. Pourquoi faire partager
ces terribles impressions dont l'âme reste flétrie ?
Rapp ne les épargna pas à Napoléon, qui fit distribuer son propre vin et plusieurs pièces d'or à ceux

de ces infortunés qu'une vie tenace animait encore,
ou qu'une nourriture révoltante avait soutenus.

Mais à la violente émotion que ces rapports laissèrent dans l'âme de l'Empereur, se joignait une
effrayante considération. L'incendie de Smolensk
n'était plus à ses yeux l'effet d'un accident de guerre
fatal et imprévu, ni même le résultat d'un acte de
désespoir : c'était le résultat d'une froide détermination. Les Russes avaient mis à détruire, le soin,
l'ordre, l'à-propos qu'on apporte à conserver !

Dans ce même jour, les réponses courageuses
d'un pope, le seul qu'on trouva dans Smolensk,
l'éclairèrent encore davantage sur l'aveugle fureur
qu'on avait inspirée à tout le peuple russe. Son interprète, qu'effrayait cette haine, amena ce pope
devant l'Empereur. Le prêtre vénérable lui reprocha
d'abord avec fermeté ses prétendus sacrilèges ;
il ignorait que c'était le général russe lui-même qui
avait fait incendier les magasins du commerce et les
clochers, et qu'il nous accusait de ces horreurs, afin
que les marchands et les paysans ne séparassent
pas leur cause de celle de la noblesse.

L'Empereur l'écouta attentivement : « Mais votre
« église, lui dit-il enfin, a-t-elle été brûlée ? — Non,
« Sire, répliqua le pope ; Dieu sera plus puissant
« que vous ; il la protégera, car je l'ai ouverte à
« tous les malheureux que l'incendie de la ville
« laisse sans asile ! » Napoléon ému lui répondit :
« Vous avez raison ; oui, Dieu veillera sur les victi-
« mes innocentes de la guerre ; il vous récompensera

« de votre courage. Allez, bon prêtre, retournez à
« votre poste. Si tous vos popes eussent imité votre
« exemple, s'ils n'eussent pas trahi lâchement la
« mission de paix qu'ils ont reçue du ciel, s'ils
« n'eussent pas abandonné les temples que leur
« seule présence rend sacrés, mes soldats auraient
« respecté vos saints asiles ; car nous sommes tous
« chrétiens, et votre Bog est notre Dieu ! »

A ces mots Napoléon renvoya le prêtre à son
temple, avec une escorte de secours. Un cri déchirant
s'éleva à la vue des soldats qui pénétraient dans cet
asile. Une multitude de femmes et d'enfants se pres-
sèrent autour de l'autel ; mais le pope élevant la
voix leur cria : « Rassurez-vous ! j'ai vu Napoléon,
« je lui ai parlé. Oh ! comme on nous avait trompés,
« mes enfants ! l'Empereur de France n'est point
« tel qu'on vous l'a représenté. Apprenez que lui et
« ses soldats connaissent et adorent le même Dieu
« que nous. La guerre qu'il apporte n'est point reli-
« gieuse ; c'est un démêlé politique avec notre
« empereur. Ses soldats ne combattent que nos sol-
« dats. Ils n'égorgent point, comme on nous l'avait
« dit, les vieillards, les femmes et les enfants. Ras-
« surez-vous donc ; et remercions Dieu d'être déli-
« vrés du pénible devoir de les haïr comme des
« païens, des impies et des incendiaires ! » Alors le
pope entonna un cantique d'action de grâces, que
tous répétèrent en pleurant.

Mais ces paroles mêmes montraient à quel point
cette nation avait été abusée. Le reste des habitants

avait fui. Désormais ce n'était donc plus leur armée seulement, c'était la population, c'était la Russie tout entière qui reculait devant nous. Avec cette population, l'Empereur sentait s'échapper de ses mains l'un de ses plus puissants moyens de conquête.

En effet, de Vitepsk, Napoléon avait chargé deux des siens de sonder l'esprit de ces peuples. Il s'agissait de les gagner à la liberté, et de les compromettre dans notre cause par un soulèvement plus ou moins général. Mais on n'avait pu agir que sur quelques paysans isolés, abrutis, et que peut-être les Russes avaient laissés comme espions au milieu de nous. Cette tentative n'avait servi qu'à mettre son projet à découvert, et les Russes en garde contre lui.

D'ailleurs, ce moyen répugnait à Napoléon, que sa nature portait bien plus vers la cause des rois que vers celle des peuples. Il s'en servit négligemment. Plus tard, dans Moscou, il reçut plusieurs adresses de différents chefs de famille. On s'y plaignait d'être traité par les seigneurs comme des troupeaux de bêtes, que l'on vend et que l'on échange à volonté. On y demandait que Napoléon proclamât l'abolition de l'esclavage. Ils s'offraient pour chefs de plusieurs insurrections partielles, qu'ils promettaient de rendre bientôt générales.

Ces offres furent repoussées. On aurait vu, chez un peuple barbare, une liberté barbare, une licence effrénée, effroyable ! quelques révoltes partielles en avaient jadis donné la mesure. Les nobles russes,

comme les colons de Saint-Domingue, eussent été
perdus. Cette crainte prévalut dans l'esprit de Napoléon, ses paroles l'exprimèrent ; elle le détermina
à ne plus chercher à exciter un mouvement qu'il
n'aurait pu régler.

Au reste, ces maîtres s'étaient défiés de leurs esclaves. Au milieu de tant de périls, ils distinguèrent
celui-ci comme le plus pressant. Ils agirent d'abord
sur l'esprit de leurs malheureux serfs, abrutis par
tous les genres de servitude. Leurs prêtres, qu'ils
sont accoutumés à croire, les abusèrent par des discours trompeurs : on persuada à ces paysans que
nous étions des légions de démons, commandés
par l'antéchrist, des esprits infernaux dont la vue
excitait l'horrreur ; notre attouchement souillait.
Nos prisonniers s'aperçurent que les ustensiles dont
ils s'étaient servis, ces malheureux n'osaient plus
s'en servir, et qu'ils les réservaient pour les animaux les plus immondes.

Cependant nous approchions, et devant nous
toutes ces fables grossières allaient s'évanouir. Mais
voilà que ces nobles reculent avec leurs serfs dans
l'intérieur du pays, comme à l'approche d'une
grande contagion. Richesses, habitations, tout ce qui
pouvait les retenir ou nous servir est sacrifié. Ils
mettent la faim, le feu, le désert, entre eux et nous ;
car c'était autant contre leurs serfs que contre Napoléon que cette grande résolution s'exécutait. Ce
n'était donc plus une guerre de rois qu'il fallait
poursuivre, mais une guerre de classe, une guerre de

parti, une guerre de religion, une guerre nationale,
toutes les guerres à la fois !

L'Empereur envisage alors toute l'énormité de
son entreprise : plus il avance, plus elle s'agrandit
devant lui. Tant qu'il n'a rencontré que des rois,
plus grand qu'eux tous, pour lui leurs défaites n'ont
été que des jeux. Mais les rois sont vaincus, il en
est aux peuples ; et c'est une autre Espagne, mais
lointaine, stérile, infinie, qu'il retrouve encore à
l'autre bout de l'Europe. Il s'étonne, hésite et
s'arrête !

A Vitepsk, quelque décision qu'il eût prise, il lui
fallait Smolensk, et il semble qu'il ait remis à Smolensk à se déterminer. C'est pourquoi une même
perplexité le ressaisit ; elle est d'autant plus vive,
que ces flammes, cette épidémie, ces victimes qui
l'entourent, ont tout aggravé; une fièvre d'hésitation s'empare de lui : ses regards se portent sur Kief,
Pétersbourg et Moscou.

A Kief, il envelopperait Tchitchakof et son armée ;
il débarrasserait le flanc droit et les derrières de la
Grande Armée ; il couvrirait les provinces polonaises les plus productives en hommes, vivres et chevaux ; tandis que des cantonnements fortifiés, à
Mohilef, Smolensk, Vitepsk, Polotsk, Dünabourg
et Riga, défendraient le reste. Derrière cette ligne,
et pendant l'hiver, il soulèverait et organiserait
toute l'ancienne Pologne, pour la précipiter au
printemps sur la Russie, opposer une nation à une
nation, et rendre la guerre égale.

Cependant, à Smolensk, il se trouve au nœud des routes de Pétersbourg et de Moscou ; à vingt-neuf marches de l'une de ces deux capitales, et à quinze de l'autre. Dans Pétersbourg, c'est le point central du gouvernement, le nœud où tous les fils de l'administration se rattachent, le cerveau de la Russie; ce sont ses arsenaux de terre et de mer; c'est enfin le seul point de communication entre la Russie et l'Angleterre, dont il s'emparera. La victoire de Polotsk, qu'il vient d'apprendre, semble le pousser dans cette direction. En marchant d'accord avec Saint-Cyr sur Pétersbourg, il enveloppera Witt-genstein, et fera tomber Riga devant Macdonald.

D'un autre côté, dans Moscou, c'est la noblesse, la nation qu'il attaquera dans ses propriétés, dans son antique honneur. Le chemin de cette capitale est plus court, il offre moins d'obstacles et plus de ressources ; la grande armée russe, qu'il ne peut négliger, qu'il faut détruire, s'y trouve, et les chances d'une bataille, et l'espoir d'ébranler la nation, en la frappant au cœur dans cette guerre nationale.

De ces trois projets, le dernier lui paraît seul possible, malgré la saison qui s'avance. Cependant l'histoire de Charles XII était sous ses yeux ; non celle de Voltaire, qu'il venait de rejeter avec impatience, la jugeant romanesque et infidèle, mais le journal d'Adlerfeld, qu'il lisait et qui ne l'arrêta point. Dans le rapprochement de ces deux expéditions, il trouvait mille différences auxquelles il se rattachait ; car qui peut être juge dans sa propre cause ? Et de quoi sert l'exemple du passé, dans un monde où il ne se trouve jamais deux hommes, deux choses, ni deux positions absolument semblables ?

Toutefois, à cette époque, on entendit souvent le nom de Charles XII sortir de sa bouche !

Mais les nouvelles qui arrivaient de toutes parts excitaient son ardeur, comme à Vitepsk. Ses lieutenants semblaient avoir fait plus que lui : les combats de Mohilef, de Molodeczna, et de Valoutina, étaient des batailles rangées, où Davout, Schwartzenberg et Ney étaient vainqueurs. A sa droite, sa ligne d'opération paraissait couverte ; devant lui, l'armée ennemie fuyait ; à sa gauche, à Slowna, le 17 août, le duc de Reggio, après avoir attiré Wittgenstein sur Polotsk, y venait d'être attaqué. L'attaque de Wittgenstein avait été vive et acharnée ; elle avait échoué, mais il conservait sa position offensive, et le maréchal Oudinot avait été blessé. Saint-Cyr l'a remplacé dans le commandement de cette armée, composée d'environ trente mille Français, Suisses et Bavarois. Dès le lendemain ce général, à qui le commandement ne plaisait que lorsqu'il l'exerçait seul et en chef, en a profité pour donner sa mesure aux siens et à l'ennemi, mais froidement, suivant son caractère, et en combinant tout.

Depuis le point du jour jusqu'à cinq heures du soir, il trompa l'ennemi par la proposition d'un accord pour retirer les blessés, et surtout par des démonstrations de retraite. En même temps il ralliait en silence tous ses combattants ; il les disposait en trois colonnes d'attaque, et les cachait derrière le village de Spas, et dans des plis de terrain.

A cinq heures, tout étant prêt, et Wittgenstein endormi, il donne le signal : aussitôt son artillerie éclate, et ses colonnes se précipitent. Les Russes, surpris, résistent vainement : d'abord leur gauche est enfoncée, bientôt leur centre fuit en déroute ; ils abandonnent mille prisonniers, vingt pièces de canon, un champ de bataille couvert de morts, et l'offensive, dont Saint-Cyr, trop faible, ne pouvait feindre d'user que pour mieux se défendre.

Dans ce choc court, mais rude et sanglant, l'aile droite des Russes, qui s'appuyait à la Düna, résista opiniâtrément. Il fallut en venir à la baïonnette au travers d'une épaisse mitraille. Tout réussit ; mais lorsqu'on croyait n'avoir plus qu'à poursuivre, tout pensa être perdu : des dragons russes, suivant les uns, et suivant d'autres des chevaliers-gardes, risquèrent une charge sur une batterie de Saint-Cyr ; une brigade française, placée pour la soutenir, s'avança, puis tout à coup tourna le dos, et s'enfuit à travers nos canons, qu'elle empêcha de tirer. Les Russes y arrivèrent pêle-mêle avec les nôtres ; ils sabrèrent nos canonniers, renversèrent les pièces et poussèrent si vivement nos cavaliers, que ceux-ci, toujours de plus en plus effarouchés, passèrent en déroute sur leur général en chef et sur son état-

major, qu'ils culbutèrent. Le général Saint-Cyr fut
obligé de fuir à pied. Il se jeta dans le fond d'un
ravin, qui le préserva de cette bourrasque. Déjà
les dragons russes touchaient aux maisons de Polotsk, lorsqu'une manœuvre prompte et habile de
Berckeim et du 4e de cuirassiers français termina
cette échauffourée. Les Russes disparurent dans les
bois.

Le lendemain Saint-Cyr les fit poursuivre, mais
seulement pour éclairer leur retraite, marquer la
victoire, et en recueillir encore quelques fruits.
Pendant les deux mois qui suivirent, jusqu'au
18 octobre, Wittgenstein le respecta. De son côté,
le général français ne s'occupa plus qu'à observer
son ennemi, à maintenir ses communications avec
Macdonald, Vitepsk et Smolensk, à se fortifier dans
sa position de Polotsk, et surtout à y vivre.

Dans cette journée du 18, quatre généraux,
quatre colonels, et beaucoup d'officiers avaient été
blessés. Parmi eux, l'armée remarqua les généraux
bavarois Deroy et Liben. Ils succombèrent le
22 août. Ces généraux étaient du même âge ; ils
avaient été du même régiment ; ils firent les mêmes
guerres ; ils marchèrent à peu près du même pas
dans leur chanceuse carrière, qu'une même mort,
dans la même bataille, termina glorieusement ! On
ne voulut pas séparer par le tombeau ces guerriers
que la vie et la mort elle-même n'avaient pu désunir :
une même sépulture les reçut.

A la nouvelle de cette victoire, l'Empereur

envoya le bâton de maréchal au général Saint-Cyr.
Il mit un grand nombre de croix à sa disposition,
et plus tard il approuva la plupart des avancements
demandés.

Malgré ces succès, la détermination de dépasser
Smolensk était trop périlleuse pour que Napoléon
s'y décidât seul : il fallut qu'il s'y fît entraîner. Après
Valoutina, le corps de Ney, fatigué, avait été remplacé par celui de Davout. Murat, comme roi,
comme beau-frère de l'Empereur, et par son ordre,
devait commander. Ney s'y était soumis, moins par
condescendance que par conformité de caractère.
Ils furent d'accord par leur ardeur.

Mais Davout, dont le génie méthodique et tenace
contrastait avec l'emportement de Murat, qu'enor-
gueillissaient le souvenir et le surnom de deux
grandes victoires, s'irrita de cette dépendance. Ces
chefs, fiers, et du même âge, compagnons de guerre,
qui s'étaient vu grandir réciproquement, et que
gâtait l'habitude de n'avoir obéi qu'à un grand
homme, n'étaient guère propres à se commander
l'un à l'autre, Murat surtout, qui, trop souvent,
ne savait pas se commander à lui-même.

Toutefois Davout obéit, mais de mauvaise grâce,
mal, comme la fierté blessée sait obéir. Il affecta
de cesser aussitôt toute correspondance directe avec
l'Empereur. Celui-ci, surpris, lui ordonna de la
reprendre, alléguant sa défiance pour les rapports
de Murat. Davout s'autorisa de cet aveu : il ressaisit
son indépendance. Dès lors l'avant-garde eut deux

chefs. Ainsi l'Empereur, fatigué, souffrant, accablé
de trop de soins de toute espèce, et forcé à des ménagements pour ses lieutenants, disséminait le pouvoir
comme ses armées, malgré ses préceptes et ses
anciens exemples. Les circonstances, auxquelles il
avait tant de fois commandé, devenaient plus fortes
que lui, et le commandaient à leur tour.

Cependant, Barclay ayant reculé sans résistance
jusqu'auprès de Dorogobouje, Murat n'eut pas
besoin de Davout, et l'occasion manqua à leur
mésintelligence ; mais à quelques verstes de cette
ville, le 23 août, vers onze heures du matin, un bois
peu épais, que le roi voulut reconnaître, lui fut
vivement disputé : il fallut l'emporter deux fois.

Murat, surpris de cette résistance et à cette
heure, s'opiniâtra : il perça ce rideau, et vit au delà
toute l'armée russe rangée en bataille. L'étroit ravin
de la Luja l'en séparait ; il était midi ; l'étendue des
lignes russes, surtout vers notre droite, les préparatifs, l'heure, le lieu, celui où Barclay avait rejoint
Bagration ; le choix du terrain, assez convenable
pour un grand choc, tout lui fit croire à une bataille : il dépêcha vers l'Empereur pour l'en prévenir.

En même temps il ordonna à Montbrun de passer
le ravin sur sa droite, avec sa cavalerie, pour reconnaître et déborder la gauche de l'ennemi. Davout
et ses cinq divisions d'infanterie s'étendaient de ce
côté ; il protégeait Montbrun ; le roi les rappela à sa
gauche, sur la grande route, voulant, dit-on, soute-

nir le mouvement de flanc de Montbrun par quelques démonstrations de front.

Mais Davout répondit : « Que ce serait livrer
« notre aile droite, au travers de laquelle l'ennemi
« arriverait derrière nous sur la grande route, notre
« seule retraite ; qu'ainsi il nous forcerait à une
« bataille, que lui, Davout, avait ordre d'éviter,
« et qu'il éviterait, ses forces étant insuffisantes,
« la position mauvaise, et se trouvant sous les or-
« dres d'un chef qui lui inspirait peu de confiance. »
Puis aussitôt il écrivit à Napoléon qu'il se pressât
d'arriver, s'il ne voulait pas que Murat engageât
sans lui une bataille.

A cette nouvelle, qu'il reçut dans la nuit du 24 au
25 août, Napoléon sortit avec joie de son indécision.
Pour ce génie entreprenant et décisif elle était un
supplice ; il accourut avec sa garde, et fit douze
lieues sans s'arrêter ; mais dès la veille au soir
l'armée ennemie avait disparu.

De notre côté, sa retraite fut attribuée au mouvement de Montbrun ; du côté des Russes, à Barclay, et à une fausse position prise par son chef
d'état-major, qui avait mis le terrain contre lui,
au lieu de s'en servir. Bagration s'en était aperçu
le premier, sa fureur avait éclaté sans mesure :
il cria à la trahison !

La discorde était dans le camp des Russes comme
à notre avant-garde. La confiance dans le chef,
cette force des armées, y manquait : chaque pas y
paraissait une faute, chaque parti pris, le pire. La

perte de Smolensk avait tout aigri ; la réunion des deux corps d'armée augmenta le mal. Plus cette masse russe se sentait forte, plus son général lui semblait faible. Le cri devint universel : on demanda hautement un autre chef. Cependant quelques hommes sages intervinrent ; Kutusof fut annoncé, et l'orgueil humilié des Russes l'attendit pour combattre.

De son côté l'Empereur, déjà à Dorogobouje, n'hésite plus. Il sait qu'il porte partout avec lui le sort de l'Europe ; que le lieu où il se trouvera sera toujours celui où se décidera le destin des nations : qu'il peut donc s'avancer sans craindre les suites menaçantes de la défection des Suédois et des Turcs. Ainsi il néglige les armées ennemies d'Essen à Riga, de Wittgenstein devant Polotsk, d'Hœrtel devant Bobruisk, de Tchitchakof en Volhinie. C'étaient cent vingt mille hommes, dont le nombre ne pouvait que s'augmenter ; il les dépasse, il s'en laisse environner avec indifférence, assuré que tous ces vains obstacles de guerre et de politique tomberont au premier bruit du coup de foudre qu'il va porter.

Et cependant sa colonne d'attaque, forte encore, à son départ de Vitepsk, de cent quatre-vingt-cinq mille hommes, est déjà réduite à cent cinquante-sept mille ; elle est affaiblie de vingt-huit mille hommes, dont la moitié occupe Vitepsk, Orcha, Mohilef et Smolensk. Le reste a été tué, blessé, ou traîne et pille, en arrière de lui, nos alliés et les Français eux-mêmes.

Mais cent cinquante-sept mille hommes suffisaient pour détruire l'armée russe par une victoire
complète, et pour s'emparer de Moscou. Quant à
leur base d'opération, malgré ces cent vingt mille
Russes qui la menaçaient, elle paraissait assurée.
La Lithuanie, la Düna, le Dnieper, Smolensk enfin,
étaient ou allaient être gardés vers Riga et Dunabourg, par Macdonald et trente-deux mille hommes;
vers Polotsk, par Saint-Cyr et trente mille hommes
à Vitepsk, Smolensk et Mohilef, par Victor et quarante mille hommes ; devant Bobruisk, par Dombrowski et douze mille hommes ; sur le Bug, par
Schwartzenberg et Regnier, à la tête de quarante-
cinq mille hommes. Napoléon comptait encore sur
les divisions Loison et Durutte, fortes de vingt-
deux mille hommes, qui déjà s'approchaient de
Kœnigsberg et de Varsovie ; et sur quatre-vingt
mille hommes de renfort, qui tous devaient être
entrés en Russie avant le milieu de novembre.

C'était, avec les levées lithuaniennes et polonaises, s'appuyer sur deux cent quatre-vingt
mille hommes pour faire, avec cent cinquante
mille autres, une invasion de quatre-vingt-treize
lieues ; car telle était la distance de Smolensk à
Moscou.

Mais ces deux cent quatre-vingt mille hommes
étaient commandés par six chefs différents, indépendants l'un de l'autre, et dont le plus élevé,
celui qui occupait le centre, celui qui semblait
chargé de donner, comme intermédiaire, quelque

ensemble aux opérations des cinq autres, était
un ministre de paix et non de guerre.

D'ailleurs les mêmes causes, qui déjà avaient
diminué d'un tiers les forces françaises entrées les
premières en Russie, devaient disperser ou détruire,
dans une bien plus grande proportion, tous ces
renforts. La plupart arrivaient par détachements,
formés en bataillons provisoires de marche, sous
des officiers nouveaux pour eux, qu'ils devaient
quitter au premier jour, sans aiguillon de discipline,
d'esprit de corps ni de gloire, et traversant un sol
dévoré, que la saison et le climat allaient rendre
chaque jour plus nu et plus rude.

Cependant Napoléon voit Dorogobouje en cendres comme Smolensk ; surtout le quartier des marchands, de ceux qui avaient le plus à perdre, que
leurs richesses pouvaient retenir ou ramener parmi
nous, et qui, par leur position, formaient une espèce
de classe intermédiaire, un commencement de tiers-
état que la liberté pouvait séduire.

Il sent bien qu'il sort de Smolensk, comme il y
est arrivé, avec l'espoir d'une bataille, que l'indécision et les discordes des généraux russes ont encore
ajournée. Mais sa détermination est prise : il n'ac-
cueille plus que ce qui peut l'y soutenir. Il s'acharne
sur les traces de ses ennemis ; son audace s'accroît
de leur prudence ; il appelle leur circonspection
pusillanimité, leur retraite fuite ; il méprise pour
espérer !

L'Empereur était accouru si rapidement à

Dorogobouje qu'il fut obligé de s'y arrêter pour attendre son armée et laisser Murat pousser l'ennemi. Il en repartit le 24 août; l'armée marchait sur trois colonnes de front : l'Empereur, Murat, Davout et Ney au milieu, sur le grand chemin de Moscou ; Poniatowsky à droite ; l'armée d'Italie à gauche.

La colonne principale, celle du centre, ne trouvait rien sur une route où son avant-garde ne vivait elle-même que des restes des Russes ; elle ne pouvait guère s'écarter de sa direction, faute de temps, dans une marche si rapide. D'ailleurs les colonnes de droite et de gauche dévoraient tout à ses côtés. Pour mieux vivre, il aurait fallu partir chaque jour plus tard, s'arrêter plus tôt, puis s'étendre davantage sur ses flancs pendant la nuit : ce qui n'est guère possible sans imprudence, quand on est aussi près de l'ennemi.

Ce fut de Slawkowo, à quelques lieues en avant de Dorogobouje, et le 27 août, que Napoléon envoya au maréchal Victor, alors sur le Niémen, l'ordre de se rendre à Smolensk. La gauche de ce maréchal occupera Vitepsk, sa droite Mohilef, son centre Smolensk. Là il secourra Saint-Cyr au besoin, il servira de point d'appui à l'armée de Moscou, et maintiendra ses communications avec la Lithuanie.

Dans cette marche, il se plut à dater du milieu de la vieille Russie une foule de décrets qui allaient atteindre jusqu'à de simples hameaux français : voulant paraître à la fois présent partout, remplir

de plus en plus la terre de sa puissance, effet de
cette inconcevable grandeur croissante de l'âme,
dont l'ambition n'a d'abord eu pour but qu'un
simple jouet, et qui finit par désirer l'empire du
monde.

Murat poussa l'ennemi au delà de l'Osma, rivière étroite, mais encaissée et profonde, comme la
plupart des rivières de ce pays; effet des neiges, et
ce qui, à l'époque des grandes fontes, empêche les
débordements. L'arrière-garde russe, couverte par
cet obstacle, se retourna et s'établit sur les hauteurs
de la rive opposée. Murat fit sonder le ravin : on
trouva un gué. Ce fut par ce défilé étroit et incertain
qu'il osa marcher contre les Russes, s'aventurer
entre la rivière et leur position, s'ôtant ainsi toute
retraite, et faisant d'une escarmouche une affaire
désespérée. En effet, les ennemis descendirent en
force de leur hauteur, le poussèrent, le culbutèrent
jusque sur les bords du ravin, et faillirent l'y précipiter. Mais Murat s'obstina dans sa faute, l'outra,
et en fit un succès. Le quatrième de lanciers enleva
la position, et les Russes s'allèrent coucher non loin
de là, contents de nous avoir fait acheter chèrement un quart de lieue de terrain, qu'ils nous auraient abandonné gratuitement pendant la nuit.

Au plus fort du danger, une batterie du prince
d'Eckmühl refusa deux fois de tirer. Son commandant allégua ses instructions, qui lui défendaient,
sous peine de destitution, de combattre sans l'ordre de Davout. Cet ordre vint, selon les uns, à

propos, selon d'autres, trop tard. Je rapporte cet
incident, parce que le lendemain il fut le sujet d'une
grande querelle entre Murat et Davout, devant
l'Empereur, à Semlewo.

Le roi reprocha au prince une circonspection
lente, et surtout une inimitié qui datait de l'Egypte.
Il s'emporta jusqu'à lui dire que, s'ils avaient un
différend, ils devaient le vider entre eux seuls,
mais que l'armée ne devait pas en souffrir.

Davout, irrité, accusa le roi de témérité : suivant
lui, « son ardeur irréfléchie compromettait sans
« cesse ses troupes, et prodiguait inutilement leur
« vie, leurs forces, et leurs munitions. »

Davout, finit en disant : « Qu'ainsi périrait toute
« la cavalerie ; qu'au reste Murat était le maître
« d'en disposer, mais que pour l'infanterie du pre-
« mier corps, tant qu'il la commanderait, il ne la
« laisserait pas ainsi prodiguer. »

Le roi ne resta pas sans réponse. On vit l'Empereur les écouter en se jouant avec un boulet russe
qu'il poussait de son pied. Il semblait qu'il y avait
dans cette mésintelligence entre ces chefs quelque
chose qui ne lui déplaisait pas. Il n'attribuait
leur animosité qu'à leur ardeur, sachant bien que
la gloire est de toutes les passions la plus jalouse.

L'impatiente ardeur de Murat plaisait à la sienne.
Comme on n'avait pour vivre que ce qu'on trouvait, tout était à l'instant dévoré ; c'est pourquoi il
fallait avoir fini promptement avec l'ennemi, et
passer vite. D'ailleurs, la crise générale en Europe

était trop forte, la position trop critique pour y demeurer, lui trop impatient : il voulait en finir à tout prix, pour en sortir.

L'impétuosité du roi semblait donc mieux répondre à son anxiété que la sagesse méthodique du prince d'Eckmühl. Aussi, quand il les congédia, dit-il doucement à Davout : « Qu'on ne pouvait pas « réunir tous les genres de mérite ; qu'il savait mieux « livrer une bataille que pousser une avant-garde. »

Après quoi il les renvoya, avec l'ordre de s'entendre mieux à l'avenir.

Les deux chefs retournèrent à leur commandement et à leur haine. La guerre ne se faisant qu'à la tête de la colonne, ils se la disputaient.

Le 28 août l'armée traversa les vastes plaines du gouvernement de Viazma ; elle marchait en toute hâte, toute à la fois, à travers champs, et plusieurs régiments de front, chacun formant une colonne courte et serrée. La grande route était abandonnée à l'artillerie, à ses voitures, aux ambulances. L'Empereur à cheval fut vu partout ; les lettres de Murat et l'approche de Viazma l'abusaient encore de l'espoir d'une bataille : on l'entendait calculer en marchant les milliers de coups de canon dont il pourrait écraser l'armée ennemie.

Mais Barclay ne luttait que contre notre avant-garde, et autant qu'il le fallait pour nous ralentir sans nous rebuter.

Cette détermination de Barclay, l'affaiblissement de l'armée, les querelles de ses chefs, l'appro-

che du moment décisif, inquiétaient Napoléon.
A Dresde, à Vitepsk, à Smolensk même, il avait
vainement espéré une communication d'Alexandre.
A Ribky, vers le 28 août, il paraît la demander :
une lettre de Berthier à Barclay, peu remarquable
du reste, se terminait ainsi : « L'Empereur me
« charge de vous prier de faire ses compliments à
« l'Empereur Alexandre : dites-lui que les vicis-
« situdes de la guerre, ni aucune circonstance, ne
« peuvent altérer l'amitié qu'il lui porte ! »

Dans cette journée du 28 août, l'avant-garde
repoussa les Russes jusque dans Viazma ; i'armée,
altérée par la marche, la chaleur et la poussière,
manqua d'eau : on se disputa quelques bourbiers ;
on se battit près des sources, bientôt troublées et
taries ; l'Empereur lui-même dut se contenter
d'une bourbe liquide.

Pendant la nuit, l'ennemi détruisit les ponts de
la Viazma, pilla cette ville et y mit le feu ; Murat
et Davout s'avancèrent précipitamment pour
l'éteindre. L'ennemi défendit son incendie, mais la
Viazma était guéable près des débris de ses ponts ;
on vit alors une partie de l'avant-garde combattre
les incendiaires, et l'autre l'incendie, dont elle se
rendit maîtresse.

Dans cette occasion, des hommes d'élite furent
envoyés à l'avant-garde ; ils eurent l'ordre de
serrer les ennemis de près dans Viazma, et de voir
qui d'eux ou de nos soldats étaient les incendiaires.
Leur rapport dut achever de dissiper les doutes de

l'Empereur sur la funeste résolution des Russes.

On trouva dans cette ville quelques ressources, que le pillage eut bientôt gaspillées. Napoléon en la traversant vit ce désordre ; il s'irrita violemment, poussa son cheval au milieu des groupes de soldats, frappa les uns, culbuta les autres, fit saisir un vivandier, et ordonna qu'il fût à l'instant jugé et fusillé. Mais on savait la portée de ce mot dans sa bouche, et que plus ses accès de colère étaient violents, plus ils étaient promptement suivis d'indulgence. On se contenta donc de placer, un instant après, ce malheureux à genoux sur son passage ; on mit à côté de lui une femme et quelques enfants, qu'on fit passer pour les siens. L'Empereur, déjà indifférent, demanda ce qu'ils voulaient, et le fit mettre en liberté.

Il était encore à cheval quand il vit revenir vers lui Belliard, depuis quinze ans le compagnon de guerre, et alors le chef d'état-major de Murat. Etonné, il crut à un malheur. D'abord Belliard le rassure, puis il ajoute : « Qu'au delà de la Viazma, « derrière un ravin, sur une position avantageuse, « l'ennemi s'est montré en force et prêt à com- « battre ; qu'aussitôt, de part et d'autre, la cava- « lerie s'est engagée, et que, l'infanterie devenant « nécessaire, le roi lui-même s'est mis à la tête d'une « division de Davout, et l'a ébranlée pour la porter « sur l'ennemi ; mais que le maréchal est accouru, « criant aux siens d'arrêter, blâmant hautement « cette manœuvre, la reprochant durement au roi,

« et défendant à ses généraux de lui obéir ; qu'alors
« Murat en a appelé à son grade, au moment qui
« pressait, mais vainement ; qu'enfin il envoie
« déclarer à l'Empereur son dégoût pour un com-
« mandement si contesté, et qu'il faut opter entre
« lui et Davout ! »

A cette nouvelle, Napoléon s'emporte ; il s'écrie
« que Davout oublie toute subordination ; qu'il
« méconnaît donc son beau-frère, celui qu'il a
« nommé son lieutenant ! » et il fait partir Berthier
avec l'ordre de mettre désormais sous le commandement du roi la division Compans, celle-là même qui
avait été le sujet du différend. Davout ne se défendit pas sur la forme de son action, mais il en soutint
le fond, soit prévention contre la témérité habituelle du roi, soit humeur, ou qu'en effet il eût mieux
jugé du terrain et de la manœuvre qui y convenait,
ce qui est fort possible.

Cependant le combat venait de finir, et Murat,
que l'ennemi ne distrayait plus, était déjà tout
entier au souvenir de sa querelle. Renfermé avec
Belliard, et comme caché dans sa tente, à mesure
que les expressions du maréchal se retraçaient
à sa mémoire, son sang s'embrasait de plus en plus
de honte et de colère. « On l'avait méconnu, ou-
« tragé publiquement, et Davout vivait encore !
« et il le reverrait ! Que lui faisaient la colère de
« l'Empereur et sa décision ? C'était à lui-même à
« venger son injure ! Qu'importe son sang ? C'est
« son épée seule qui l'a fait roi, c'est à elle seule

« qu'il en appelle ! » Et déjà il saisissait ses armes pour aller attaquer Davout, quand Belliard l'arrêta, en lui opposant les circonstances, l'exemple à donner à l'armée, l'ennemi à poursuivre, et qu'il ne fallait pas attrister les siens et charmer l'ennemi par un fâcheux éclat.

Ce général dit qu'alors il vit ce roi maudire sa couronne, et chercher à dévorer son affront ; mais que des larmes de dépit roulaient dans ses yeux et tombaient sur ses vêtements. Pendant qu'il se tourmentait ainsi, Davout, s'opiniâtrant dans son opinion, disait que l'Empereur était trompé et demeurait tranquille dans son quartier général.

Napoléon rentra dans Viazma, où il fallait qu'il séjournât pour reconnaître sa nouvelle conquête, et le parti qu'il pouvait en tirer. Les nouvelles qu'il apprit de l'intérieur de la Russie lui montrèrent le gouvernement ennemi s'appropriant nos succès, et s'efforçant de faire croire que la perte de tant de provinces était l'effet d'un plan général de retraite adopté d'avance. Des papiers saisis dans Viazma disaient qu'à Pétersbourg on chantait des *Te Deum* pour de prétendues victoires de Vitepsk ou de Smolensk. Etonné, il s'écria : « Hé quoi ! des *Te Deum !* ils osent donc mentir à Dieu comme aux hommes ! »

Le 1er septembre, vers midi, Murat n'était plus séparé de Gjatz que par un taillis de sapins. La présence des cosaques l'obligea de déployer ses premiers régiments ; mais bientôt, dans son impatience, il appela quelques cavaliers, et lui-même, ayant chassé les Russes du bois qu'ils occupaient, il le traversa, et se trouva aux portes de Gjatz. A cette vue, les Français s'animèrent, et la ville fut tout à coup envahie jusqu'à la rivière qui la sépare en deux, et dont les ponts étaient déjà livrés aux flammes.

Là, comme à Smolensk, comme à Viazma, soit hasard, soit reste de coutume tartare, le bazar se trouvait du côté de l'Asie, sur la rive qui nous était opposée. L'arrière-garde russe, garantie par la rivière, eut donc le temps de brûler tout ce quartier. La promptitude seule de Murat avait sauvé le reste.

On passa la Gjatz, comme on put, sur des poutres, dans quelques embarcations, et à gué. Les Russes disparurent derrière leurs flammes, où nos premiers éclaireurs les suivaient, quand ils virent un habitant en sortir, accourir à eux, et crier qu'il était Français. Sa joie et son accent confirmaient ses paroles. Ils le conduisirent à Davout. Ce maréchal le questionna.

Tout, selon le rapport de cet homme, venait de changer dans l'armée russe. Du milieu de ses rangs, une grande clameur s'était élevée contre Barclay. La noblesse, les marchands, Moscou entière, y avaient répondu. « Ce général, ce ministre était un « traître ! il faisait détruire en détail toutes leurs « divisions ! il déshonorait l'armée par une fuite « sans fin ! Et cependant on subissait la honte

« d'une invasion, et leurs villes brûlaient ! S'il
« fallait se déterminer à cette ruine, on voulait
« se sacrifier soi-même ; du moins y aurait-il alors
« quelque honneur, tandis que se laisser sacrifier
« par un étranger, c'était tout perdre, jusqu'à
« l'honneur du sacrifice !

« Mais pourquoi cet étranger ? Le contemporain,
« le compagnon de guerre, l'émule de Suwarow
« n'existait-il pas encore ? Il fallait un Russe pour
« sauver la Russie ! » Et tous demandaient, tous
voulaient Kutusof et une bataille ! Le Français
ajouta qu'Alexandre avait cédé ; que l'insubordi-
nation de Bagration et le cri universel avaient
obtenu ce général et cette bataille ; et que d'ailleurs,
après avoir attiré l'armée aussi loin, l'empereur
moscovite avait lui-même jugé un grand choc indispensable.

Enfin il assura que le 29 août, entre Viazma et
Gjatz, à Tzarewo-Zaïmizcze, l'arrivée de Kutusof
et l'annonce d'une bataille avaient enivré l'armée
ennemie d'une double joie ; qu'aussitôt tous avaient
marché vers Borodino, non plus pour fuir, mais pour
se fixer sur cette frontière du gouvernement de
Moscou, pour s'y lier au sol, pour le défendre, enfin
pour y vaincre ou mourir !

Un incident, du reste peu remarquable, sembla
confirmer cette nouvelle : ce fut l'arrivée d'un parlementaire russe. Il avait si peu à dire qu'on s'aperçut d'abord qu'il venait pour observer. Sa contenance déplut surtout à Davout, qui y trouva plus

que de l'assurance. Un général français ayant incon-
sidérément demandé à ce parlementaire ce qu'on
trouverait de Viazma à Moscou : « Pultawa ! »
répondit fièrement le Russe. Cette réponse annonçait
une bataille ; elle plut aux Français, qui aiment
l'à-propos, et se plaisent à rencontrer des ennemis
dignes d'eux.

Ce parlementaire fut reconduit sans précaution,
comme il avait été amené. Il vit qu'on pénétrait
jusqu'à nos quartiers généraux sans obstacle : il
traversa nos avant-postes sans rencontrer une
vedette ; partout la même négligence, et cette témérité si naturelle à des Français et à des vainqueurs.
Chacun dormait ; point de mot d'ordre, point de
patrouilles : nos soldats semblaient négliger ces
soins comme trop minutieux. Pourquoi tant de précautions ? Eux attaquaient, ils étaient victorieux ;
c'était aux Russes à se défendre. Cet officier a dit,
depuis, qu'il fut tenté de profiter cette nuit-là de
notre imprudence, mais qu'il ne trouva pas de corps
russe à sa portée.

L'ennemi, en se hâtant de brûler les ponts de la
Gjatz, avait abandonné quelques-uns de ses cosaques : on les envoya à l'Empereur, qui s'approchait
à cheval. Napoléon voulut les questionner lui-même :
il appela son interprète, et fit placer à ses côtés
deux de ces Scythes, dont l'étrange costume et la
physionomie sauvage étaient remarquables. Ce
fut ainsi qu'on le vit entrer à Gjatz et traverser
cette ville. Les réponses de ces barbares furent

d'accord avec les discours du Français, et, pendant
la nuit du 1er au 2 septembre, toutes les nouvelles
des avant-postes les confirmèrent.

Ainsi Barclay, seul contre tous, venait de soutenir jusqu'au dernier moment ce plan de retraite
qu'en 1807 il avait vanté à l'un de nos généraux,
comme le seul moyen de salut pour la Russie.
Parmi nous, on le louait de s'être maintenu dans
cette sage défensive, malgré les clameurs d'une nation orgueilleuse, que le malheur irritait, et devant
un ennemi si agressif.

Il avait sans doute failli en se laissant surprendre
à Vilna, en ne reconnaissant pas le cours marécageux de la Bérézina pour la véritable frontière de la
Lithuanie ; mais on remarquait : que depuis, à
Vitepsk et à Smolensk, il avait prévenu Napoléon ;
que sur la Loutcheza, sur le Dnieper et à Valoutina,
sa résistance avait été proportionnée aux temps
et aux lieux ; que cette guerre de détails et les pertes
qu'elle occasionnait n'avait été que trop à son
avantage, chacun de ses pas rétrogrades nous éloi-
gnant de nos renforts et le rapprochant des siens.
Il avait donc tout fait à propos, soit qu'il eût ha-
sardé, défendu, ou abandonné.

Et cependant il s'était attiré l'animadversion générale ! Mais c'était à nos yeux son plus grand éloge. On
l'approuvait d'avoir dédaigné l'opinion publique
quand elle s'égarait ; de s'être contenté d'épier tous nos
mouvements pour en profiter ; et ainsi d'avoir su que,
le plus souvent, on sauve les nations malgré elles.

Barclay se montra plus grand encore dans le reste de la campagne. Ce général en chef, ministre de la guerre, à qui l'on venait d'ôter le commandement pour le donner à Kutusof, voulut servir sous ses ordres ! On le vit obéir, comme il avait commandé, avec le même zèle.

III

LA MOSKOWA.

Enfin l'armée russe s'arrêtait ! Miloradowitch, seize mille recrues, et une foule de paysans, portant la croix et criant, *Dieu le veut !* accouraient se joindre à ses rangs. On nous apprit que les ennemis remuaient toute la plaine de Borodino, hérissant leur sol de retranchements, et paraissant vouloir s'y enraciner pour ne pas reculer davantage.

Napoléon annonça une bataille à son armée ; il lui donna deux jours pour se reposer, pour préparer ses armes et ramasser des subsistances. Il se contenta d'avertir les détachements envoyés aux vivres : « Que, s'ils n'étaient pas rentrés le lendemain, « ils se priveraient de l'honneur de combattre ! »

L'Empereur voulut alors connaître son nouvel adversaire. On lui dépeignit Kutusof comme un vieillard, dont jadis une blessure singulière avait commencé la réputation. Depuis, il avait su profiter habilement des circonstances. La défaite même d'Austerlitz, qu'il avait prévue, avait augmenté sa renommée. Ses dernières campagnes contre les Turcs venaient encore de l'accroître. Sa valeur était incontestable ; mais on lui reprochait d'en régler les élans sur ses intérêts personnels, car il calculait tout. Son génie était lent, vindicatif, et surtout rusé ; caractère de Tartare ! sachant préparer, avec une politique caressante, souple et patiente, une guerre implacable.

Du reste, encore plus adroit courtisan qu'habile général ; mais redoutable par sa renommée, par son adresse à l'accroître, à y faire concourir les autres. Il avait su flatter la nation entière, et chaque individu, depuis le général jusqu'au soldat.

On ajouta qu'il y avait dans son extérieur, dans son langage, dans ses vêtements même, enfin dans ses pratiques superstitieuses, et jusque dans son âge, un reste de Suwarow, une empreinte d'ancien Moscovite, un air de nationalité qui le rendait cher aux Russes. A Moscou, la joie de sa nomination avait été poussée jusqu'à l'ivresse : on s'était embrassé au milieu des rues, on s'était cru sauvé !

Quand Napoléon eut pris ces renseignements et donné ses ordres, on le vit attendre l'événement avec cette tranquillité d'âme des hommes extraordinaires. Il s'occupa paisiblement à parcourir les environs de son quartier général. Murat l'avait devancé de quelques lieues. Depuis l'arrivée de Kutusof, des troupes de cosaques voltigeaient sans cesse autour des têtes de nos colonnes. Murat s'irritait de voir sa cavalerie forcée de se déployer contre un si faible obstacle. On assure que ce jour-là, par un de ces premiers mouvements dignes des temps de la chevalerie, il s'élança seul, et tout à coup, contre leur ligne, s'arrêta à quelques pas d'eux ; et que là, l'épée à la main, il leur fit d'un air et d'un geste si impérieux le signe de se retirer, que ces barbares obéirent et reculèrent étonnés !

Ce fait, qu'on nous raconta sur-le-champ, fut accueilli sans incrédulité. L'air martial de ce monarque, l'éclat de ses vêtements chevaleresques, sa réputation, et la nouveauté d'une telle action, firent paraître vrai cet ascendant momentané, malgré son invraisemblance ; car tel était Murat : roi théâtral par la recherche de la parure, et vraiment roi par sa grande valeur et son inépuisable activité ; hardi comme l'attaque, et toujours armé de cet air de supériorité, de cette audace menaçante, la plus dangereuse des armes offensives !

Aussitôt on se saisit des villages et des bois. A gauche et au centre ce furent l'armée d'Italie, la division Compans, et Murat ; à droite, Poniatowski. L'attaque fut générale, car l'armée d'Italie et l'armée polonaise paraissaient à la fois sur les deux ailes de la grande colonne impériale. Ces trois masses rejetaient sur Borodino les arrière-gardes russes, et toute la guerre se concentrait sur un seul point.

Ce rideau enlevé, on découvrit la première redoute russe ; trop détachée en avant de la gauche

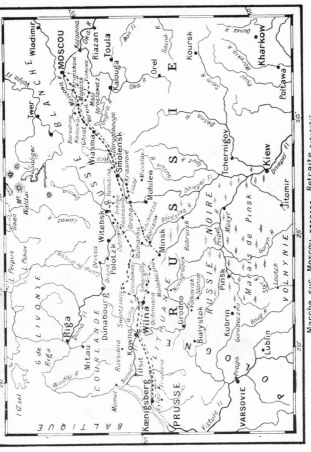

Marche sur Moscou ——— Retraite ....
Carte de la Campagne de Russie.

de leurs positions, elle la défendait sans en être dé-
fendue. Les accidents du sol avaient obligé de l'iso-
ler ainsi.

Compans profita habilement des ondulations du
terrain : ses élévations servirent de plate-forme à ses
canons pour battre la redoute, et d'abri à son
infanterie pour la disposer en colonnes d'attaque.
Le 61e marcha le premier : la redoute fut enlevée
d'un seul élan et à la baïonnette ; mais Bagration
envoya des renforts qui la reprirent. Trois fois le
61e l'arracha aux Russes, et trois fois il en fut re-
chassé ; mais enfin il s'y maintint, tout sanglant et
à demi détruit.

Le lendemain, quand l'Empereur passa ce régiment en revue, il demanda où était son troisième
bataillon : « Il est dans la redoute ! » repartit le
colonel. Mais l'affaire n'en était pas restée là : un
bois voisin fourmillait encore de tirailleurs russes ;
ils sortaient à chaque instant de ce repaire, pour
renouveler leurs attaques, que soutenaient trois
divisions. Enfin l'attaque de Schewardino par
Morand, celle des bois d'Elnia par Poniatowski,
achevèrent de dégoûter les troupes de Bagration,
et la cavalerie de Murat nettoya la plaine. Ce fut
surtout la ténacité d'un régiment espagnol qui
rebuta les ennemis : ils cédèrent, et cette redoute,
qui était leur avant-poste, devint le nôtre.

En même temps l'Empereur désignait à chaque
corps sa place ; le reste de l'armée entrait en ligne,
et une fusillade générale, entrecoupée de quelques

coups de canon, s'était établie. Elle continua jusqu'à ce que chaque parti se fût fixé sa limite, et que la nuit eût rendu les coups incertains.

Un régiment de Davout cherchait alors à prendre son rang dans la première ligne. Trompé par l'obscurité, il la dépassa, et alla donner tout au milieu des cuirassiers russes, qui l'assaillirent, le mirent en désordre, lui enlevèrent trois canons, et lui prirent ou tuèrent trois cents hommes. Le reste se pelotonna aussitôt, formant une masse informe, mais toute hérissée de fer et de feu ; l'ennemi n'y put pénétrer davantage, et cette troupe affaiblie put regagner sa place de bataille.

L'Empereur campa derrière l'armée d'Italie, à la gauche de la grande route ; la vieille garde se forma en carré autour de ses tentes. Aussitôt que la fusillade eut cessé, les feux s'allumèrent. Du côté des Russes, ils brillaient en vaste demi-cercle ; du nôtre, en clarté pâle, inégale, et peu en ordre, les troupes arrivant tard et à la hâte, sur un terrain inconnu, où rien n'était préparé, et où le bois manquait, surtout au centre et à la gauche.

L'Empereur dormit peu. Le général Caulaincourt venait de la redoute conquise. Aucun prisonnier n'était tombé entre nos mains, et Napoléon, étonné, multipliait ses questions. « Sa cavalerie n'avait-elle « donc pas chargé à propos ? Ces Russes sont-ils « décidés à vaincre ou à mourir ? » On lui répondit que, « fanatisés par leurs chefs, et accoutumés à « combattre des Turcs, qui achèvent leurs prison-

« niers, ils se faisaient tuer plutôt que de se rendre. »
L'Empereur alors tomba dans une méditation profonde, et jugeant qu'une bataille d'artillerie serait
la plus sûre, il multiplia ses ordres pour faire arriver
en toute hâte les parcs qui n'avaient pas encore
rejoint.

Cette nuit-là même, une pluie fine et froide commença à tomber, et l'automne se déclara par un
vent violent. C'était un ennemi de plus, et qu'il
fallait compter; car cette époque de l'année répondait à l'âge dans lequel entrait Napoléon, et l'on
sait l'influence des saisons de l'année sur les saisons
pareilles de la vie !

Dans cette nuit que d'agitations diverses ! chez
les soldats et les officiers, le soin de préparer leurs
armes, de réparer leur habillement, et de combattre
le froid et la faim, car leur vie était un combat continuel ; chez les généraux, et même chez l'Empereur,
l'inquiétude que le succès de la veille n'eût découragé
les Russes, et que dans l'obscurité ils ne se déro-
bassent. Murat en avait menacé ; on crut plusieurs
fois voir leurs feux pâlir ; on s'imagina entendre des
bruits de départ. Mais le jour seul effaça la lueur
des bivouacs ennemis.

Cette fois on n'eut pas besoin d'aller les chercher
au loin. Le soleil du 6 septembre retrouva les deux
armées, et les montra l'une à l'autre, sur le même
terrain où la veille il les avait laissées. Ce fut une
joie générale. Enfin cette guerre vague, molle, mou-
vante, où nos efforts s'amortissaient, dans laquelle

nous nous enfonçions sans mesure, s'arrêtait : on touchait au fond, au terme, et tout allait être décidé !

L'Empereur profita des premières lueurs du crépuscule pour s'avancer entre les deux lignes, et parcourir, de hauteur en hauteur, tout le front de l'armée ennemie.

Sa reconnaissance faite, il se décide. On l'entend s'écrier : « Eugène sera le pivot ! c'est la droite « qui engagera la bataille. Dès qu'à la faveur du « bois elle aura envahi la redoute qui lui est opposée, elle fera un à-gauche, et marchera sur le « flanc des Russes, ramassant et refoulant toute « leur armée sur leur droite et dans la Kologha. »

L'ensemble ainsi conçu, il s'occupe des détails. Pendant la nuit trois batteries, de soixante canons chacune, seront opposées aux redoutes russes : deux en face de leur gauche, la troisième devant leur centre. Dès le jour Poniatowski et son armée, réduite à cinq mille hommes, s'avanceront sur la vieille route de Smolensk, tournant le bois auquel l'aile droite française et l'aile gauche russe s'appuient. Il flanquera l'une et inquiétera l'autre ; on attendra le bruit de ses premiers coups.

Aussitôt toute l'artillerie éclatera contre la gauche des Russes ; ses feux ouvriront leurs rangs et leurs redoutes, et Davout et Ney s'y précipiteront ; ils seront soutenus par Junot et ses Westphaliens, par Murat et sa cavalerie, enfin par l'Empereur lui-même avec vingt mille gardes. C'est contre

ces deux redoutes que se feront les premiers efforts;
c'est par elles qu'on pénétrera dans l'armée ennemie, dès lors mutilée, et dont le centre et la droite
se trouveront à découvert, et presque enveloppés.

Cependant, comme les Russes se montrent par
masses redoublées à leur centre et à leur droite,
menaçant la route de Moscou, seule ligne d'opération de la Grande Armée ; comme, en jetant ses prin-
cipales forces et lui-même vers leur gauche, Napoléon va mettre la Kologha entre lui et ce chemin,
sa seule retraite, il pense à renforcer l'armée d'Italie qui l'occupe, et il y joint deux divisions de Davout et la cavalerie de Grouchy. Quant à son flanc
gauche, il juge qu'une division italienne, la cavalerie bavaroise et celle d'Ornano, environ dix mille
hommes, suffiront pour le couvrir. Tels sont les
projets de Napoléon.

Rien ne fut si calme que le jour qui précéda
cette grande bataille. C'était comme une chose con-
venue ! Pourquoi se faire un mal inutile ? Le lendemain ne devait-il pas décider de tout ? D'ailleurs chacun avait besoin de se préparer : les différents corps, leurs armes, leurs forces, leurs munitions ; ils avaient à reprendre tout leur ensemble,
que la marche a toujours plus ou moins dérangé.
Les généraux avaient à observer leurs dispositions
réciproques d'attaque, de défense, et de retraite,
afin de les conformer l'une à l'autre et au terrain,
et de donner au hasard le moins possible.

Ainsi, près de commencer leur terrible lutte, ces

deux colosses s'observaient attentivement, se me-
suraient des yeux et se préparaient en silence à un
choc épouvantable.

L'Empereur, ne pouvant plus douter de la bataille, rentre dans sa tente pour en dicter l'ordre.
Là il médite sur la gravité de sa position. Il a vu
les deux armées égales : environ cent vingt mille
hommes et six cents canons de chaque côté : chez
les Russes, l'avantage des lieux, d'une seule langue,
d'un même uniforme, d'une seule nation, combattant pour une même cause, mais beaucoup de
troupes irrégulières et de recrues ; chez les Français,
autant d'hommes, mais plus de soldats, car on
vient de lui remettre la situation de ses corps :
il a devant les yeux le compte de la force de ses divisions ; et, comme il ne s'agit ici ni d'une revue ni
de distributions, mais d'un combat, cette fois les
états n'en sont point enflés. Son armée était réduite, il est vrai, mais saine, souple, nerveuse,
telle que ces corps virils qui, venant de perdre les
rondeurs de la jeunesse, montrent des formes plus
mâles et plus prononcées.

Toutefois, depuis plusieurs jours qu'il marche
au milieu d'elle, il l'a trouvée silencieuse, de ce
silence qui est celui d'une grande attente ou d'un
grand étonnement ; comme la nature au moment
d'un grand orage, ou comme le sont les foules à
l'instant d'un grand danger.

Il sent qu'il lui faut du repos, de quelque espèce
qu'il soit, et qu'il n'y en a plus pour elle que dans la

mort ou dans la victoire : car il l'a mise dans une telle nécessité de vaincre, qu'il faut qu'elle triomphe à tout prix. La témérité de la position où il l'a poussée est évidente ; mais il sait que, de toutes les fautes, c'est celle que les Français pardonnent le plus volontiers ; qu'enfin ils ne doutent ni d'eux, ni de lui, ni du résultat général, quels que soient les malheurs particuliers.

Au milieu de cette journée, Napoléon avait remarqué dans le camp ennemi un mouvement extraordinaire. En effet, toute l'armée russe était debout et sous les armes. Kutusof, entouré de toutes les pompes religieuses et militaires, s'avançait au milieu d'elle. Ce général a fait revêtir à ses popes et aux archimandrites leurs riches et majestueux vêtements, héritages des Grecs. Ils le précèdent, portant les signes révérés de la religion, et surtout cette sainte image, naguère protectrice de Smolensk, qu'ils disent s'être miraculeusement soustraite aux profanations des Français sacrilèges.

Quand le Russe voit ses soldats bien émus par ce spectacle extraordinaire, il élève la voix, il leur parle surtout du ciel, seule patrie qui reste à l'esclavage. C'est au nom de la religion de l'égalité qu'il cherche à exciter ces serfs à défendre les biens de leurs maîtres ; c'est surtout en leur montrant cette image sacrée, réfugiée dans leurs rangs, qu'il invoque leurs courages et soulève leur indignation !

Napoléon, dans sa bouche, « est un despote uni-« versel ! le tyrannique perturbateur du monde !

« un vermisseau ! un archi-rebelle qui renverse
« leurs autels, les souille de sang ; qui expose la
« vraie Arche du Seigneur, représentée par la
« sainte image, aux profanations des hommes,
« aux intempéries des saisons ! »

Puis il montre à ces Russes leurs villes en cendres ;
il leur rappelle leurs femmes, leurs enfants ; ajoute
quelques mots sur leur empereur, et finit en invo-
quant leur piété et leur patriotisme ! vertus d'instinct chez ces peuples trop grossiers et qui n'en
étaient encore qu'aux sensations, mais par cela
même soldats d'autant plus redoutables ; moins
distraits de l'obéissance par le raisonnement ; res-
treints par l'esclavage dans un cercle étroit, où ils
sont réduits à un petit nombre de sensations, qui
sont, pour eux, les seules sources des besoins, des
désirs, des idées ; du reste, orgueilleux par défaut
de comparaison, et crédules, comme ils sont orgueilleux, par ignorance ; adorant des images, idolâtres
autant que des chrétiens peuvent l'être ; car cette
religion de l'esprit, tout intellectuelle et morale, ils
l'ont faite toute physique et matérielle, pour la
mettre à leur brute et courte portée.

Mais enfin ce spectacle solennel, ce discours, les
exhortations de leurs officiers, les bénédictions de
leurs prêtres, achevèrent de fanatiser leur courage. Tous, jusqu'aux moindres soldats, se crurent
dévoués par Dieu lui-même, à la défense du ciel
et de leur sol sacré.

Du côté des Français, il n'y eut d'appareil ni

religieux ni militaire, point de revue, aucun moyen d'excitation. Le discours de l'Empereur fut même distribué fort tard, et lu le lendemain si près du combat, que plusieurs corps s'engagèrent avant d'avoir pu l'entendre. Cependant les Russes, que tant de motifs puissants devaient enflammer, invoquaient encore l'épée de Michel, empruntant leurs forces à toutes les Puissances du ciel ; tandis que les Français ne les cherchaient qu'en eux-mêmes, persuadés que les véritables forces sont dans le cœur, et que c'est là l'armée céleste !

Le hasard voulut que ce jour-là même l'Empereur reçût de Paris le portrait du roi de Rome, de cet enfant que l'Empire avait accueilli comme l'Empereur, avec les mêmes transports de joie et d'espérance. Depuis, et chaque jour dans l'intérieur du palais, on avait vu Napoléon s'abandonner près de lui à l'expression des sentiments les plus tendres. Aussi quand, au milieu de ces champs si lointains et de tous ces préparatifs si menaçants, il revit cette douce image, son âme guerrière s'attendrit-elle ! Lui-même il exposa ce tableau devant sa tente ; puis il appela ses officiers et jusqu'aux soldats de sa vieille garde, voulant faire partager son émotion à ces vieux grenadiers, montrer sa famille privée à sa famille militaire, et faire briller ce symbole d'espoir au milieu d'un grand danger.

Dans la soirée, un aide de camp de Marmont, parti du champ de bataille des Aropyles, arriva sur celui de la Moskowa. C'était ce même Fabvier qu'on a vu depuis figurer dans nos dissensions intestines. L'Empereur reçut bien l'aide de camp du général vaincu. La veille d'une bataille si incertaine, il se sentait disposé à l'indulgence pour une défaite : il écouta tout ce qui lui fut dit sur la dissémination de ses forces en Espagne, sur la multiplicité des généraux en chef, et convint de tout ; mais il expliqua ses motifs, qu'il est hors de propos de rappeler ici.

La nuit revint, et avec elle la crainte qu'à la faveur de ses ombres l'armée russe ne s'évadât du champ de bataille. Cette anxiété entrecoupa le sommeil de Napoléon. Sans cesse il appela, demandant l'heure, si l'on n'entendait pas quelque bruit, et envoyant regarder si l'ennemi était encore en présence. Il en doutait encore tellement, qu'il avait fait distribuer sa proclamation avec ordre de ne la lire que le lendemain matin, et en cas qu'il y eût bataille.

Rassuré pour quelques moments, une inquiétude contraire le saisit. Le dénûment de ses soldats l'épouvante ! Comment, faibles et affamés, soutiendront-ils un long et terrible choc ? Dans ce danger il considère sa garde comme son unique ressource ; il semble qu'elle lui réponde des deux armées. Il fait venir Bessières, celui de ses maréchaux à qui il se fie le plus pour la commander. Il veut savoir si rien ne manque à cette réserve d'élite : plusieurs fois il le rappelle et renouvelle ses pressantes questions. Il veut qu'on distribue à ces vieux soldats pour

trois jours de biscuit et de riz, pris sur leurs fourgons de réserve. Enfin, craignant de ne pas être obéi,
il se relève, et lui-même demande aux grenadiers
de garde à l'entrée de sa tente s'ils ont reçu ces
vivres. Satisfait de leur réponse, il rentre et s'assou-
pit.

Mais bientôt il appelle encore. Son aide de camp
le trouve la tête appuyée sur ses mains. Il semble, à
l'entendre, qu'il réfléchit sur les vanités de la
gloire. « Qu'est-ce que la guerre ? Un métier de
« barbares, où tout l'art consiste à être le plus fort
« sur un point donné ! » Il se plaint ensuite de
l'inconstance de la Fortune, qu'il commence, dit-
il, à éprouver. Paraissant alors revenir à des pensées
plus rassurantes, il rappelle ce qui lui a été dit sur la
lenteur et l'incurie de Kutusof, et s'étonne qu'on ne
lui ait pas préféré Beningsen. Puis il songe à la situation critique où il s'est jeté, et il ajoute : « Qu'une
« grande journée se prépare ; que ce sera une ter-
« rible bataille ! » Il demande à Rapp « s'il croit
« à la victoire ? — Sans doute, lui répond celui-
« ci, mais sanglante ! » Et Napoléon reprend :
« Je le sais ! mais j'ai quatre-vingt mille hommes,
« j'entrerai avec soixante mille dans Moscou ; les
« traîneurs nous y rejoindront, puis les bataillons
« de marche, et nous serons plus forts qu'avant la
« bataille ! »

Il parut ne comprendre dans ce calcul ni sa
garde, ni la cavalerie. Alors, ressaisi par sa première
inquiétude, il envoie encore examiner l'attitude des

Russes. On lui répond que leurs feux jettent toujours le même éclat, et qu'à leur nombre et à la multitude des ombres mobiles qui les entourent, on juge que ce n'est point une arrière-garde seulement, mais une armée entière qui les attise. La présence de l'ennemi tranquillisa enfin l'Empereur, et il chercha quelque repos.

Mais les marches qu'il vient de faire avec l'armée, les fatigues des nuits et des jours précédents, tant de soins, une si grande attente, l'ont épuisé ; le refroidissement de l'atmosphère l'a saisi : une fièvre d'irritation, une toux sèche, une violente altération, le consument ! Le reste de la nuit, il cherche vainement à étancher la soif brûlante qui le dévore. Ce nouveau mal se complique d'une ancienne souffrance : depuis la veille il lutte contre un douloureux accès de cette cruelle maladie dont il éprouve depuis longtemps les atteintes, la dysurie.

Enfin cinq heures arrivent. Un officier de Ney vient annoncer que le maréchal voit encore les Russes, et qu'il demande à attaquer. Cette nouvelle paraît rendre à l'Empereur ses forces, que la fièvre avait abattues. Il se lève, il appelle les siens, et sort en s'écriant : « Nous les tenons enfin ! Marchons ! allons ouvrir les portes de Moscou ! »

Il était cinq heures et demie du matin quand Napoléon arriva près de la redoute conquise le 5 septembre. Là il attendit les premières lueurs du jour et les premiers coups de fusil de Poniatowski. Le jour parut. L'Empereur, le montrant à ses officiers,

s'écria : « Voilà le soleil d'Austerlitz ! » Mais il nous
était contraire : il se levait du côté des Russes, nous
montrait à leurs coups, et nous éblouissait. On
s'aperçut alors que, dans l'obscurité, les batteries
avaient été placées hors de portée de l'ennemi. Il
fallut les pousser plus avant. L'ennemi laissa faire :
il semblait hésiter à rompre, le premier, ce terrible
silence !

L'attention de l'Empereur était alors fixée sur
sa droite, quand tout à coup, vers sept heures, la
bataille éclate à sa gauche. Bientôt il apprend qu'un
régiment du prince Eugène, le 106e, vient de s'emparer du village de Borodino et de son pont qu'il aurait
dû rompre ; mais qu'emporté par ce succès, il a franchi
ce passage, malgré les cris de son général, pour
assaillir les hauteurs de Gorcki, d'où les Russes
viennent de l'écraser par un feu de front et de flanc.

On ajouta que déjà le général commandant cette
brigade était tué, et que le 106e aurait été entièrement détruit, si le 92e régiment accourant de lui-
même à son secours, n'en avait recueilli promptement et ramené les débris.

C'était Napoléon lui-même, qui venait d'ordonner à son aile gauche d'attaquer violemment. Peut-
être crut-il n'être obéi qu'à demi, et voulut-il seulement retenir de ce côté l'attention de l'ennemi.
Mais il multiplia ses ordres, il outra ses excitations,
et il engagea de front une bataille qu'il avait conçue
dans un ordre oblique.

Pendant cette action, l'Empereur, jugeant Ponia-

towski aux prises sur la vieille route de Moscou,
avait donné devant lui le signal de l'attaque. Soudain on vit de cette plaine paisible, et de ces collines
muettes, jaillir des tourbillons de feu et de fumée,
suivis presque aussitôt d'une multitude d'explosions
et du sifflement des boulets qui déchiraient l'air
dans tous les sens. Au milieu de ce fracas, Davout
avec les divisions Compans, Desaix, et trente canons en tête, s'avance rapidement sur la première
redoute ennemie.

La fusillade des Russes commence ; les canons
français ripostent seuls. L'infanterie marche sans
tirer : elle se hâtait pour arriver sur le feu de l'ennemi et l'éteindre; mais Compans, général de cette
colonne, et ses plus braves soldats tombent blessés ; le reste, déconcerté, s'arrêtait sous cette grêle
de balles pour y répondre, quand Rapp accourt
remplacer Compans : il entraîne encore ses soldats,
la baïonnette en avant et au pas de course, contre
la redoute ennemie.

Déjà, lui le premier, il y touchait, lorsqu'à son
tour, il est atteint : c'était sa vingt-deuxième blessure. Un troisième général qui lui succède, tombe
encore ; Davout lui-même est frappé. On porta
Rapp à l'Empereur, qui lui dit : « Hé quoi, Rapp,
« toujours ! Mais que fait-on là-haut ? » L'aide de
camp répondit qu'il faudrait la garde pour achever.
« Non, reprit Napoléon, je m'en garderai bien ! je
« ne veux pas la faire démolir ; je gagnerai la ba-
« taille sans elle. »

Alors Ney, avec ses trois divisions, réduites à dix mille hommes, se jette dans la plaine ; il court seconder Davout ; l'ennemi partage ses feux ; Ney se précipite. Le 57e régiment de Compans, se voyant soutenu, se ranime par un dernier élan ; il vient d'atteindre les retranchements ennemis ; il les escalade, joint les Russes, et de ses baïonnettes les pousse, les culbute et tue les plus obstinés. Le reste fuit, et le 57e s'établit dans sa conquête. En même temps Ney s'élance avec tant d'emportement sur les deux autres redoutes, qu'il les arrache à l'ennemi.

Il était midi. La gauche de la ligne russe ainsi forcée, et la plaine ouverte, l'Empereur ordonne à Murat de s'y porter avec sa cavalerie et d'achever. Un instant suffit à ce prince pour se faire voir sur les hauteurs et au milieu de l'ennemi qui y reparaissait ; car la seconde ligne russe, et des renforts amenés par Bagawout et envoyés par Tutchkof, venaient au secours de la première. Tous accouraient, s'appuyant sur Semenowska, pour reprendre leurs redoutes. Les Français étaient encore dans le désordre de la victoire : ils s'étonnent et reculent.

Les Westphaliens, que Napoléon venait d'envoyer au secours de Poniatowski, traversaient alors le bois qui séparait ce prince du reste de l'armée ; ils entrevirent dans la poussière et la fumée nos troupes qui rétrogradaient. A la direction de leur marche ils les jugèrent ennemies, et tirèrent dessus.

Cette méprise, dans laquelle ils s'obstinèrent augmenta le désordre.

Les cavaliers ennemis poussèrent vigoureusement leur fortune ; ils enveloppèrent Murat, qui s'était oublié pour rallier les siens ; déjà même ils étendaient les mains pour le saisir, quand ce prince, en se jetant dans la redoute, leur échappa. Mais il n'y trouva que des soldats incertains, s'abandonnant eux-mêmes, et courant tout effarés autour du parapet. Il ne leur manquait pour fuir qu'une issue.

La présence du roi et ses cris en rassurèrent d'abord quelques-uns. Lui-même saisit une arme : d'une main il combat, de l'autre il élève et agite son panache, appelant tous les siens, et les rendant à leur première valeur par cette autorité que donne l'exemple. En même temps Ney a reformé ses divisions. Son feu arrête les cuirassiers ennemis, trouble leurs rangs : ils lâchent prise, Murat enfin est dégagé, et les hauteurs sont reconquises.

Le roi, à peine sorti de ce péril, court à un autre : il se précipite sur l'ennemi avec la cavalerie de Bruyères et de Nansouty, et, par des charges opiniâtres et réitérées, il renverse les lignes russes, les pousse, les rejette sur leur centre, et termine, avant une heure, la défaite entière de leur aile gauche.

Mais les hauteurs du village détruit de Semenowska, où commençait la gauche du centre des Russes, étaient encore intactes ; les renforts que Kutusof tirait sans cesse de sa droite s'y appuyaient.

Leur feu dominant plongeait sur Ney et Murat ; il arrêtait leur victoire : il fallait s'emparer de cette position. D'abord Maubourg, avec sa cavalerie, en balaie le front ; Friand, général de Davout, le suivait avec son infanterie. Ce fut Dufour et le 15e léger qui, les premiers, gravirent cet escarpement. Ils délogèrent les Russes de ce village, dont les ruines étaient mal retranchées. Friand soutint cet effort, profita de son succès, et l'assura, quoique blessé.

Cette action vigoureuse nous ouvrait le chemin de la victoire : il fallait s'y précipiter. Mais Murat et Ney étaient épuisés : ils s'arrêtent, et, pendant qu'ils rallient leurs troupes, ils envoient demander des renforts. On vit alors Napoléon saisi d'une hésitation jusque-là inconnue : il se consulta longuement. Enfin, après des ordres et des contre-ordres réitérés à sa jeune garde, il crut que la présence des forces de Friand et de Maubourg sur les hauteurs suffirait, l'instant décisif ne lui paraissant pas venu.

Mais Kutusof profite de ce sursis, qu'il ne devait point espérer : il appelle au secours de sa gauche découverte toutes ses réserves, et jusqu'à la garde russe. Bagration, avec tous ses renforts reforme sa ligne ; sa droite s'appuie à la grande batterie qu'attaquait le prince Eugène, sa gauche au bois qui termine le champ de bataille vers Psarewo. Ses feux déchirent nos rangs ; son attaque est violente, impétueuse, simultanée : infanterie, artillerie, cavalerie, tous font un grand effort. Ney et Murat se

roidissent contre cette tempête ; il ne s'agit plus
pour eux de poursuivre la victoire, mais de la conserver.

Les soldats de Friand, rangés devant Semenowska, repoussent les premières charges ; mais,
assaillis par une grêle de balles et de mitraille, ils
se troublent : un de leurs chefs se rebute et commande la retraite. Dans cet instant critique Murat
court à lui, et, le saisissant au collet, il lui crie :
« Que faites-vous ? » Le colonel, montrant la terre
couverte de la moitié des siens, lui répond : « Vous
« voyez bien qu'on ne peut plus tenir ici ! — Eh !
« j'y reste bien moi ! » s'écrie le roi. Ces mots arrêtèrent cet officier ; il regarda fixement le monarque
et reprit froidement : « C'est juste ! Soldats, face
en tête ! Allons nous faire tuer ! »

Cependant Murat venait de renvoyer Borelli à
l'Empereur pour demander du secours. Cet officier
montre les nuages de poussière que les charges de
cavalerie élèvent sur les hauteurs, jusque-là tran-
quilles depuis leur conquête ; quelques boulets
viennent même, pour la première fois, mourir aux
pieds de Napoléon. L'ennemi se rapproche, Borelli
insiste, et l'Empereur promet sa jeune garde ;
mais à peine eut-elle fait quelques pas que lui-même
lui cria de s'arrêter. Toutefois le comte de Lobau
la faisait avancer peu à peu, sous prétexte de recti-
fier des alignements. Napoléon s'en aperçut et
réitéra son ordre.

Heureusement l'artillerie de la réserve s'avança

dans cet instant pour prendre position sur les hauteurs conquises ; Lauriston avait obtenu pour cette manœuvre le consentement de l'Empereur, qui d'abord l'ordonna moins qu'il ne la permit. Mais bientôt elle lui parut si importante, qu'il en pressa l'exécution avec le seul mouvement d'impatience qu'il ait montré dans toute cette journée.

On ne sait si l'incertitude des combats de Poniatowski et du prince Eugène, à sa droite et à sa gauche, ne le rendit pas incertain ; ce qui est sûr, c'est qu'il parut craindre que l'extrême gauche des Russes, échappant aux Polonais, ne revînt s'emparer du champ de bataille derrière Ney et Murat. Ce fut au moins une des causes pour lesquelles il retint sa garde en observation sur ce point. Il répondait à ceux qui le pressaient : « Qu'il y voulait mieux « voir ; que sa bataille n'était pas encore commen-« cée ; que la journée serait longue ; qu'il fallait « savoir attendre ; que le temps entrait dans tout ; « que c'était l'élément dont toutes choses se com-« posaient ; que rien n'était débrouillé ! » Puis il demandait l'heure, et ajoutait : « Que celle de sa « bataille n'était pas encore venue ; qu'elle com-« mencerait dans deux heures ! »

Mais elle ne commença pas. On le vit presque toute cette journée s'asseoir ou se promener lentement, en avant et un peu à gauche de la redoute conquise le 5, sur les bords d'une ravine, loin de cette bataille, qu'il apercevait à peine depuis qu'elle avait dépassé les hauteurs ; sans inquiétude lors-

qu'il la vit reparaître, sans impatience contre les
siens ni contre l'ennemi ! Il faisait seulement quelques gestes d'une triste résignation quand, à chaque
instant, on venait lui apprendre la perte de ses
meilleurs généraux. Il se leva plusieurs fois pour
faire quelques pas et se rasseoir encore.

Chacun autour de lui le regardait avec étonnement. Jusque-là, dans ces grands chocs, on lui avait
vu une activité calme ; mais ici c'était un calme
lourd, une douceur molle, sans activité. Quelques-
uns crurent y reconnaître cet abattement, suite
ordinaire des violentes sensations ; d'autres imagi-
nèrent qu'il s'était déjà blasé sur tout, même sur
l'émotion des combats. Plusieurs observèrent que
cette constance calme, ce sang-froid des grands
hommes dans ces grandes occasions, tournent avec
le temps en flegme et en appesantissement, quand
l'âge a usé leurs ressorts. Les plus zélés motivèrent
son immobilité sur la nécessité, quand on commande
sur une grande étendue, de ne pas trop changer de
place, afin que les nouvelles sachent où vous trouver. Enfin il y en eut qui s'en prirent, avec plus de
raison, à sa santé affaiblie, à une secrète souffrance,
et au commencement d'une forte indisposition.

Les généraux d'artillerie, qui s'étonnaient aussi
de leur stagnation, profitèrent promptement de la
permission de combattre qu'on venait de leur donner. Ils couronnèrent bientôt les crêtes. Quatre-
vingts pièces de canon éclatèrent à la fois. La cavalerie russe vint la première se briser contre cette

ligne d'airain ; elle s'en fuit derrière son infanterie.

Celle-ci s'avançait par masses épaisses, où d'abord nos boulets firent de larges et profondes trouées ; et pourtant elles approchaient toujours, quand les batteries françaises redoublant, les écrasèrent de mitraille. Des pelotons entiers tombaient à la fois ; on voyait leurs soldats chercher à se remettre ensemble sous ce terrible feu. A chaque instant, séparés par la mort, ils se resserraient sur elle, en la foulant aux pieds.

Enfin ils s'arrêtèrent, n'osant avancer davantage et ne voulant pas reculer, soit qu'ils fussent saisis et comme pétrifiés d'horreur, au milieu de cette grande destruction, ou que dans cet instant Bagration ait été blessé; soit qu'une première disposition échouant, leurs généraux n'en sussent pas changer, n'ayant pas, comme Napoléon, le grand art de remuer de si grands corps à la fois, avec ensemble et sans confusion. Enfin ces masses inertes se laissèrent écraser pendant deux heures, sans autre mouvement que celui de leur chute. On vit alors un massacre effroyable; et la valeur intelligente de nos artilleurs admira le courage immobile, aveugle et résigné de leurs ennemis !

Ce furent les victorieux qui se fatiguèrent les premiers. La lenteur de ce combat d'artillerie irrita leur impatience. Leurs munitions s'épuisaient ; ils se décident : Ney marche donc en étendant sa droite, qu'il fait rapidement avancer pour tourner encore la gauche du nouveau front qu'on lui a opposé.

Davout et Murat le secondent, et les débris de Ney sont vainqueurs des restes de Bagration.

La bataille cesse alors dans la plaine ; elle se concentre sur le reste des hauteurs ennemies, et vers la grande redoute, que Barclay, avec le centre et la droite, défend obstinément contre le prince Eugène.

Ainsi, vers le milieu du jour, toute l'aile droite française, Ney, Davout et Murat, après avoir fait tomber Bagration et la moitié de la ligne russe, se présentaient sur le flanc entr'ouvert du reste de l'armée ennemie, dont ils voyaient tout l'intérieur, les réserves, les derrières abandonnés, et jusqu'à la retraite.

Mais, se sentant trop affaiblis pour se jeter dans ce vide, derrière une ligne encore formidable, ils appellent la garde à grands cris : « La jeune garde ! « Qu'elle les suive de loin ! Qu'elle se montre seule- « ment, qu'elle les remplace sur ces hauteurs ! eux « alors suffiront pour les achever ! »

C'est Belliard qu'ils ont envoyé à l'Empereur. Ce général déclare : « Que, de leur position, les « regards percent sans obstacle jusqu'à la route de « Mojaïsk, derrière l'armée russe ; qu'on y voit une « foule confuse de fuyards, de blessés et de cha- « riots en retraite ; qu'une ravine et un taillis clair « les en séparent encore, il est vrai, mais que les « généraux ennemis, déconcertés, n'ont point « songé à en profiter ; qu'enfin il ne faut qu'un « élan pour arriver au milieu de ce désordre, et

« décider du sort de l'armée ennemie et de la
« guerre ! »

Cependant l'Empereur hésite, doute, et ordonne
à ce général d'aller voir encore et de revenir lui
rendre compte.

Belliard, surpris, court et revient promptement ;
il annonce : « Que l'ennemi commence à se raviser ;
« que déjà on voit le taillis se garnir de ses tirail-
« leurs ; que l'occasion va s'échapper, qu'il n'y a
« plus un instant à perdre, sans quoi il faudra une
« seconde bataille pour terminer la première ! »

Mais Bessières était revenu des hauteurs où
Napoléon l'avait envoyé pour examiner l'attitude
des Russes. Ce maréchal assura : « Que, loin d'être
« en désordre ils s'étaient retirés sur une seconde
« position, d'où ils semblaient se préparer à une
« nouvelle attaque ; » et l'Empereur alors dit à
Belliard : « Que rien n'était encore assez débrouillé ;
« que pour faire donner ses réserves, il voulait
« voir plus clair *sur son échiquier !* » Ce fut son
expression, qu'il répéta plusieurs fois, en montrant,
d'une part, la vieille route de Moscou, dont Poniatowski n'avait pas encore pu se rendre maître ; de
l'autre, une attaque de cavalerie ennemie en arrière
de notre aile gauche ; enfin la grande redoute contre
laquelle se brisaient les efforts du prince Eugène.

Belliard, consterné, retourne auprès du roi ; il lui
annonce « l'impossibilité d'obtenir de l'Empereur
« sa réserve ; il l'a, dit-il, trouvé à la même place,
« l'air souffrant et abattu, les traits affaissés, le

« regard morne, donnant des ordres languissam-
« ment, au milieu de ces épouvantables bruits de
« guerre qui lui semblent étrangers. » A ce récit
qu'on rapporte à Ney, celui-ci, furieux, et emporté
par son caractère ardent et sans mesure, éclate :
« Sont-ils donc venus de si loin pour se contenter
« d'un champ de bataille ? Que fait l'Empereur
« derrière l'armée ? Là, il n'est à portée que des
« revers et non des succès. Puisqu'il ne fait plus la
« guerre par lui-même, qu'il n'est plus général,
« qu'il veut faire partout l'Empereur, qu'il re-
« tourne aux Tuileries et nous laisse être généraux
« pour lui ! »

Murat fut plus calme. Il se souvenait d'avoir
vu l'Empereur parcourir, la veille, le front de la
ligne ennemie, s'arrêter plusieurs fois, descendre de
cheval, et, le front appuyé sur ses canons, y rester
dans l'attitude de la souffrance. Il savait l'agitation
de sa nuit, et qu'une toux vive et fréquente coupait
sa respiration. Le roi comprit que la fatigue et les
premières atteintes de l'équinoxe avaient ébranlé
son tempérament affaibli, et qu'enfin, dans ce moment critique, l'action de son génie était comme en-
chaînée par son corps, affaissé sous le triple poids
de la fatigue, de la fièvre, et d'un mal qui, de tous,
est celui qui peut-être abat le plus les forces physiques et morales de l'homme.

Pourtant les excitations ne lui manquèrent pas ;
car, aussitôt après Belliard, Daru, poussé par Dumas et surtout par Berthier, dit à voix basse à

l'Empereur que, de toutes parts, on s'écriait :
« Que l'instant de faire donner la garde était venu !»
Mais Napoléon répliqua : « Et s'il y a une seconde
« bataille demain, avec quoi la livrerais-je ? » Le
ministre n'insista pas, surpris de voir, pour la première fois, l'Empereur remettre au lendemain, et
ajourner sa fortune !

Cependant Barclay, avec la droite, luttait opiniâtrément contre le prince Eugène. Celui-ci, aussitôt après la prise de Borodino, avait passé la Kologha devant la grande redoute ennemie. Là surtout
les Russes avaient compté sur leurs hauteurs escarpées, environnées de ravins profonds et fangeux,
sur notre épuisement, sur leurs retranchements
armés de grosses pièces, enfin sur quatre-vingts
canons qui bordaient ces crêtes toutes hérissées
de fer et de feu. Mais ces formidables moyens de
défense, l'art, la nature, tout leur manqua à la fois ;
assaillis par un premier élan de cette furie française
si célèbre, ils virent tout à coup les soldats de Morand au milieu d'eux, et s'enfuirent déconcertés.

Dix-huit cents hommes du 30e régiment, et le
général Bonnamy marchant à leur tête, venaient
de faire ce grand effort.

Ce fut là qu'on remarqua Fabvier, cet aide de
camp de Marmont, arrivé la veille du fond de
l'Espagne : il s'est jeté en volontaire et à pied à la
tête des tirailleurs les plus avancés, comme s'il
fût venu représenter l'armée d'Espagne au milieu
de la Grande Armée, et qu'animé de cette rivalité

de gloire qui fait les héros, il voulût la montrer en tête et la première au danger !

Il tomba blessé sur cette redoute trop fameuse, car cette victoire fut courte : l'attaque manquait d'ensemble, soit précipitation des premiers assaillants, soit lenteur dans ceux qui suivirent. Il y avait un ravin à passer ; sa profondeur garantissait des feux ennemis ; on assure que plusieurs des nôtres s'y arrêtèrent. Morand se trouva donc seul devant plusieurs lignes russes. Il n'était que dix heures. A sa droite, Friand n'attaquait pas encore Semenowska ; à sa gauche, les divisions Gérard, Broussier, et la garde italienne n'étaient pas encore en ligne.

D'ailleurs cette attaque n'aurait pas dû être faite si brusquement : on ne voulait que contenir et occuper Barclay de ce côté, la bataille devant commencer par l'aile droite, et pivoter sur l'aile gauche. Tel avait été le plan de l'Empereur, et l'on ignore pourquoi lui-même y manqua au moment de l'exécution ; car ce fut lui qui, dès les premiers coups de canon, envoya au prince Eugène officier sur officier pour presser son attaque.

Les Russes, revenus de leur premier saisissement, accoururent de toutes parts. Koutaïsof et Yermolof les conduisirent eux-mêmes avec une résolution digne de cette grande circonstance. Le 30e régiment, seul devant une armée, osa s'élancer contre elle à la baïonnette ; il fut enveloppé, écrasé, et culbuté hors de la redoute, où il laissa un tiers de ses soldats et son intrépide général percé de vingt blessures. Les Russes, encouragés, ne se contentèrent plus de se défendre, ils attaquèrent. On vit alors réuni sur ce seul point tout ce que la guerre a d'art, d'efforts et de fureur. Les Français tinrent pendant quatre heures sur le penchant de ce volcan, et sous cette pluie de fer et de plomb ; mais il y fallut la tenace habileté du prince Eugène, et, pour des victorieux depuis longtemps, tout ce qu'a d'insupportable l'idée de s'avouer vaincus.

Chaque division changea plusieurs fois de généraux. Le vice-roi allait de l'une à l'autre, mêlant la prière aux reproches, et rappelant surtout les anciennes victoires. Il fit avertir l'Empereur de sa position critique ; mais Napoléon répondit : « Qu'il « n'y pouvait rien ; que c'était à lui de vaincre ; « qu'il n'avait qu'à faire un plus grand effort ; « que la bataille était là ! » et le prince ralliait toutes ses forces pour tenter un assaut général, quand soudain des cris furieux, qui partirent de sa gauche, détournèrent son attention.

Ouwarof, deux régiments de cavalerie et quelques milliers de cosaques tombaient sur sa réserve ; le désordre s'y mettait ; il y courut, et, secondé des généraux Delzons et Ornano, il eut bientôt chassé cette troupe plus bruyante que redoutable ; puis il revint aussitôt se mettre à la tête d'une attaque décisive.

C'était le moment où Murat, forcé à l'inaction dans cette plaine où il régnait, avait renvoyé pour

la quatrième fois à son beau-frère pour se plaindre
des pertes que les Russes, appuyés aux redoutes
opposées au prince Eugène, faisaient éprouver à sa
cavalerie. « Il ne lui demande plus que celle de sa
« garde : soutenu par elle, il tournera ces hauteurs
« retranchées, et les fera tomber avec l'armée qui
« les défend ! »

L'Empereur parut y consentir : il envoya chercher Bessières, chef de cette garde à cheval. Malheureusement on ne trouva pas ce maréchal, qui, par
ses ordres, était allé considérer la bataille de plus
près. L'Empereur l'attendit près d'une heure, sans
impatience, sans renouveler son ordre ! Quand le
maréchal revint enfin, il le reçut d'un air satisfait,
écouta tranquillement son rapport, et lui permit de
s'avancer jusqu'où il le jugerait convenable.

Mais il n'était plus temps ! Il ne fallait plus
songer à s'emparer de toute l'armée russe, et peut-
être aussi de la Russie entière, mais seulement du
champ de bataille. On avait laissé à Kutusof le
loisir de se reconnaître : il s'était fortifié sur ce qui
lui restait de points d'un accès difficile, et avait
couvert la plaine de sa cavalerie.

Ainsi les Russes s'étaient, pour la troisième fois,
reformé un flanc gauche devant Ney et Murat.
Mais celui-ci appelle la cavalerie de Montbrun. Ce
général était tué : Caulaincourt le remplace. Il
trouve les aides de camp du malheureux Montbrun,
pleurant leur général : « Suivez-moi, leur crie-t-il ;
« ne le pleurez plus, et venez le venger ! »

Le roi lui montre le nouveau flanc de l'ennemi ; il faut l'enfoncer jusqu'à la hauteur de la gorge de leur grande batterie : là, pendant que la cavalerie légère poussera son avantage, lui, Caulaincourt, tournera subitement à gauche avec ses cuirassiers, pour prendre à dos cette terrible redoute, dont le front écrase encore le vice-roi.

Caulaincourt répondit : « Vous m'y verrez tout à « l'heure, mort ou vif ! » Il part aussitôt, et culbute tout ce qui lui résiste. Puis, tournant subitement à gauche avec ses cuirassiers, il pénètre le premier dans la redoute sanglante, où une balle le frappe et l'abat. Sa conquête fut son tombeau !

On courut annoncer à l'Empereur cette victoire et cette perte. Le grand écuyer, frère du malheureux général, écoutait : il fut d'abord saisi ; mais bientôt il se roidit contre le malheur ; et, sans les larmes qui se succédaient silencieusement sur sa figure, on l'eût cru impassible. L'Empereur lui dit : « Vous « avez entendu, voulez-vous vous retirer ? » Il accompagna ces mots d'une exclamation de douleur. Mais, en ce moment, nous avancions contre l'ennemi ; le grand écuyer ne répondit rien ; il ne se retira pas ; seulement il se découvrit à demi, pour remercier et refuser.

Pendant que cette charge décisive de cavalerie s'exécutait, le vice-roi était près d'atteindre, avec son infanterie, la bouche de ce volcan. Tout à coup il voit son feu s'éteindre, sa fumée se dissiper, et sa crête briller de l'airain mobile et resplendissant dont nos cuirassiers sont couverts. Enfin ces hauteurs, jusque-là russes, étaient devenues françaises ! il accourt partager la victoire, l'achever, et s'affermir dans cette position.

Mais les Russes n'y avaient pas renoncé : ils s'obstinent et s'acharnent. On les voyait se pelotonner devant nos rangs avec opiniâtreté ; sans cesse vaincus, ils sont sans cesse ramenés au combat par leurs généraux ; et ils viennent mourir au pied de ces ouvrages qu'eux-mêmes avaient élevés.

Heureusement leur dernière colonne d'attaque se présenta vers Semenowska, et vers la grande redoute, sans artillerie : des ravins en avaient sans doute retardé la marche. Belliard n'eut que le temps de réunir trente canons contre cette infanterie. Elle arriva jusqu'à la bouche des pièces, qui l'écrasèrent si à propos, qu'elle tourbillonna et se retira sans avoir même pu se déployer. Murat et Belliard dirent alors que, dans cet instant, s'ils eussent eu dix mille fantassins de la réserve, leur victoire aurait été décisive ; mais que, réduits à leur cavalerie, ils se trouvèrent heureux d'avoir conservé le champ de bataille.

De son côté Grouchy, par des charges sanglantes et réitérées sur la gauche de la grande redoute, assura la victoire, et balaya cette plaine. Mais il ne put poursuivre les débris des Russes : de nouveaux ravins, et derrière eux des redoutes armées, protégeaient leur retraite. Ils s'y défendirent avec rage jusqu'à la nuit, couvrant ainsi la grande route d

Moscou, leur ville sainte, leur magasin, leur dépôt, leur refuge.

De ces secondes hauteurs ils écrasaient les premières qu'ils nous avaient abandonnées. Le vice-roi fut obligé de cacher ses lignes haletantes, épuisées et éclaircies dans les plis de terrain, et derrière les retranchements à demi détruits. Il fallut tenir les soldats à genoux et courbés derrière ces informes parapets. Ils restèrent plusieurs heures dans cette pénible position, contenus par l'ennemi qu'ils contenaient.

Ce fut vers trois heures et demie que cette dernière victoire fut remportée. Il y en eut plusieurs dans cette journée : chaque corps vainquit successivement ce qu'il avait devant lui, sans profiter de son succès pour décider de la bataille ; car chacun, n'étant pas soutenu à temps par la réserve, s'arrêtait épuisé. Mais enfin tous les premiers obstacles étaient tombés. Le bruit des feux s'affaiblissait et s'éloignait de l'Empereur. Des officiers arrivaient de toutes parts. Poniatowski et Sébastiani, après une lutte opiniâtre, venaient aussi de vaincre. L'ennemi s'arrêtait et se retranchait dans une nouvelle position. Le jour était avancé, nos munitions épuisées, la bataille finie.

Alors Belliard revint une troisième fois vers l'Empereur. Les souffrances de Napoléon paraissaient être augmentées. Il monta à cheval avec effort, et se dirigea lentement sur les hauteurs de Semenowska. Il y trouva un champ de bataille acquis incomplètement, que les boulets ennemis et même les balles nous disputaient encore.

Au milieu de ces bruits de guerre et de l'ardeur
encore toute chaude de Ney et de Murat, il resta
toujours le même : sa voix affaiblie, sa démarche
languissante ! Pourtant la vue des Russes et le sifflement de leurs balles et de leurs boulets l'inspirèrent :
il alla considérer de près leur dernière position, et
voulut la leur arracher. Mais Murat, lui montrant
nos troupes presque détruites, déclara qu'il faudrait la garde pour achever ; à quoi Bessières, ne
manquant pas d'insister, comme il le faisait toujours, sur l'importance de ce corps d'élite, opposa
« la distance où l'on se trouvait des renforts ; que
« l'Europe était entre Napoléon et la France ;
« qu'on devait conserver au moins cette poignée
« de soldats qui restaient seuls pour en répondre ! »
Et comme il était déjà près de cinq heures, Berthier
ajouta « qu'il était trop tard ; que l'ennemi se
« raffermissait dans sa dernière position, et qu'on
« sacrifierait encore plusieurs milliers d'hommes
« sans résultat suffisant. » L'Empereur alors ne
songea plus qu'à recommander aux vainqueurs de
la prudence. Puis il revint, toujours au pas, chercher ses tentes, dressées derrière cette batterie
enlevée depuis deux jours et devant laquelle il
était, depuis le matin, resté témoin presque immobile de toutes les vicissitudes de cette terrible
journée !

En cheminant ainsi il appela Mortier, et lui ordonna « de faire enfin avancer la jeune garde ; mais
« surtout de ne point dépasser le nouveau ravin qu

« séparait de l'ennemi. » Il ajouta : « Qu'il le char-
« geait de garder le champ de bataille ; que c'était
« là tout ce qu'il lui demandait ; qu'il fît pour cela
« tout ce qu'il fallait, et rien de plus. » Il le rappela
bientôt pour lui demander « s'il avait bien entendu ;
« lui recommandant de n'engager aucune affaire,
« et de garder surtout le champ de bataille ! »
Une heure après il lui fit encore réitérer l'ordre « de
« n'avancer ni reculer, quoi qu'il arrivât ! »

Quand il fut dans sa tente, à son abattement
physique se joignit une grande tristesse d'esprit.
Il avait vu le champ de bataille ; les lieux encore
plus que les hommes avaient parlé : cette victoire,
tant poursuivie, si chèrement achetée, était incomplète ! Etait-ce lui, qui poussait toujours les
succès jusqu'au dernier résultat possible, que la
Fortune venait de trouver froid et inactif, quand
elle lui avait offert ses dernières faveurs ?

En effet, les pertes étaient immenses et sans résultat
proportionné. Chacun, autour de lui, pleurait la mort
d'un ami, d'un parent, d'un frère ; car le sort des combats était tombé sur les plus considérables. Quarante-trois généraux avaient été tués ou blessés ! Quel
deuil dans Paris ! Quel triomphe pour ses ennemis !
Quel dangereux sujet de pensées pour l'Allemagne !
Dans son armée, jusque dans sa tente, sa victoire
est silencieuse, sombre, isolée, même sans flatteurs !

Ceux qu'il a fait appeler, Dumas, Daru, l'écoutent
et se taisent ; mais leur attitude, leurs yeux baissés,
leur silence, n'étaient point muets.

Il était dix heures. Murat, que douze heures de combat n'avaient pas éteint, vint encore lui demander la cavalerie de sa garde. « L'armée ennemie, « dit-il, passe en hâte et en désordre la Moskowa ; « il veut la surprendre et l'achever ! » L'Empereur repoussa cette saillie d'une ardeur immodérée ; puis il dicta le bulletin de cette journée.

Ceux qui ne l'avaient pas quitté virent que ce vainqueur de tant de nations avait été vaincu par une fièvre brûlante, et surtout par un fatal retour de cette douloureuse maladie, que renouvelait en lui chaque mouvement trop violent et toute longue et forte émotion. Ceux-là citèrent alors ces mots que lui-même avait écrits en Italie, quinze ans plus tôt : « La santé est indispensable à la guerre, et ne peut « être remplacée par rien ! » et cette exclamation, malheureusement prophétique, des champs d'Austerlitz, où l'Empereur s'écria : « Ordener est usé. « On n'a qu'un temps pour la guerre. J'y serai bon « encore six ans ; après quoi moi-même je devrai « m'arrêter ! »

Pendant la nuit les Russes signalèrent leur présence par quelques clameurs importunes. Le lendemain matin il y eut une alerte jusque dans la tente de l'Empereur. La vieille garde fut obligée de courir aux armes, ce qui, après une victoire, parut un affront. L'armée resta immobile jusqu'à midi, ou plutôt on eût dit qu'il n'y avait plus d'armée, mais une seule avant-garde. Le reste était dispersé sur le champ de bataille pour enlever les blessés.

Il y en avait vingt mille. On les portait à deux lieues en arrière, à cette grande abbaye de Kolotskoï.

Le chirurgien en chef Larrey venait de prendre des aides dans tous les régiments. Les ambulances avaient rejoint ; mais tout fut insuffisant. Il s'est plaint depuis, dans une relation imprimée, qu'aucune troupe ne lui eût été laissée pour requérir les choses de première nécessité dans les villages environnants.

L'Empereur parcourait alors le champ de bataille ; jamais aucun ne fut d'un si horrible aspect. Tout y concourait : un ciel obscur, une pluie froide, un vent violent, des habitations en cendres, une plaine bouleversée, couverte de ruines et de débris ; à l'horizon, la triste et sombre verdure des arbres du nord ; partout des soldats errant parmi les cadavres, et cherchant des subsistances jusque dans les sacs de leurs compagnons morts ; d'horribles blessures, car les balles russes sont plus grosses que les nôtres ; des bivouacs silencieux : plus de chants, point de récits ; une morne taciturnité !

On voyait autour des aigles le reste des officiers et sous-officiers, et quelques soldats, à peine ce qu'il en fallait pour garder le drapeau. Leurs vêtements étaient déchirés par l'acharnement du combat, noircis de poudre, souillés de sang ; et pourtant, au milieu de ces lambeaux, de cette misère, de ce désastre, un air fier, et même, à l'aspect de l'Empereur, quelques cris de triomphe ; mais rares et excités ; car, dans cette armée, capable à la fois d'analyse et d'enthousiasme, chacun jugeait de la position de tous.

Les soldats français ne s'y trompent guère : ils s'étonnaient de voir tant d'ennemis tués, un si grand nombre de blessés, et si peu de prisonniers. Il n'y en avait pas huit cents ! C'était par le nombre de ceux-ci qu'on calculait le succès. Les morts prouvaient le courage des vaincus plutôt que la victoire. Si le reste se retirait en si bon ordre, fier et si peu découragé, qu'importait le gain d'un champ de bataille ? Dans de si vastes contrées, la terre manquerait-elle jamais aux Russes pour se battre ?

Dans cette foule de cadavres, sur lesquels il fallait marcher pour suivre Napoléon, le pied d'un cheval rencontra un blessé, et lui arracha un dernier signe de vie ou de douleur. L'Empereur, jusque-là muet comme sa victoire, et que l'aspect de tant de victimes oppressait, éclata : il se soulagea par des cris d'indignation, et par une multitude de soins qu'il fit prodiguer à ce malheureux. Quelqu'un, pour l'apaiser, fit remarquer que ce n'était qu'un Russe ; mais il reprit vivement : « Qu'il n'y avait « plus d'ennemis après la victoire, mais seulement « des hommes ! » Puis il dispersa les officiers qui le suivaient, pour qu'ils secourussent ceux qu'on entendait crier de toutes parts.

On en trouvait surtout dans le fond des ravins, où la plupart des nôtres avaient été précipités, et où plusieurs s'étaient traînés pour être plus à l'abri

de l'ennemi et de l'ouragan. Les uns prononçaient
en gémissant le nom de leur patrie ou de leur mère ;
c'étaient les plus jeunes. Les plus anciens attendaient la mort d'un air ou impassible ou sardonique,
sans daigner implorer, ni se plaindre ; d'autres demandaient qu'on les tuât sur-le-champ ; mais
on passait vite à côté de ces malheureux, qu'on
n'avait ni l'inutile pitié de secourir, ni la pitié
cruelle d'achever !

Un d'eux, le plus mutilé (il ne lui restait que le
tronc et un bras), parut si animé, si plein d'espoir et
même de gaieté, qu'on entreprit de le sauver. En
le transportant, on remarqua qu'il se plaignait de
souffrir des membres qu'il n'avait plus ; ce qui est
ordinaire aux mutilés, et ce qui semblerait être une
nouvelle preuve que l'âme reste entière, et que le
sentiment lui appartient seul, et non au corps, qui
ne peut pas plus sentir que penser.

On apercevait des Russes se traînant jusqu'aux
lieux où l'entassement des corps leur offrait une
horrible retraite. Beaucoup assurent qu'un de ces
infortunés vécut plusieurs jours dans le cadavre
d'un cheval ouvert par un obus, et dont il rongeait
l'intérieur. On en vit redresser leur jambe brisée,
en liant fortement contre elle une branche d'arbre,
puis s'aider d'une autre branche, et marcher ainsi
jusqu'au village le plus prochain. Ils ne laissaient
pas échapper un seul gémissement.

Peut-être, loin des leurs, comptaient-ils moins sur
la pitié ; mais il est certain qu'ils parurent plus

fermes contre la douleur que les Français ; ce n'est
pas qu'ils souffrissent plus courageusement, mais
ils souffraient moins ; car ils sont moins sensibles
de corps comme d'esprit, ce qui tient à une civilisation moins avancée, et à des organes endurcis
par le climat.

Pendant cette triste revue, l'Empereur chercha
vainement une rassurante illusion, en faisant re-
compter le peu de prisonniers qui restaient, et
ramasser quelques canons démontés : sept à huit
cents prisonniers et une vingtaine de canons brisés
étaient les seuls trophées de cette victoire incomplète !

En même temps Murat poussait l'arrière-garde
russe jusqu'à Mojaïsk. La route, qu'elle découvrit
en se retirant était nette et sans un seul débris
d'hommes, de chariots ou de vêtements. On trouva
tous leurs morts enterrés, car ils ont un respect
religieux pour les morts.

Murat, en apercevant Mojaïsk, s'en crut maître :
il envoya dire à l'Empereur d'y venir coucher. Mais
l'arrière-garde russe avait pris position en avant
des murs de cette ville, derrière laquelle on voyait
sur une hauteur tout le reste de leur armée. Ils couvraient ainsi les routes de Moscou et de Kalougha.

Leur attitude était ferme et imposante, comme
avant la bataille ; avec son impétuosité ordinaire
Murat voulut fondre sur eux.

Cette affaire s'engagea assez pour ajouter aux
pertes de la veille : Belliard y fut blessé ; ce général,

qui depuis manqua beaucoup à Murat, s'occupait à reconnaître la gauche de la position ennemie ; elle était abordable, c'était de ce côté qu'il eût fallu attaquer ; mais Murat ne pensa qu'à se heurter contre ce qu'il avait devant lui.

Pour l'Empereur, il n'arriva sur le champ de bataille qu'avec la nuit, et suivi de forces insuffisantes. On le vit s'avancer vers Mojaïsk, marchant d'un pas encore plus lent que la veille, et dans une telle absorption, qu'il semblait ne pas entendre le bruit du combat, ni les boulets qui arrivaient jusqu'à lui !

Quelqu'un l'arrêta, en lui montrant l'arrière-garde ennemie entre lui et la ville, et, derrière, les feux d'une armée de cinquante mille hommes. Ce spectacle constatait l'insuffisance de sa victoire et le peu de découragement de l'ennemi ; il y parut insensible : il écouta les rapports d'un air affaissé, et laissa faire ; puis il retourna se coucher dans un village à quelques pas de là, et à portée des feux ennemis.

L'automne des Russes venait de l'emporter ! Sans lui, peut-être, la Russie tout entière eût fléchi sous nos armes aux champs de la Moskowa ; son inclémence prématurée vint singulièrement à propos au secours de leur Empire. Ce fut le 6 septembre, la veille même de la grande bataille ! Un ouragan annonça sa fatale présence. Il glaça Napoléon. Dès la nuit qui précéda cette bataille décisive, on a vu qu'une fièvre fatigante brûla son sang, agita ses

esprits, et qu'il en fut accablé pendant le combat.
Cette souffrance, jointe à une autre plus cruelle,
arrêta ses pas et enchaîna son génie pendant les
cinq jours qui suivirent ; après avoir préservé
Kutusof d'une ruine totale à Borodino, elle lui
donna le temps de rallier les restes de son armée,
et de les dérober à notre poursuite.

Le 9 septembre nous montra Mojaïsk debout et
ouverte ; mais en deçà, l'arrière-garde ennemie
encore sur les hauteurs qui la dominent et qu'occupait la veille leur armée. On pénétra dans la ville,
les uns pour la traverser et poursuivre l'ennemi,
les autres pour piller et se loger : ceux-ci n'y trouvèrent point d'habitants, point de vivres, mais seulement des morts qu'il fallut jeter par les fenêtres
pour se mettre à couvert, et des mourants qu'on
réunit dans un même lieu.

Il y en avait partout, et en si grand nombre,
que les Russes n'avaient pas osé incendier ces habitations. Toutefois leur humanité, qui n'avait pas
toujours été si scrupuleuse, céda au besoin de tirer
sur les premiers Français qu'ils virent entrer ;
et ce fut avec des obus, de sorte qu'ils mirent le feu
à cette ville de bois, et brûlèrent une partie des
malheureux blessés qu'ils y avaient abandonnés.

Pendant qu'on cherchait à les sauver, cinquante
voltigeurs du 33ᵉ gravissaient la hauteur, dont la
cavalerie et l'artillerie ennemie occupaient le sommet. L'armée française, encore arrêtée sous les
murs de Mojaïsk, regardait avec surprise cette poi-

gnée d'hommes dispersés, qui, sur cette pente découverte, irritaient de leurs feux des milliers de
cavaliers russes. Tout à coup ce qu'on prévoyait
arriva. Plusieurs escadrons ennemis s'ébranlèrent ;
un instant leur suffit pour envelopper ces audacieux,
qui se pelotonnèrent rapidement, et firent face et
feu de tous côtés ; mais ils étaient si peu, au milieu
d'une plaine si vaste et d'une si grande quantité
de chevaux, qu'ils disparurent bientôt à tous les
yeux !

Une exclamation générale de douleur s'éleva
de tous les rangs de l'armée. Chacun de nos soldats,
le cou tendu, l'œil fixe, suivait les mouvements de
l'ennemi, et cherchait à démêler le sort de ses compagnons d'armes. Les uns s'irritaient contre la distance, et demandaient à marcher ; d'autres char-
geaient machinalement leurs armes ou croisaient
la baïonnette d'un air menaçant, comme s'ils
avaient été à portée de les secourir. Tantôt leurs
regards s'animaient comme lorsqu'on combat,
tantôt ils se troublaient comme lorsqu'on suc-
combe. D'autres conseillaient et encourageaient,
oubliant qu'on ne pouvait les entendre.

Quelques jets de fumée, qui s'élevèrent du milieu
de cette masse noire de chevaux, prolongèrent
l'incertitude. On s'écria que les nôtres tiraient,
qu'ils se défendaient encore, que tout n'était pas
fini. En effet, un chef russe venait d'être tué par
l'officier commandant ces tirailleurs. Il n'avait
répondu à la sommation de se rendre que par ce

coup de feu. Cette anxiété durait depuis plusieurs
minutes, quand tout à coup l'armée jeta un cri de
joie et d'admiration en voyant la cavalerie russe,
étonnée d'une résistance si audacieuse, s'écarter
pour éviter un feu bien nourri, se disperser, et nous
laisser enfin revoir ce peloton de braves, maître
sur ce vaste champ de bataille, dont il occupait à
peine quelques pieds !

Dès que les Russes virent qu'on manœuvrait sé-
rieusement pour les attaquer, ils disparurent sans
laisser de traces après eux. Ce fut comme après
Vitepsk et Smolensk, et bien plus remarquable le
surlendemain d'un si grand désastre. On resta
d'abord incertain entre les routes de Moscou et de
Kalougha ; puis Murat et Mortier se dirigèrent à
tout hasard sur Moscou.

Vers Krymskoïé, le 11 septembre, l'armée ennemie reparut, bien établie dans une forte position.
Elle avait repris sa méthode d'avoir égard, dans sa
retraite, au terrain plus qu'à l'ennemi. Le duc de
Trévise fit d'abord convenir Murat de l'impossibilité
d'attaquer ; mais la fumée de la poudre eut bientôt
enivré ce monarque. Il se compromit, et obligea
Dufour, Mortier, et leur infanterie, de s'avancer.
C'était le reste de la division Friand et la jeune
garde. On perdit là, sans utilité, deux mille hommes
de cette réserve, ménagée si mal à propos le jour
de la bataille ; et Mortier, furieux, écrivit à l'Empereur qu'il n'obéirait plus à Murat.

Car c'était par des lettres que les généraux

d'avant-garde communiquaient avec Napoléon. Il
était resté depuis trois jours à Mojaïsk, enfermé
dans sa chambre, toujours consumé par une fièvre
ardente, accablé d'affaires et dévoré d'inquiétudes.
Un rhume violent lui avait fait perdre l'usage de la
parole. Forcé de dicter à sept personnes à la fois,
et ne pouvant se faire entendre, il écrivait sur différents papiers le sommaire de ses dépêches. S'il
s'élevait quelques difficultés, il s'expliquait par
signes.

Il y eut un moment où Bessières lui fit l'énumé-
ration de tous les généraux blessés le jour de la
bataille. Cette fatale nomenclature lui fut si poignante, que, retrouvant sa voix par un violent
effort, il interrompit ce maréchal par cette brusque
exclamation : « Huit jours de Moscou, et il n'y pa-
raîtra plus ! »

Cependant, quoiqu'il eût placé jusque-là tout
son avenir dans cette capitale, une victoire si sanglante et si peu décisive avait affaibli son espoir.
Ses instructions, du 11 septembre, à Berthier pour
le maréchal Victor, montrèrent sa détresse :
« L'ennemi, attaqué au cœur, ne s'amuse plus aux
« extrémités. Dites au duc de Bellune qu'il dirige
« tout, bataillons, escadrons, artillerie, hommes
« isolés, sur Smolensk, pour pouvoir de là venir à
« Moscou ! »

Au milieu de ses souffrances de corps et d'esprit,
dont notre Empereur dérobait la vue à son armée,
Davout pénétra jusqu'à lui. Ce fut pour s'offrir

encore, quoique blessé, pour le commandement de
l'avant-garde, promettant qu'il saurait marcher
jour et nuit, joindre l'ennemi et le forcer au combat,
sans prodiguer, comme Murat, les forces et la vie
de ses soldats. Napoléon ne lui répondit qu'en
vantant avec affectation l'audacieuse et inépuisable ardeur de son beau-frère.

Il venait d'apprendre qu'on avait retrouvé
l'armée ennemie ; qu'elle ne s'était point retirée sur
son flanc droit, vers Kalougha, comme il l'avait
craint ; qu'elle reculait toujours, et qu'on n'était
plus qu'à deux journées de Moscou. Ce grand nom
et le grand espoir qu'il y attachait ranimèrent ses
forces, et le 12 septembre il fut en état de partir
en voiture, pour rejoindre son avant-garde.

IV

L'EMPEREUR russe ne s'était pas montré comme
un homme de guerre aux yeux de ses ennemis.

Mais ses mesures politiques dans ses nouvelles et
dans ses anciennes provinces, et ses proclamations
de Polotsk à son armée, à Moscou, à sa grande
nation, étaient singulièrement appropriées aux
lieux et aux hommes. Il semble, en effet, qu'il y
eut, dans les moyens politiques qu'il employa, une
gradation d'énergie très sensible.

Dans la Lithuanie nouvellement acquise, soit précipitation, soit calcul, on avait tout ménagé en se
retirant.

Dans la Lithuanie, plus anciennement réunie, où
une administration douce, des faveurs habilement
distribuées, et une plus longue habitude, avaient
fait oublier l'indépendance, on avait entraîné après
soi les hommes et tout ce qu'ils pouvaient emporter.

Mais dans la vieille Russie, où tout concourait

avec le Pouvoir, religion, superstition, ignorance,
patriotisme, non seulement on avait tout fait
reculer avec soi sur la route militaire, mais tout ce
qui ne pouvait pas suivre avait été détruit ; tout
ce qui n'était pas recrue devenait milice ou cosaque.

L'intérieur de l'Empire étant alors menacé,
c'était à Moscou de donner l'exemple. Cette capitale, justement nommée par ses poètes *Moscou aux
coupoles dorées*, était un vaste et bizarre assemblage
de deux cent quatre-vingt-quinze églises, et de
quinze cents châteaux, avec leurs jardins et leurs
dépendances. Ces palais de brique et leurs parcs,
entremêlés de jolies maisons de bois et même de
chaumières, étaient dispersés sur plusieurs lieues
carrées d'un terrain inégal. Ils se groupaient autour
d'une forteresse élevée et triangulaire, dont la vaste
et double enceinte, d'une demi-lieue de pourtour,
renfermait encore : l'une, plusieurs palais, plusieurs
églises, et des espaces incultes et rocailleux ;
l'autre, un vaste bazar, ville de marchands, où les
richesses des quatre parties du monde brillaient
réunies.

Ces édifices, ces palais, et jusqu'aux boutiques
étaient tous couverts d'un fer poli et coloré. Les
églises, chacune surmontée d'une terrasse et de
plusieurs clochers que terminaient des globes d'or,
puis le croissant, enfin la croix, rappelaient l'histoire
de ce peuple : c'étaient l'Asie et sa religion, d'abord
victorieuse, ensuite vaincue, et enfin le croissant de
Mahomet, dominé par la croix du Christ.

Un seul rayon de soleil faisait étinceler cette
ville superbe de mille couleurs variées. A son aspect,
le voyageur, enchanté, s'arrêtait ébloui. Elle lui
rappelait ces prodiges dont les poètes orientaux
avaient amusé son enfance. S'il pénétrait dans son
enceinte, l'observation augmentait encore son étonnement. Il reconnaissait aux nobles les usages, les
mœurs, les différents langages de l'Europe moderne,
et la riche et légère élégance de ses vêtements. Il
regardait avec surprise le luxe et la forme asia-
tiques de ceux des marchands, les costumes grecs
du peuple, et leurs longues barbes. Dans les édifices la même variété le frappait ; et tout cela cependant empreint d'une couleur locale et parfois rude,
comme il convient à la Moscovie.

Les nobles des familles les plus illustres y vivaient
au milieu des leurs, et comme hors de portée de la
cour. Moins courtisans, ils sont plus citoyens. Aussi
leurs princes reviennent-ils avec répugnance dans
ce vaste dépôt de gloire et de commerce, au milieu
d'une ville de nobles, qui échappent à leur pouvoir
par leur âge, par leur réputation, et qu'ils sont
obligés de ménager.

La nécessité y ramena Alexandre ; il s'y rendit
de Polotsk, précédé de ses proclamations, et attendu.

Il y parut d'abord au milieu de la noblesse
réunie. Là tout fut grand : la circonstance, l'assemblée, l'orateur, et les résolutions qu'il inspira. Sa
voix était émue. A peine eut-il cessé, qu'un seul cri,

mais simultané, unanime, s'élança de tous les cœurs ;
on entendit de toutes parts : « Sire, demandez tout !
« Nous vous offrons tout ! Prenez tout ! »

Alexandre parla ensuite aux marchands, mais
plus brièvement. Il leur fit lire cette proclamation
où Napoléon était représenté « comme un perfide,
« un Moloch, qui, la trahison dans le cœur et la
« loyauté sur les lèvres, venait effacer la Russie de
« la face du monde ! »

On dit qu'à ces mots on vit s'enflammer de fureur
toutes ces figures mâles et fortement colorées,
auxquelles de longues barbes donnaient à la fois un
air antique, imposant et sauvage. Leurs yeux
étincelaient ; une rage convulsive les saisit : leurs
bras roidis qu'ils tordaient, leurs poings fermés, des
cris étouffés, le grincement de leurs dents, en exprimaient la violence. L'effet y répondit. Leur
chef, qu'ils élisent eux-mêmes, se montra digne de
sa place : il souscrivit le premier pour cinquante
mille roubles ; c'étaient les deux tiers de sa fortune,
et il les apporta le lendemain.

Ces marchands sont divisés en trois classes ; on
proposa de fixer à chacune sa contribution. Mais
l'un d'eux, qui comptait dans la dernière classe,
déclara que son patriotisme ne se soumettrait à
aucune limite ; et dans l'instant il s'imposa lui-
même bien au delà de la fixation proposée ; les
autres suivirent, de plus ou moins loin, son exemple.

Ce don patriotique s'éleva, dit-on, à deux millions
de roubles. Les autres gouvernements répétèrent,

comme autant d'échos, le cri national de Moscou.

Cependant bientôt Smolensk fut envahi, Napoléon dans Viazma, l'alarme dans Moscou! La grande bataille n'était point encore perdue, et déjà l'on commençait à abandonner cette capitale.

En même temps, non loin de Moscou, et par l'ordre d'Alexandre, on faisait diriger par un artificier allemand la construction d'un ballon monstrueux. La première destination de cet aérostat ailé avait été de planer sur l'armée française, d'y choisir son chef, et de l'écraser par une pluie de fer et de feu : on en fit plusieurs essais qui échouèrent, les ressorts des ailes s'étant toujours brisés.

Mais le gouverneur Rostopchin, feignant de persévérer, fit, dit-on, achever la confection d'une multitude de fusées et de matières à incendie. Moscou elle-même devait être la grande machine infernale dont l'explosion nocturne et subite dévorerait l'Empereur et son armée. Si l'ennemi échappait à ce danger, du moins n'aurait-il plus d'asile, plus de ressources ; et l'horreur d'un si grand désastre, dont on saurait bien l'accuser, comme on avait fait de ceux de Smolensk, de Dorogobouje, de Viazma et de Gjatz, soulèverait toute la Russie!

Tel fut le terrible plan de ce noble descendant de l'un des plus grands conquérants de l'Asie. Il fut conçu sans effort, mûri avec soin, exécuté sans hésitation. Depuis on a vu ce seigneur russe à Paris. C'est un homme rangé, bon époux, excellent père ; son esprit est supérieur et cultivé, sa société

est douce et pleine d'agrément; mais, comme quelques-uns de ses compatriotes, il joint à la civilisation des temps modernes une énergie antique.

Désormais son nom appartient à l'histoire.
Toutefois il n'eut que la plus grande part à l'honneur de ce grand sacrifice. Il était déjà commencé dès Smolensk ; lui l'acheva. Cette résolution,
comme tout ce qui est grand et entier, fut admirable;
le motif suffisant et justifié par le succès ; le dévouement inouï, et si extraordinaire, que l'historien
doit s'arrêter pour l'approfondir, le comprendre, et
le contempler !

Un homme seul, au milieu d'un grand Empire
presque renversé, envisage son danger d'un regard
ferme. Il le mesure, l'apprécie, et ose, peut-être sans
mission, faire l'immense part de tous les intérêts
publics et particuliers qu'il faut lui sacrifier !
Sujet, il décide du sort de l'Etat sans l'aveu de son
souverain ; noble, il prononce la destruction des
palais de tous les nobles sans leur consentement ;
protecteur, par la place qu'il occupe, d'un peuple
nombreux, d'une foule de riches commerçants, de
l'une des plus grandes capitales de l'Europe, il
sacrifie ces fortunes, ces établissements, cette ville
tout entière ; lui-même il livre aux flammes le plus
beau et le plus riche de ses palais ; et fier, satisfait
et tranquille, il reste au milieu de tous ces intérêts
blessés, détruits et révoltés !

Dans cette grande crise Rostopchin vit surtout
deux périls : l'un, qui menaçait l'honneur national,

celui d'une paix honteuse dictée dans Moscou, et arrachée à son empereur ; l'autre était un danger politique, plus qu'un danger de guerre : dans celui-ci il craignait les séductions de l'ennemi plus que ses armes, et une révolution plus qu'une conquête.

Ne voulant point de traité, ce gouverneur prévit qu'au milieu de leur populeuse capitale, que les Russes eux-mêmes nomment l'oracle, l'exemple de tout l'Empire, Napoléon aurait recours à l'arme révolutionnaire, la seule qui lui resterait pour terminer. C'est pourquoi il se décida à élever une barrière de feu entre ce grand capitaine et toutes les faiblesses, de quelque part qu'elles vinssent, soit du trône, soit de ses compatriotes, nobles ou sénateurs ; et surtout entre un peuple serf et les soldats d'un peuple propriétaire et libre ; enfin entre ceux-ci et cette masse d'artisans et de marchands réunis, qui forment dans Moscou le commencement d'une classe intermédiaire, classe pour laquelle la Révolution française a été faite.

Le silence d'Alexandre laisse douter s'il approuva ou blâma cette grande détermination. La part qu'il eut dans cette catastrophe est encore un mystère pour les Russes : ils l'ignorent ou la taisent ; effet du despotisme, qui commande l'ignorance ou le silence.

Quinze jours avant l'invasion, le départ des archives des caisses publiques, du trésor, et celui des nobles et des principaux marchands, avec ce qu'ils avaient de plus précieux, indiqua au reste des habitants ce qu'ils avaient à faire. Chaque jour le gouverneur, impatient déjà de voir se vider cette capitale, en faisait surveiller l'émigration.

Le 3 septembre, une Française, au risque d'être massacrée par des moujiks furieux, se hasarda à sortir de son refuge. Elle errait depuis longtemps dans de vastes quartiers dont la solitude l'étonnait, quand une lointaine et lugubre clameur la saisit d'effroi : c'était comme le chant de mort de cette vaste cité ! Immobile, elle regarde, et voit s'avancer une multitude immense d'hommes et de femmes, désolés, emportant leurs biens, leurs saintes images, et traînant leurs enfants après eux ! Leurs prêtres, tous chargés des signes sacrés de la religion, les précédaient ; ils invoquaient le Ciel par des hymnes de douleur, que tous répétaient en pleurant !

Ces infortunés, parvenus aux portes de la ville, les dépassèrent avec une douloureuse hésitation : leurs regards, se détournant encore vers Moscou, semblaient dire un dernier adieu à leur ville sainte : mais peu à peu leurs chants lugubres et leurs sanglots se perdirent dans les vastes plaines qui l'environnent !

L'armée russe, dans la position de Fili, en avant de Moscou, comptait quatre-vingt-onze mille hommes, dont six mille cosaques, soixante-cinq mille hommes de vieilles troupes, restes de cent vingt et un mille hommes présents à la Moskowa, et vingt mille recrues armées, moitié de fusils et moitié de piques.

L'armée française, forte de cent trente mille
hommes la veille de la grande bataille, avait perdu
environ quarante mille hommes à Borodino ;
restait quatre-vingt-dix mille hommes. Des régiments de marche et les divisions Laborde et Pino
allaient la rejoindre : elle était donc encore forte de
cent mille hommes en arrivant devant Moscou. Sa
marche était appesantie par six cent sept canons,
deux mille cinq cents voitures d'artillerie, et cinq
mille voitures de bagages ; elle n'avait plus de munitions que pour un jour de combat. Peut-être Kutusof calcula-t-il la disproportion de ses forces réelles
avec les nôtres. Au reste, on ne peut avancer ici
que des conjectures, car il donna des motifs pure-
ment stratégiques à sa retraite.

Ce qui est certain, c'est que ce vieux général
trompa le gouverneur jusqu'au dernier moment.
« Il lui jurait encore sur ses cheveux blancs qu'il
« se ferait tuer avec lui devant Moscou ! » quand
celui-ci apprend que dans la nuit, dans le camp,
dans un conseil, l'abandon, sans combat, de cette
capitale, vient d'être décidé !

A cette nouvelle, Rostopchin, furieux mais
inébranlable, se dévoue. Le temps pressait : on se
hâte. On ne cherche plus à cacher à Moscou le sort
qu'on lui destine ; ce qui restait d'habitants n'en
valait plus la peine ; il fallait d'ailleurs les décider
à fuir pour leur salut.

La nuit, des émissaires vont donc frapper à toutes
les portes : ils annoncent l'incendie ! Des fusées sont

glissées dans toutes les ouvertures favorables, et
surtout dans les boutiques, couvertes de fer, du
quartier marchand. On enlève les pompes ! La désolation monte à son comble, et chacun, suivant
son caractère, se trouble ou se décide. La plupart se
groupent sur les places : ils se pressent, ils se ques-
tionnent réciproquement, ils cherchent des conseils ;
beaucoup errent sans but, les uns tout effarés de
terreur, les autres dans un état effrayant d'exaspé-
ration. Enfin l'armée, le dernier espoir de ce peuple,
l'abandonne ; elle commence à traverser la ville ;
et, dans sa retraite, elle entraîne avec elle les restes
encore nombreux de cette population.

Elle sortit par la porte de Kolomna, entourée
d'une foule de femmes, d'enfants et de vieillards
désespérés. Les champs en furent couverts : ils
fuyaient dans toutes les directions, par tous les
sentiers, à travers champs, sans vivres, et tout chargés de leurs effets, les premiers que, dans leur
trouble, ils avaient trouvés sous leurs mains. On
en vit qui, faute de chevaux, s'étaient attelés eux-
mêmes à des chariots, traînant ainsi leurs enfants en
bas âge, ou leur femme malade, ou leur père infirme,
enfin ce qu'ils avaient de plus précieux. Les bois
leur servirent d'abri ; ils vécurent de la pitié de
leurs compatriotes.

Ce jour-là une scène effrayante termina ce triste
drame. Ce dernier jour de Moscou venu, Rostopchin rassemble tout ce qu'il a pu retenir et armer.
Les prisons s'ouvrent : une foule sale et dégoûtante

en sort tumultueusement. Ces malheureux se précipitent dans les rues avec une joie féroce. Deux
hommes, Russe et Français, l'un accusé de trahison,
l'autre d'imprudence politique, sont arrachés du
milieu de cette horde ; on les traîne devant Rostopchin. Celui-ci reproche au Russe sa trahison. C'était
le fils d'un marchand ; il avait été surpris provo-
quant le peuple à la révolte. Ce qui alarma, c'est
qu'on découvrit qu'il était d'une secte d'illuminés
allemands, qu'on nomme *Martinistes*, association
d'indépendants superstitieux. Son audace ne s'était
pas démentie dans les fers. On crut un instant que
l'esprit d'égalité avait pénétré en Russie. Toutefois
il n'avoua pas de complices.

Dans ce dernier instant son père accourut. On
s'attendait à le voir intercéder pour son fils ; mais
c'est sa mort qu'il demande. Le gouverneur lui
accorda quelques instants pour lui parler encore et
le bénir. « Moi, bénir un traître ! » s'écrie le Russe
furieux ; et dans l'instant il se tourne vers son fils,
et, d'une voix et d'un geste horribles, il le maudit !

Ce fut le signal de l'exécution. On abattit d'un
coup de sabre mal assuré ce malheureux. Il tomba,
mais seulement blessé ; et peut-être l'arrivée des
Français l'aurait-elle sauvé, si le peuple ne s'était
pas aperçu qu'il vivait encore. Ces furieux forcèrent
les barrières, se jetèrent sur lui, et le déchirèrent
en lambeaux.

Cependant le Français demeurait glacé de terreur, quand Rostopchin, se tournant vers lui :

« Pour toi, dit-il, comme Français tu devais dési-
« rer l'arrivée des Français ! Sois donc libre, mais
« va dire aux tiens que la Russie n'a eu qu'un seul
« traître, et qu'il est puni ! » Alors, s'adressant aux
misérables qui l'environnent, il les appelle *enfants
de la Russie !* et leur ordonne d'expier leurs fautes
en servant leur patrie. Enfin il sort le dernier de
cette malheureuse ville, et rejoint l'armée russe.

Dès lors la grande Moscou n'appartint plus ni
aux Russes ni aux Français, mais à cette foule im-
pure, dont quelques officiers et soldats de police dirigèrent la fureur. On les organisa ; on assigna à
chacun son poste, et ils se dispersèrent, pour que
le pillage, la dévastation et l'incendie éclatassent
partout à la fois !

Le 14 septembre Napoléon monta à cheval à
quelques lieues de Moscou. Il marchait lentement,
avec précaution, faisant sonder devant lui les bois
et les ravins, et gagner le sommet de toutes les hauteurs, pour découvrir l'armée ennemie. On s'attendait à une bataille : le terrain s'y prêtait ; des ouvrages étaient ébauchés, mais tout avait été abandonné, et l'on n'éprouvait pas la plus légère résistance.

Enfin une dernière hauteur reste à dépasser ; elle
touche à Moscou, qu'elle domine : c'est le *Mont du
Salut.* Il s'appelle ainsi parce que, de son sommet, à
l'aspect de leur ville sainte, les habitants se signent
et se prosternent. Nos éclaireurs l'eurent bientôt
couronné. Il était deux heures ; le soleil faisait étin-

celer de mille couleurs cette grande cité. A ce spectacle, frappés d'étonnement, ils s'arrêtent ; ils
crient : « Moscou ! Moscou ! » Chacun alors presse
sa marche ; on accourt en désordre, et l'armée
entière, battant des mains, répète avec transport :
« *Moscou ! Moscou !* » comme les marins crient
« *Terre ! Terre !* » à la fin d'une longue et pénible
navigation.

A la vue de cette ville dorée, de ce nœud brillant
de l'Asie et de l'Europe, de ce majestueux rendez-
vous où s'unissaient le luxe, les usages et les arts
des deux plus belles parties du monde, nous nous
arrêtâmes, saisis d'une orgueilleuse contemplation.
Quel jour de gloire était arrivé ! Comme il allait
devenir le plus grand, le plus éclatant souvenir
de notre vie entière ! Nous sentions qu'en ce moment toutes nos actions devaient fixer les yeux de
l'univers surpris, et que chacun de nos moindres
mouvements serait historique !

Sur cet immense et imposant théâtre, nous
croyions marcher entourés des acclamations de tous
les peuples ; fiers d'élever notre siècle reconnaissant
au-dessus de tous les autres siècles, nous le voyions
déjà grand de notre grandeur, et tout brillant de
notre gloire !

A notre retour, déjà tant désiré, avec quelle
considération presque respectueuse, avec quel enthousiasme allions-nous être reçus au milieu de nos
femmes, de nos compatriotes, et même de nos pères !
Nous serions, le reste de notre vie, des êtres à part,

qu'ils ne verraient qu'avec étonnement, qu'ils
n'écouteraient qu'avec une curieuse admiration !
On accourrait sur notre passage ; on recueillerait
nos moindres paroles ! Cette miraculeuse conquête
nous environnait d'une auréole de gloire : désormais on croirait respirer autour de nous un air de
prodige et de merveille !

Et quand ces pensées orgueilleuses faisaient place
à des sentiments plus modérés, nous nous disions
que c'était là le terme promis à nos travaux ;
qu'enfin nous allions nous arrêter, puisque nous ne
pouvions plus être surpassés par nous-mêmes,
après une expédition, noble et digne émule de celle
d'Egypte, et rivale heureuse de toutes les grandes
et glorieuses guerres de l'antiquité.

Dans cet instant, dangers, souffrances, tout fut
oublié. Pouvait-on acheter trop cher le superbe
bonheur de pouvoir dire toute sa vie : « J'étais de
« l'armée de Moscou ! »

Eh bien ! mes compagnons, aujourd'hui même,
au milieu de notre abaissement, et quoiqu'il date
de cette ville funeste, cette pensée d'un noble
orgueil n'est-elle pas assez puissante pour nous consoler encore, et relever fièrement nos têtes abattues
par le malheur ?

Napoléon lui-même était accouru. Il s'arrêta
transporté : une exclamation de bonheur lui
échappa ! Depuis la grande bataille, les maréchaux,
mécontents, s'étaient éloignés de lui ; mais à la vue
de Moscou prisonnière, à la nouvelle de l'arrivée

d'un parlementaire, frappés d'un si grand résultat, enivrés de tout l'enthousiasme de la gloire, ils oublièrent leurs griefs. On les vit tous se presser autour de l'Empereur, rendant hommage à sa fortune, et déjà tentés d'attribuer à la prévoyance de son génie le peu de soin qu'il s'était donné le 7 pour compléter sa victoire.

Mais chez Napoléon les premiers mouvements étaient courts. Il avait trop à penser pour se livrer longtemps à ses sensations. Son premier cri avait été : « La voilà donc enfin cette ville fameuse ! » et le second fut : « Il était temps ! »

Déjà ses yeux, fixés sur cette capitale, n'exprimaient plus que de l'impatience. En elle il croyait voir tout l'empire russe. Ces murs renfermaient tout son espoir : la paix, les frais de la guerre, une gloire immortelle ; aussi ses avides regards s'attachaient-ils sur toutes ses issues. Quand donc ses portes s'ouvriront-elles ? Quand en verra-t-il sortir cette députation qui lui soumettra ses richesses, sa population, son sénat, et la principale noblesse russe ? Dès lors cette entreprise, où il s'était si témérairement engagé, terminée heureusement et à force d'audace, sera le fruit d'une haute combinaison ; son imprudence sera sa grandeur ; dès lors sa victoire de la Moskowa, si incomplète, deviendra son plus beau fait d'armes ! Ainsi tout ce qui pouvait tourner à sa perte tournerait à sa gloire ; cette journée allait commencer à décider s'il était le plus grand homme du monde, ou le plus téméraire ;

enfin s'il s'était élevé un autel ou creusé un tombeau !

Cependant l'inquiétude commençait à le saisir. Déjà, à sa gauche et à sa droite, il voyait le prince Eugène et Poniatowski déborder la ville ennemie ; devant lui, Murat atteignait, au milieu de ses éclaireurs, l'entrée des faubourgs, et pourtant aucune députation ne se présentait ; seulement un officier de Miloradowitch était venu déclarer que ce général mettrait le feu à la ville, si l'on ne donnait pas à son arrière-garde le loisir de l'évacuer.

Napoléon accorda tout. Les premières troupes des deux armées se mêlèrent quelques instants. Murat fut reconnu par les cosaques : ceux-ci, familiers comme des nomades et expressifs comme des méridionaux, se pressent autour de lui ; puis, par leurs gestes et leurs exclamations, ils exaltent sa bravoure, et l'enivrent de leur admiration ! Le roi prit les montres de ses officiers, et les distribua à ces guerriers encore barbares. L'un d'eux l'appela son *Hetman*.

Murat fut un moment tenté de croire que dans ces officiers il trouverait un nouveau Mazeppa, ou que lui-même le deviendrait ; il pensa les avoir gagnés. Ce moment d'armistice, dans cette circonstance, entretint l'espoir de Napoléon, tant il avait besoin de se faire illusion. Il en fut amusé pendant deux heures.

Cependant le jour s'écoule, et Moscou reste morne, silencieuse, et comme inanimée ! L'anxiété de l'Empereur s'accroît; l'impatience des soldats devient plus difficile à contenir. Quelques officiers ont pénétré dans l'enceinte de la ville : « Moscou est déserte ! »

A cette nouvelle, qu'il repousse avec irritation, Napoléon descend de la montagne *du Salut*, et s'approche de la Moskowa et de la porte de Dorogomilow. Il s'arrête encore à l'entrée de cette barrière, mais inutilement. Murat le presse. « Eh bien, lui « répond-il, entrez donc, puisqu'ils le veulent ! » Et il recommande la plus grande discipline ; il espère encore : « Peut-être que ces habitants ne « savent pas même se rendre ; car ici tout est nou- « veau, eux pour nous, et nous pour eux ! »

Mais alors les rapports se succèdent ; tous s'accordent. Des Français, habitants de Moscou, se hasardent à sortir de l'asile qui, depuis quelques jours, les dérobe à la fureur du peuple ; ils confirment la fatale nouvelle. L'Empereur appelle Daru, et s'écrie : « Moscou déserte ! Quel événement invraisem- « blable ! Il faut y pénétrer. Allez, et amenez-moi « les boyards ! » Il croit que ces hommes, ou roidis d'orgueil, ou paralysés de terreur, restent immobiles sur leurs foyers ; et lui, jusque-là toujours prévenu par les soumissions des vaincus, il provoque leur confiance, et va au-devant de leurs prières.

Comment, en effet, se persuader que tant de palais somptueux, de temples si brillants, et de riches comptoirs, étaient abandonnés par leurs possesseurs, comme ces simples hameaux qu'il venait de tra-

verser ? Cependant Daru vient d'échouer. Aucun
Moscovite ne se présente ; aucune fumée du moindre
foyer ne s'élève, on n'entend pas le plus léger bruit
sortir de cette immense et populeuse cité ; ses trois
cent mille habitants semblent frappés d'un immobile et muet enchantement : c'est le silence du désert !

Mais telle était la persistance de Napoléon, qu'il
s'obstina et attendit encore. Enfin un officier, décidé
à plaire, ou persuadé que tout ce que l'Empereur
voulait devait s'accomplir, entra dans la ville, s'empara de cinq à six vagabonds, les poussa devant son
cheval jusqu'à l'Empereur, et s'imagina avoir amené
une députation. Dès la première réponse de ces
misérables, Napoléon vit qu'il n'avait devant lui que
de malheureux journaliers.

Alors seulement il ne douta plus de l'évacuation
entière de Moscou, et perdit tout l'espoir qu'il
avait fondé sur elle. Il haussa les épaules, et, avec cet
air de mépris dont il accablait tout ce qui contra-
riait son désir, il s'écria : « Ah ! les Russes ne sa-
« vent pas encore l'effet que produira sur eux la
« prise de leur capitale ! »

Déjà, depuis une heure, Murat et la colonne
longue et serrée de sa cavalerie envahissaient Moscou ; ils pénétraient dans ce corps gigantesque,
encore intact, mais inanimé. Frappés d'étonnement
à la vue de cette grande solitude, ils répondaient à
l'imposante taciturnité de cette Thèbes moderne
par un silence aussi solennel. Ces guerriers écou-

taient avec un secret frémissement les pas de leurs
chevaux retentir seuls au milieu de ces palais déserts ; ils s'étonnaient de n'entendre qu'eux au milieu
d'habitations si nombreuses ! Aucun ne songeait
à s'arrêter, ni à piller, soit prudence, soit que les
grandes nations civilisées se respectent elles-mêmes
dans les capitales ennemies, en présence de ces
grands centres de civilisation.

Dans leur silence, ils observaient cette cité puissante, déjà si remarquable s'ils l'eussent rencontrée
dans un pays riche et populeux, mais bien plus éton-
nante dans ces déserts. C'était comme une riche et
brillante oasis ! Ils avaient d'abord été frappés du
soudain aspect de tant de palais magnifiques. Mais
ils remarquaient qu'ils étaient entremêlés de chaumières ; spectacle qui annonçait le défaut de gradation entre les classes, et que le luxe n'était point né
là, comme ailleurs, de l'industrie, mais qu'il la
précédait, tandis que dans l'ordre naturel il n'en
devait être que la suite plus ou moins nécessaire.

Là surtout régnait l'inégalité, ce malheur de
toute société humaine, qui produit l'orgueil des uns,
l'avilissement des autres, la corruption de tous. Et
pourtant un si généreux abandon prouvait que ce
luxe excessif, mais encore tout d'emprunt, n'avait
point amolli cette noblesse.

On s'avançait ainsi, agité tantôt de surprise,
tantôt de pitié, et plus souvent d'un noble enthousiasme. Plusieurs citaient les souvenirs des grandes
conquêtes que l'histoire nous a transmises ; mais

c'était pour s'enorgueillir et non pour prévoir ; car on se trouvait trop haut et hors de toute comparaison : on avait laissé derrière soi tous les conquérants de l'antiquité ! On était exalté par ce qu'il y a de mieux après la vertu, par la gloire. Puis venait la mélancolie : soit épuisement, suite de tant de sensations ; soit effet d'un isolement produit par une élévation sans mesure, et du vague dans lequel nous errions sur cette sommité, d'où nous apercevions l'immensité, l'infini, où notre faiblesse se perdait ; car plus on s'élève, plus l'horizon s'agrandit, et plus on s'aperçoit de son néant.

Tout à coup au milieu de ces pensées qu'une marche lente favorisait, des coups de fusil éclatent ; la colonne s'arrête. Ses derniers chevaux couvrent encore la campagne ; son centre est engagé dans une des plus longues rues de la ville ; sa tête touche au Kremlin. Les portes de cette citadelle paraissent fermées. On entend de féroces rugissements sortir de son enceinte : quelques hommes et des femmes d'une figure dégoûtante et atroce se montrent tout armés sur ses murs. Ils exhalent une sale ivresse et d'horribles imprécations. Murat leur fit porter des paroles de paix ; elles furent inutiles. Il fallut enfoncer la porte à coups de canon.

On pénétra, moitié de gré, moitié de force, au milieu de ces misérables. L'un d'eux se rua jusque sur le roi, et tenta de tuer l'un de ses officiers. On crut avoir assez fait de le désarmer ; mais il se jeta de nouveau sur sa victime, la roula par terre en cher-

chant à l'étouffer, et comme il se sentit saisir les
bras, il voulut encore la déchirer avec ses dents.
C'étaient là les seuls Moscovites qui nous avaient
attendus, et qu'on semblait nous avoir laissés
comme un gage barbare et sauvage de la haine
nationale.

Toutefois on s'aperçut qu'il n'y avait pas encore
d'ensemble dans cette rage patriotique. Cinq cents
recrues, oubliées sur la place du Kremlin, virent
cette scène sans s'émouvoir. Dès la première sommation, elles se dispersèrent. Plus loin, on joignit
un convoi de vivres, dont l'escorte jeta aussitôt ses
armes. Plusieurs milliers de traîneurs et de déser-
teurs ennemis restèrent volontairement au pouvoir
de l'avant-garde. Celle-ci laissa au corps qui la suivait le soin de les ramasser ; ceux-là à d'autres, et
ainsi de suite ; de sorte qu'ils restèrent libres au
milieu de nous, jusqu'à ce que, l'incendie et le pillage
leur ayant marqué leur devoir et les ayant tous ralliés dans une même haine, ils allèrent rejoindre
Kutusof.

Murat, que le Kremlin n'avait arrêté que quelques instants, disperse cette foule qu'il méprise.
Ardent, infatigable, comme en Italie et en Egypte,
après neuf cents lieues faites et soixante combats
livrés pour atteindre Moscou, il traverse cette cité
superbe sans daigner s'y arrêter ; et, s'acharnant
sur l'arrière-garde russe, il s'engage, fièrement et
sans hésiter, sur le chemin de Voladimir et d'Asie !

Plusieurs milliers de cosaques, avec quatre pièces

de canon, se retiraient dans cette direction. Là cessait l'armistice. Aussitôt Murat, fatigué par cette
paix d'une demi-journée, ordonna de la rompre à
coups de carabine. Mais nos cavaliers croyaient la
guerre finie, Moscou leur en paraissait le terme, et
les avant-postes des deux empires répugnaient à
renouveler les hostilités. Un nouvel ordre vint, une
même hésitation y répondit. Enfin Murat, irrité,
commanda lui-même ; et ces feux, dont il semblait
menacer l'Asie, mais qui ne devaient plus s'arrêter
qu'aux rives de la Seine, recommencèrent !

Napoléon n'entra qu'avec la nuit dans Moscou.
Il s'arrêta dans une des premières maisons du faubourg de Dorogomilow. Ce fut là qu'il nomma le
maréchal Mortier gouverneur de cette capitale.
« Surtout, lui dit-il, point de pillage ! Vous m'en
« répondez sur votre tête ! Défendez Moscou envers
« et contre tous ! »

Cette nuit fut triste : des rapports sinistres se
succédaient. Il vint des Français, habitants de ce
pays, et même un officier de la police russe, pour
dénoncer l'incendie. Il donna tous les détails de ses
préparatifs. L'Empereur, ému, chercha vainement
quelque repos. A chaque instant il appelait, et se
faisait répéter cette fatale nouvelle. Cependant il
se retranchait encore dans son incrédulité, quand,
vers deux heures du matin, il apprit que le feu écla-
tait !

C'était au palais marchand, au centre de la ville,
dans son plus riche quartier. Aussitôt il donne des

ordres ; il les multiplie. Le jour venu, lui-même y court, il menace la jeune garde et Mortier. Ce maréchal lui montre des maisons couvertes de fer ; elles sont toutes fermées, encore intactes, et sans la moindre effraction ; cependant une fumée noire en sort déjà ! Napoléon tout pensif entre dans le Kremlin.

A la vue de ce palais, à la fois gothique et moderne, des Romanof et des Rurick, de leur trône encore debout, de cette croix du grand Ywan, et de la plus belle partie de la ville que le Kremlin domine, et que les flammes, encore renfermées dans le bazar, semblent devoir respecter, il reprend son premier espoir. Son ambition est flattée de cette conquête ; on l'entend s'écrier : « Je suis donc enfin « dans Moscou, dans l'antique palais des Czars ! « dans le Kremlin ! » Il en examine tous les détails avec un orgueil curieux et satisfait.

Toutefois il se fait rendre compte des ressources que présente la ville ; et dans ce court moment, tout à l'espérance, il écrit des paroles de paix à l'empereur Alexandre. Un officier supérieur ennemi venait d'être trouvé dans le grand hôpital ; il fut chargé de cette lettre. Ce fut à la sinistre lueur des flammes du bazar que Napoléon l'acheva, et que partit le Russe. Celui-ci dut porter la nouvelle de ce désastre à son souverain, dont cet incendie fut la seule réponse.

Le jour favorisa les efforts du duc de Trévise : il se rendit maître du feu. Les incendiaires se tinrent

cachés. On doutait de leur existence. Enfin, des
ordres sévères étant donnés, l'ordre rétabli, l'inquiétude suspendue, chacun alla s'emparer d'une maison
commode ou d'un palais somptueux, pensant y
trouver un bien-être acheté par de si longues et de
si excessives privations.

Deux officiers s'étaient établis dans un des bâtiments du Kremlin. De là leur vue pouvait embrasser
le nord et l'ouest de la ville. Vers minuit une clarté
extraordinaire les réveille. Ils regardent et voient
des flammes remplir des palais, dont elles illuminent
d'abord et font bientôt écrouler l'élégante et noble
architecture. Ils remarquent que le vent du nord
chasse directement ces flammes sur le Kremlin
et s'inquiètent pour cette enceinte, où reposaient
l'élite de l'armée et son chef. Ils craignent aussi
pour toutes les maisons environnantes, où nos soldats, nos gens et nos chevaux, fatigués et repus,
sont sans doute ensevelis dans un profond sommeil.
Déjà des flammes et des débris ardents volaient
jusque sur les toits du Kremlin, quand le vent du
nord, tournant vers l'ouest, les chassa dans une
autre direction.

Alors, rassuré sur son corps d'armée, l'un de ces
officiers se rendormit en s'écriant : « C'est à faire
« aux autres, cela ne nous regarde plus ! » Car telle
était l'insouciance qui résultait de cette multiplicité
d'événements et de malheurs sur lesquels on était
comme blasé, et tel l'égoïsme produit par l'excès de
fatigue et de souffrance qu'ils ne laissaient à chacun

que la mesure de force et de sentiment indispensable pour son service et pour sa conservation personnelle.

Cependant de vives et nouvelles lueurs les réveillent encore ; ils voient d'autres flammes s'élever précisément dans la nouvelle direction que le vent venait de prendre sur le Kremlin, et ils maudissent l'imprudence et l'indiscipline française qu'ils accusent de ce désastre. Mais trois fois le vent change ainsi du nord à l'ouest, et trois fois ces feux ennemis, vengeurs obstinés, et comme acharnés contre le quartier impérial, se montrent ardents à saisir cette nouvelle direction.

A cette vue un grand soupçon s'empare de leur esprit. Les Moscovites, connaissant notre téméraire et négligente insouciance, auraient-ils conçu l'espoir de brûler avec Moscou nos soldats ivres de vin, de fatigue et de sommeil ? Ou plutôt ont-ils osé croire qu'ils envelopperaient Napoléon dans cette catastrophe ; que la perte de cet homme valait bien celle de leur capitale ; que c'était un assez grand résultat pour y sacrifier Moscou tout entière ; que peut-être le ciel, pour leur accorder une aussi grande victoire, voulait un aussi grand sacrifice ; et qu'enfin il fallait à cet immense colosse un aussi immense bûcher ?

On ne sait s'ils eurent cette pensée, mais il fallut l'étoile de l'Empereur pour qu'elle ne se réalisât pas. En effet, non seulement le Kremlin renfermait, à notre insu, un magasin à poudre ; mais, cette

nuit-là même, les gardes, endormies et placées négligemment, avaient laissé tout un parc d'artillerie entrer et s'établir sous les fenêtres de Napoléon.

C'était l'instant où ces flammes furieuses étaient
dardées de toutes parts et avec le plus de violence
sur le Kremlin ; car le vent, sans doute attiré par
cette grande combustion, augmentait à chaque
instant d'impétuosité. L'élite de l'armée et l'Empereur étaient perdus si une seule des flammèches,
qui volaient sur nos têtes, s'était posée sur un seul
caisson. C'est ainsi que, pendant plusieurs heures,
de chacune des étincelles qui traversaient les airs
dépendit le sort de l'armée entière.

Enfin le jour, un jour sombre, parut ; il vint
s'ajouter à cette grande horreur, la pâlir, lui ôter
son éclat. Beaucoup d'officiers se réfugièrent dans
les salles du palais. Les chefs, et Mortier lui-même
vaincus par l'incendie, qu'ils combattaient depuis
trente-six heures, y vinrent tomber d'épuisement
et de désespoir !

Ils se taisaient, et nous nous accusions. Il semblait
à la plupart que l'indiscipline et l'ivresse de nos soldats avaient commencé ce désastre, et que la tempête l'achevait. Nous nous regardions nous-mêmes
avec une espèce de dégoût. Le cri d'horreur qu'allait
jeter l'Europe nous effrayait ! On s'abordait les
yeux baissés, consternés d'une si épouvantable
catastrophe : elle souillait notre gloire ; elle nous
en arrachait le fruit ; elle menaçait notre existence
présente et à venir ; nous n'étions plus qu'une ar-

mée de criminels dont le ciel et le monde civilisé
devaient faire justice ! On ne sortait de cet abîme
de pensées, et des accès de fureur qu'on éprouvait
contre les incendiaires, que par la recherche avide
de nouvelles, qui toutes commençaient à accuser les
Russes seuls de ce désastre.

En effet, des officiers arrivaient de toutes parts ;
tous s'accordaient. Dès la première nuit, celle du
14 au 15, un globe enflammé s'était abaissé sur le
palais du prince Troubetskoï, et l'avait consumé ;
c'était un signal. Aussitôt le feu avait été mis à la
Bourse ; on avait aperçu des soldats de police russes l'attiser avec des lances goudronnées. Ici des
obus, perfidement placés, venaient d'éclater dans
les poêles de plusieurs maisons ; ils avaient blessé
les militaires qui se pressaient autour. Alors, se
retirant dans des quartiers encore debout, ils
étaient allés se choisir d'autres asiles ; mais, près
d'entrer dans ces maisons toutes closes et inhabi-
tées, ils avaient entendu en sortir une faible explosion ; elle avait été suivie d'une légère fumée, qui
aussitôt était devenue épaisse et noire, puis rou-
geâtre, enfin couleur de feu, et bientôt l'édifice
entier s'était abîmé dans un gouffre de flammes !

Tous avaient vu des hommes d'une figure atroce,
couverts de lambeaux, et des femmes furieuses
errer dans ces flammes, et compléter une épouvantable image de l'enfer ! Ces misérables, enivrés de
vin et du succès de leurs crimes, ne daignaient plus
se cacher ; ils parcouraient triomphalement ces

rues embrasées ; on les surprenait armés de torches,
s'acharnant à propager l'incendie ; il fallait leur
abattre les mains à coups de sabre pour leur faire
lâcher prise. On se disait que ces bandits avaient
été déchaînés par les chefs russes pour brûler Moscou ; et qu'en effet, une si grande, une si extrême
résolution n'avait pu être prise que par le patriotisme, et exécutée que par le crime.

Aussitôt l'ordre fut donné de juger et de fusiller
sur place tous les incendiaires. L'armée était sur
pied. La vieille garde, qui tout entière occupait une
partie du Kremlin, avait pris les armes ; les bagages, les chevaux tout chargés, remplissaient les
cours ; nous étions mornes d'étonnement, de fatigue
et du désespoir de voir périr un si riche cantonne-
ment. Maîtres de Moscou, il fallait donc aller
bivouaquer, sans vivres, à ses portes !

Pendant que nos soldats luttaient encore avec
l'incendie, et que l'armée disputait au feu cette
proie, Napoléon, dont on n'avait pas osé troubler le
sommeil pendant la nuit, s'était éveillé à la double
clarté du jour et des flammes. Dans son premier
mouvement il s'irrita, et voulut commander à cet
élément ; mais bientôt il fléchit et s'arrêta devant
l'impossibilité. Surpris, quand il a frappé au cœur
d'un empire, d'y trouver un autre sentiment que
celui de la soumission et de la terreur, il se sent
vaincu et surpassé en détermination !

Cette conquête, pour laquelle il a tout sacrifié,
c'est comme un fantôme qu'il a poursuivi, qu'il a

cru saisir, et qu'il voit s'évanouir dans les airs en tourbillons de fumée et de flammes ! Alors une extrême agitation s'empare de lui ; on le croirait dévoré des feux qui l'environnent. A chaque instant il se lève, marche, se rassied brusquement. Il parcourt ses appartements d'un pas rapide ; ses gestes courts et véhéments décèlent un trouble cruel ; il quitte, reprend, et quitte encore un travail pressé, pour se précipiter à ses fenêtres et contempler les progrès de l'incendie. De brusques et brèves exclamations s'échappent de sa poitrine oppressée. « Quel effroyable spectacle ! Ce sont eux-mêmes ! « Tant de palais ! Quelle résolution extraordinaire ! « Quels hommes ! Ce sont des Scythes ! »

Entre l'incendie et lui se trouvait un vaste emplacement désert, puis la Moskowa et ses deux quais ; et pourtant les vitres des croisées contre lesquelles il s'appuie sont déjà brûlantes, et le travail continuel des balayeurs, placés sur les toits de fer du palais, ne suffit pas pour écarter les nombreux flocons de feu qui cherchent à s'y poser.

En cet instant le bruit se répand que le Kremlin est miné : des Russes l'ont dit, des écrits l'attestent ; quelques domestiques en perdent la tête d'effroi ; les militaires attendent impassiblement ce que l'ordre de l'Empereur et leur destin décideront, et l'Empereur ne répond à cette alarme que par un sourire d'incrédulité.

Mais il marche encore convulsivement, il s'arrête à chaque croisée, et regarde le terrible élément victorieux dévorer avec fureur sa brillante conquête, se saisir de tous les ponts, de tous les passages de sa forteresse, le cerner, l'y tenir comme assiégé, envahir à chaque minute les maisons environnantes, et, le resserrant de plus en plus, le réduire enfin à la seule enceinte du Kremlin !

Déjà nous ne respirons plus que de la fumée et des cendres. La nuit approchait, et allait ajouter son ombre à nos dangers ; le vent d'équinoxe, d'accord avec les Russes, redoublait de violence. On vit alors accourir le roi de Naples et le prince Eugène : ils se joignirent au prince de Neuchâtel, pénétrèrent jusqu'à l'Empereur, et là, de leurs prières, de leurs gestes, à genoux, ils le pressent et veulent l'arracher de ce lieu de désolation. Ce fut en vain.

Napoléon, maître enfin du palais des czars, s'opiniâtrait à ne pas céder cette conquête, même à l'incendie, quand tout à coup un cri : « *Le feu est au Kremlin !* » passe de bouche en bouche, et nous arrache à la stupeur contemplative qui nous avait saisis. L'Empereur sort pour juger le danger. Deux fois le feu venait d'être mis et éteint dans le bâtiment sur lequel il se trouvait ; mais la tour de l'arsenal brûle encore. Un soldat de police vient d'y être trouvé. On l'amène, et Napoléon le fait interroger devant lui. C'est ce Russe qui est l'incendiaire : il a exécuté sa consigne au signal donné par son chef. Tout est donc voué à la destruction, même le Kremlin antique et sacré !

L'Empereur fit un geste de mépris et d'humeur ; on emmena ce misérable dans la première cour, où les grenadiers, furieux, le firent expirer sous leurs baïonnettes.

Cet incident avait décidé Napoléon. Il descend rapidement cet escalier du nord, fameux par le massacre des Strélitz, et ordonne qu'on le guide hors de la ville, à une lieue sur la route de Pétersbourg, vers le château impérial de Petrowsk.

Mais nous étions assiégés par un océan de flammes : elles bloquaient toutes les portes de la citadelle, et repoussèrent les premières sorties qui furent tentées. Après quelques tâtonnements, on découvrit, à travers les rochers, une poterne qui donnait sur la Moskowa. Ce fut par cet étroit passage que Napoléon, ses officiers et sa garde parvinrent à s'échapper du Kremlin. Mais qu'avaient-ils gagné à cette sortie ? Plus près de l'incendie, ils ne pouvaient ni reculer, ni demeurer ; et comment s'avancer, comment s'élancer à travers les vagues de cette mer de feu ? Ceux qui avaient parcouru la ville, assourdis par la tempête, aveuglés par les cendres, ne pouvaient plus se reconnaître, puisque les rues disparaissaient dans la fumée et sous les décombres !

Il fallait pourtant se hâter. A chaque instant croissait autour de nous le mugissement des flammes. Une seule rue étroite, tortueuse et toute brûlante, s'offrait plutôt comme l'entrée que comme la sortie de cet enfer. L'Empereur s'élança à pied, et sans hésiter, dans ce dangereux passage. Il s'avança au travers du pétillement de ces brasiers, au bruit du craquement des voûtes et de la chute des poutres brûlantes et des toits de fer ardent qui croulaient autour de lui. Ces débris embarrassaient ses pas. Les flammes, qui dévoraient avec un bruissement impétueux les édifices entre lesquels il marchait, dépassant leur faîte, fléchissaient alors sous le vent et se recourbaient sur nos têtes. Nous marchions sur une terre de feu, sous un ciel de feu, entre deux murailles de feu ! Une chaleur pénétrante brûlait nos yeux, qu'il fallait cependant tenir ouverts et fixés sur le danger. Un air dévorant, des cendres étincelantes, des flammes détachées, embrasaient notre respiration courte, sèche, haletante et déjà presque suffoquée par la fumée. Nos mains brûlaient en cherchant à garantir notre figure d'une chaleur insupportable, et en repoussant les flammèches qui couvraient à chaque instant et pénétraient nos vêtements.

Dans cette inexprimable détresse, et quand une course rapide paraissait notre seul moyen de salut, notre guide, incertain et troublé, s'arrêta. Là se serait peut-être terminée notre vie aventureuse, si des pillards du premier corps n'avaient point reconnu l'Empereur au milieu de ces tourbillons de flammes ; ils accoururent, et le guidèrent vers les décombres fumants d'un quartier réduit en cendres dès le matin.

Ce fut alors que l'on rencontra le prince d'Eckmühl. Ce maréchal, blessé à la Moskowa, se faisait rapporter dans les flammes pour en arracher Napoléon ou périr avec lui. Il se jeta dans ses bras avec transport ; l'Empereur l'accueillit bien, mais avec ce calme qui, dans le péril, ne le quittait jamais.

Pour échapper à cette vaste région de maux, il fallut encore qu'il dépassât un long convoi de poudre qui défilait au travers de ces feux. Ce ne fut pas son moindre danger, mais ce fut le dernier, et l'on arriva avec la nuit à Petrowsk.

Le lendemain matin, 17 septembre, Napoléon tourna ses premiers regards sur Moscou, espérant voir l'incendie se calmer. Il le revit dans toute sa violence : toute cette cité lui parut une vaste trombe de feu qui s'élevait en tourbillonnant jusqu'au ciel, et le colorait fortement. Absorbé par cette funeste contemplation, il ne sortit d'un morne et long silence que pour s'écrier : « Ceci nous présage de « grands malheurs ! »

L'effort qu'il venait de faire pour atteindre Moscou avait usé tous ses moyens de guerre. Moscou avait été le terme de ses projets, le but de toutes ses espérances, et Moscou s'évanouissait ! Quel parti va-t-il prendre ? C'est alors surtout que ce génie si décisif fut forcé d'hésiter. Lui qu'on vit, en 1805, ordonner l'abandon subit et total d'une descente préparée à si grands frais, et décider, de Boulogne-sur-Mer, la surprise, l'anéantissement de l'armée autrichienne, enfin toutes les marches de la campagne d'Ulm jusqu'à Munich, telles qu'elles furent exécutées ; ce même homme qui, l'année d'après, dicta de Paris, avec la même infaillibilité, tous les mouvements de son armée jusqu'à Berlin, le jour fixe de son entrée dans cette capitale, et la nomination du gouverneur qu'il lui destinait, c'est lui qui, à son tour étonné, reste incertain ! Jamais il n'a communiqué ses plus audacieux projets à ses ministres les plus intimes que par l'ordre de les exécuter ; et le voilà contraint de consulter, d'essayer les forces morales et physiques de ceux qui l'entourent !

Toutefois c'est en conservant les mêmes formes. Il déclare donc qu'il va marcher sur Pétersbourg. Déjà cette conquête est tracée sur ses cartes, jusque-là si prophétiques ; l'ordre même est donné aux différents corps de se tenir prêts. Mais sa décision n'est qu'apparente ; c'est comme une meilleure contenance qu'il cherche à se donner, ou une distraction à la douleur de voir se perdre Moscou ; aussi Berthier, Bessières surtout, l'eurent-ils bientôt convaincu que le temps, les vivres, les routes, que tout lui manquait pour une si grande expédition.

En ce moment il apprend que Kutusof, après avoir fui vers l'Orient, a tourné subitement vers le midi, et qu'il s'est jeté entre Moscou et Kalougha. C'est un motif de plus contre l'expédition de Pétersbourg ; c'était une triple raison de marcher sur cette armée défaite, pour l'achever ; pour préserver son flanc droit et sa ligne d'opération ; pour s'emparer de Kalougha et de Toula, le grenier et l'arsenal de la Russie ; enfin, pour s'ouvrir une retraite sûre, courte, neuve et vierge, vers Smolensk et la Lithuanie.

Quelqu'un proposa de retourner sur Wittgenstein et Vitepsk.

Napoléon reste incertain entre tous ces projets. Celui de la conquête de Pétersbourg seul le flatte. Les autres ne lui paraissent que des voies de retraite, des aveux d'erreur ; et, soit fierté, soit politique qui ne veut pas s'être trompée, il les repousse.

A peine le tiers de cette armée et de cette capitale existe encore. Mais lui et le Kremlin sont restés debout ; sa renommée est encore tout entière ; et il se persuade que ces deux grands noms de *Napoléon* et de *Moscou* réunis suffiront pour tout achever ! Il se décide donc à rentrer au Kremlin, qu'un bataillon de sa garde a malheureusement préservé.

Le camp qu'il traversa pour y arriver offrait un aspect singulier. C'étaient au milieu des champs, dans une fange épaisse et froide, de vastes feux entretenus par des meubles d'acajou, par des fenêtres et des portes dorées. Autour de ces feux, sur une litière de paille humide, qu'abritaient mal quelques planches, on voyait les soldats et leurs officiers, tout tachés de boue et noircis de fumée, assis dans des fauteuils, ou couchés sur des canapés de soie. A leurs pieds étaient étendus ou amoncelés les schalls de cachemire, les plus rares fourrures de la Sibérie, des étoffes d'or de la Perse, et des plats d'argent dans lesquels ils n'avaient à manger qu'une

pâte noire, cuite sous la cendre, et des chairs de
cheval à demi grillées et sanglantes : singulier
assemblage d'abondance et de disette, de richesse
et de saleté, de luxe et de misère !

Entre les camps et la ville, on rencontrait des
nuées de soldats traînant leur butin, ou chassant
devant eux comme des bêtes de somme, des moujiks courbés sous le poids du pillage de leur capitale ;
car l'incendie montra près de vingt mille habitants,
inaperçus jusque-là dans cette immense cité. Quelques-uns des Moscovites, hommes ou femmes, paraissaient bien vêtus ; c'étaient des marchands. On
les vit se réfugier, avec les débris de leurs biens,
auprès de nos feux. Ils vécurent pêle-mêle avec nos
soldats, protégés par quelques-uns, et soufferts ou à
peine remarqués par les autres.

Il en fut de même d'environ dix mille soldats
ennemis. Pendant plusieurs jours, ils errèrent au
milieu de nous, libres, et quelques-uns même encore
armés. Nos soldats rencontraient ces vaincus sans
animosité, sans songer à les faire prisonniers, soit
qu'ils crussent la guerre finie, soit insouciance ou
pitié, et que hors du combat le Français se plaise à
n'avoir plus d'ennemis. Ils les laissaient partager
leurs feux ; bien plus, ils les souffrirent pour compagnons de pillage. Lorsque le désordre fut moins
grand, ou plutôt quand les chefs eurent organisé
cette maraude comme un fourrage régulier, alors
ce grand nombre de traîneurs russes fut remarqué
On ordonna de les saisir, mais déjà sept ou huit

mille s'étaient échappés. Nous eûmes bientôt à les combattre.

En entrant dans la ville, l'Empereur fut frappé d'un spectacle encore plus étrange : il ne retrouvait de la grande Moscou que quelques maisons éparses, restées debout au milieu des ruines ! L'odeur qu'exhalait ce colosse abattu, brûlé et calciné, était importune. Des monceaux de cendres, et, de distance en distance, des pans de muraille ou des piliers à demi écroulés, marquaient seuls la trace des rues.

Les faubourgs étaient semés d'hommes et de femmes russes, couverts de vêtements presque brûlés. Ils erraient comme des spectres dans ces décombres ; accroupis dans les jardins, les uns grattaient la terre pour en arracher quelques légumes, d'autres disputaient aux corbeaux des restes d'animaux morts que l'armée avait abandonnés. Plus loin, on en aperçut qui se précipitaient dans la Moskowa : c'était pour en retirer des grains que Rostopchin y avait fait jeter, et qu'ils dévoraient sans préparation, tout aigris et gâtés qu'ils étaient déjà.

L'Empereur voit son armée entière dispersée dans la ville. Sa marche est embarrassée par une longue file de maraudeurs, qui vont au butin ou qui en reviennent, par des rassemblements tumultueux de soldats, groupés autour des soupiraux des caves et devant les portes des palais, des boutiques et des églises, que le feu est près d'atteindre, et qu'ils cherchent à enfoncer.

Ses pas sont arrêtés par des débris de meubles de toute espèce qu'on a jetés par les fenêtres pour les soustraire à l'incendie ; enfin par un riche pillage, que le caprice a fait abandonner pour un autre butin : car voilà les soldats ! ils recommencent sans cesse leur fortune, prenant tout sans distinction, se chargeant outre mesure, comme s'ils pouvaient tout emporter ; puis, au bout de quelques pas, forcés par la fatigue de jeter successivement la plus grande partie de leur fardeau.

Les routes en sont obstruées ; les places, comme les camps, sont devenues des marchés, où chacun vient échanger le superflu contre le nécessaire. Là, les objets les plus rares, inappréciés par leurs possesseurs sont vendus à vil prix ; d'autres, d'une apparence trompeuse, sont acquis bien au delà de leur valeur. L'or, plus portatif, s'achète à une perte immense pour de l'argent que les havresacs n'auraient pas pu contenir. Partout des soldats assis sur des ballots de marchandises, sur des amas de sucre et de café, au milieu des vins et des liqueurs les plus exquises, qu'ils voudraient échanger contre un morceau de pain. Plusieurs, dans une ivresse qu'augmente l'inanition, sont tombés près des flammes, qui les atteignent et les tuent.

Néanmoins la plupart des maisons et des palais qui avaient échappé au feu servirent d'abri aux chefs ; et tout ce qu'elles contenaient fut respecté. Tous voyaient avec douleur cette grande destruction et le pillage qui en était la suite nécessaire.

On a reproché à quelques-uns de nos hommes
d'élite de s'être trop plu à recueillir ce qu'ils purent
dérober aux flammes ; mais il y en eut si peu, qu'ils
furent cités. La guerre, dans ces hommes ardents,
était une passion qui en supposait d'autres. Ce
n'était point cupidité, car ils n'amassaient point ;
ils usaient de ce qu'ils rencontraient, prenant pour
donner, prodiguant tout, et croyant qu'ils avaient
tout payé par le danger.

Ce fut au travers de ce bouleversement que Napoléon rentra dans Moscou. Il l'abandonna à ce
pillage, espérant que son armée, répandue sur ces
ruines, ne les fouillerait pas infructueusement.
Mais quand il sut que le désordre s'accroissait ; que
la vieille garde elle-même était entraînée ; que les
paysans russes, enfin attirés avec leurs provisions,
et qu'il faisait payer généreusement afin d'en attirer d'autres, étaient dépouillés de ces vivres, qu'ils
nous apportaient, par nos soldats affamés ; quand
il apprit que les différents corps, en proie à tous les
besoins, étaient prêts à se disputer violemment
les restes de Moscou ; qu'enfin toutes les ressources
encore existantes se perdaient par ce pillage irré-
gulier ; alors il donna des ordres sévères, il consigna
sa garde. Les églises, où nos cavaliers s'étaient
abrités, furent rendues au culte grec. La maraude
fut ordonnée dans les corps par tour de rôle, comme
un autre service, et l'on s'occupa enfin de ramasser
les traîneurs russes.

Mais il était trop tard. Ces militaires avaient fui ;

les paysans, effarouchés, ne revenaient plus ; beaucoup de vivres étaient gaspillés. L'armée française est tombée quelquefois dans cette faute ; mais ici l'incendie l'excuse : il fallut se précipiter pour devancer la flamme. Il est encore assez remarquable qu'au premier commandement tout soit rentré dans l'ordre.

Kutusof, en abandonnant Moscou, avait attiré Murat vers Kolomna, jusqu'au point où la Moskowa en coupe la route. Ce fut là qu'à la faveur de la nuit il tourna subitement vers le sud, pour s'aller jeter, par Podol, entre Moscou et Kalougha. Cette marche nocturne des Russes autour de Moscou, dont un vent violent leur portait les cendres et les flammes, fut sombre et religieuse. Ils s'avancèrent à la lueur sinistre de l'incendie qui dévorait le centre de leur commerce, le sanctuaire de leur religion, le berceau de leur empire ! Tous, pénétrés d'horreur et d'indignation, gardaient un morne silence, que troublaient seuls le bruit monotone et sourd de leurs pas, le bruissement des flammes, et les sifflements de la tempête. Souvent la lugubre clarté était interrompue par des éclats livides et subits. Alors on voyait la figure de ces guerriers contractée par une douleur sauvage, et le feu de leurs regards sombres et menaçants répondre à ces feux qu'ils croyaient notre ouvrage : il décelait déjà cette vengeance féroce qui fermentait dans leurs cœurs, qui se répandit dans tout l'Empire, et dont tant de Français furent victimes.

En ce moment solennel on vit Kutusof annoncer d'un ton noble et ferme à son souverain la perte de sa capitale. Il lui déclare : « Que pour conserver les « provinces nourricières du sud et sa communi- « cation avec Tormasof et Tchitchakof, il vient « d'être forcé d'abandonner Moscou, mais vide « de ce peuple qui en est la vie ; que partout le « peuple est l'âme d'un Empire ; que là où est le « peuple russe, là est Moscou et tout l'Empire « de Russie ! »

Alors pourtant il semble ployer sous sa douleur Il convient ! « que cette blessure sera profonde et « ineffaçable ! » Mais, bientôt se relevant, il dit : « Que Moscou perdue n'est qu'une ville de moins « dans un Empire, et le sacrifice d'une partie pour « le salut de tous. Il se montre sur le flanc de la « longue ligne d'opération de l'ennemi, le tenant « comme bloqué par ses détachements : là il va « surveiller ses mouvements, couvrir les ressources « de l'Empire, recompléter son armée ; » et déjà (le 16 septembre) il annonce que « Napoléon sera « forcé d'abandonner sa funeste conquête ! »

On dit qu'à cette nouvelle Alexandre demeura consterné. Napoléon espérait dans la faiblesse de son rival, en même temps que les Russes en crai- gnaient l'effet. Le Czar démentit cet espoir et cette crainte. Dans ses discours, on le voit grand comme son malheur ; il s'adresse à ses peuples : « Point « d'abattement pusillanime, s'écrie-t-il ; jurons de « redoubler de courage et de persévérance ! L'en-

« nemi est dans Moscou déserte, comme dans un
« tombeau, sans moyens de domination ni même
« d'existence. Entré en Russie avec trois cent mille
« hommes de tout pays, sans union, sans lien na-
« tional ni religieux, la moitié en est détruite par le
« fer, la faim et la désertion ; il n'a dans Moscou
« que des débris ; il est au centre de la Russie, et
« pas un seul Russe n'est à ses pieds !

« Cependant nos forces s'accroissent et l'en-
« tourent. Il est au sein d'une population puissante,
« environné d'armées qui l'arrêtent et l'attendent.
« Bientôt, pour échapper à la famine, il lui faudra
« fuir à travers les rangs serrés de nos soldats
« intrépides. Reculerons-nous donc, quand l'Eu-
« rope nous encourage de ses regards ? Servons-lui
« d'exemple, et saluons la main qui nous choisit
« pour être la première des nations dans la cause
« de la vertu et de la liberté ! » Il terminait par une
invocation au Tout-Puissant.

Les Russes parlent diversement de leur général
et de leur empereur. Pour nous, comme ennemis,
nous ne pouvons juger nos ennemis que par les faits.
Or telles furent leurs paroles, et leurs actions y ré-
pondirent. Compagnons, rendons-leur justice ! Leur
sacrifice a été complet, sans réserve, sans regrets
tardifs. Depuis ils n'ont rien réclamé, même au
milieu de la capitale ennemie qu'ils ont préservée !
Leur renommée en est restée grande et pure. Ils
ont connu la vraie gloire ; et quand une civilisation
plus avancée aura pénétré dans tous leurs rangs,

ce grand peuple aura son grand siècle, et tiendra
à son tour ce sceptre de gloire, qu'il semble que les
nations de la terre doivent se céder successivement !

Cette marche tortueuse que fit Kutusof, par indécision ou par ruse, lui réussit. Murat perdit sa
trace pendant trois jours. Le Russe en profita pour
étudier son terrain et s'y retrancher. Son avant-
garde allait atteindre Voronowo, l'une des plus
belles possessions du comte Rostopchin, lorsque ce
gouverneur prit les devants. Les Russes crurent que
ce seigneur voulait revoir pour la dernière fois ses
foyers, quand tout à coup l'édifice disparut à leurs
yeux dans des tourbillons de fumée !

Ils se pressent pour éteindre cet incendie, mais
c'est Rostopchin lui-même qui les repousse ! Ils
l'aperçoivent, au milieu des flammes qu'il attise,
sourire à l'écroulement de cette superbe demeure,
puis, d'une main ferme, tracer ces mots que les
Français, en frissonnant de surprise, lurent sur la
porte de fer d'une église restée debout : « J'ai
« embelli pendant huit ans cette campagne, et
« j'y ai vécu heureux au sein de ma famille. Les
« habitants de cette terre, au nombre de dix-sept
« cent vingt, la quittent à votre approche, et moi
« je mets le feu à ma maison, pour qu'elle ne soit
« pas souillée par votre présence ! Français ! je
« vous ai abandonné mes deux maisons de Moscou,
« avec un mobilier d'un demi-million de roubles ;
« ici vous ne trouverez que des cendres ! »

Ce fut près de là que Murat joignit Kutusof. Il y

eut, le 29 septembre, un vif engagement de cavalerie vers Czerikowo. Il tournait mal pour notre cavalerie, quand Poniatowski, réduit à trois mille Polonais, accourut. Ce prince, secondé par les généraux
Pazkowchi et Kniaziewicz, accepta audacieusement
le combat contre vingt mille Russes. Ses habiles
dispositions et la valeur polonaise arrêtèrent
Miloradowitch pendant plusieurs heures. Un généreux trait de dévouement du prince polonais dé-
concerta le dernier et le plus grand effort du général
russe. L'occasion fut si pressante que Poniatowski,
à la tête de quarante cavaliers seulement, et désarmé
par un accident imprévu, chargea la colonne d'attaque ennemie à coups de fouet, mais si impétueuse-
ment, qu'il l'étonna, l'ébranla, la rompit, et obtint
enfin une victoire que la nuit vint lui conserver !

Cependant l'incendie, commencé dans la nuit du
14 au 15 septembre, suspendu par nos efforts dans
la journée du 15, ranimé dès la nuit suivante, et
dans sa plus grande violence les 16, 17 et 18, s'était
ralenti le 19. Il avait cessé le 20. Ce jour-là même
Napoléon, que les flammes avaient chassé du Kremlin, rentra dans le palais des czars. Il y appelle les
regards de l'Europe ; il y attend ses convois, ses
renforts, ses traîneurs ; sûr que tous les siens seront
ralliés par sa victoire, par l'appât de ce riche butin,
par l'étonnant spectacle de Moscou prisonnière, et
par lui surtout, dont la gloire, du haut de ce grand
débris, brillait et attirait encore comme un fanal
sur un écueil !

Deux fois pourtant, le 22 et le 28 septembre, des lettres de Murat qui poursuivait Kutusof et l'avait atteint vers Czerikowo furent près d'arracher Napoléon de ce funeste séjour. Elles annonçaient une bataille ; mais deux fois les ordres de mouvement, déjà écrits, furent brûlés. Il semblait que, pour notre Empereur, la guerre fût finie, et qu'il n'attendît plus qu'une réponse de Pétersbourg. Il nourrissait son espoir des souvenirs de Tilsitt et d'Erfurt. A Moscou, aurait-il donc moins d'ascendant sur Alexandre ? Puis, comme les hommes longtemps heureux, ce qu'il désire, il l'espère.

Son génie a d'ailleurs cette grande faculté, qui consiste à interrompre sa plus grande préoccupation, quand il lui plaît, soit pour en changer, soit même pour se reposer ; car la volonté en lui surpasse l'imagination. En cela il règne sur lui-même autant que sur les autres.

Mais déjà onze jours se sont écoulés, le silence d'Alexandre dure toujours, et Napoléon espère toujours vaincre son rival en opiniâtreté ; perdant ainsi le temps qu'il fallait gagner, et qui toujours sert la défense contre l'attaque !

Dès lors, et plus qu'à Vitepsk, toutes ses actions annoncent aux Russes que leur puissant ennemi veut se fixer dans le cœur de leur Empire. Moscou en cendres reçoit un intendant et des municipalités. L'ordre est donné de s'y approvisionner pour l'hiver. Un théâtre se forme au milieu des ruines. Les premiers acteurs de Paris sont, dit-on, mandés. Un chanteur italien vient s'efforcer de rappeler au Kremlin les soirées des Tuileries. Par là Napoléon piétend abuser un gouvernement que l'habitude de régner sur l'erreur et l'ignorance de ses peuples a fait de longue main à toutes ces déceptions.

Lui-même sent l'insuffisance de ces moyens, et pourtant septembre n'est déjà plus, octobre commence ! Alexandre a dédaigné de répondre ! C'est un affront ! il s'irrite. Le 3 octobre, après une nuit d'inquiétude et de colère, il appelle ses maréchaux. Dès qu'il les aperçoit : « Entrez, s'écrie-t-il, écoutez « le nouveau plan que je viens de concevoir ; « prince Eugène lisez ! (Ils écoutent). Il faut brûler « les restes de Moscou ; marcher par Twer sur Pé-« tersbourg, où Macdonald viendra les joindre ! « Murat et Davout feront l'arrière-garde ! » Et l'Empereur, tout animé, fixe ses yeux étincelants sur ses généraux, dont la figure froide et silencieuse n'exprime que l'étonnement.

Alors, s'exaltant pour exalter : « Hé quoi ! c'est « vous, ajoute-t-il, que cette pensée n'enflamme « point ! Jamais un plus grand fait de guerre au-« rait-il existé ? Désormais cette conquête est « seule digne de nous ! De quelle gloire nous serons « comblés, et que dira le monde entier, quand « il apprendra qu'en trois mois nous avons conquis « les deux grandes capitales du Nord ? »

Mais Davout, comme Daru, lui oppose « la saison, la disette, une route stérile et déserte. »

Ces chefs ont assuré qu'alors ils proposèrent diffé-

rents projets ; soin bien inutile avec un prince dont
le génie devançait toutes les autres imaginations,
et que leurs objections n'auraient point arrêté,
s'il eût été décidé à marcher sur Pétersbourg. Mais
cette idée n'était en lui qu'une saillie de colère, une
inspiration du désespoir de se voir obligé, à la face
de l'Europe, de céder, d'abandonner une conquête,
et de reculer !

C'était surtout une menace pour effrayer les
siens comme les ennemis, et pour amener et appuyer
une négociation qu'entamerait Caulaincourt. Ce
grand officier avait plu à Alexandre : il était le seul,
entre tous les grands de la cour de Napoléon, qui
eût pris quelque ascendant sur son rival ; mais,
depuis plusieurs mois, Napoléon le repoussait de
son intimité, n'ayant pu lui faire approuver son
expédition.

Ce fut pourtant à lui-même qu'en ce jour il fut
forcé de recourir et de montrer son anxiété. Il
l'appelle ; mais, seul avec lui, il hésite. Il marche
longtemps tout agité, et l'entraîne sur ses pas, sans
que sa fierté puisse se décider à rompre un si pénible
silence. Elle va céder enfin, mais en menaçant. Il
priera qu'on lui demande la paix comme s'il dai-
gnait l'accorder.

Après quelques mots à peine articulés : « Il va,
« dit-il, marcher sur Pétersbourg ! Il sait que la
« destruction de cette ville affligera sans doute son
« grand écuyer. Alors la Russie se soulèvera contre
« l'empereur Alexandre, il y aura une conjuration

8

« contre ce monarque : on l'assassinera, ce sera un
« grand malheur. Ce prince, qu'il estime, il le re-
« grettera, tant pour lui que pour la France. Son
« caractère, ajoute-t-il, convient à nos intérêts ;
« aucun autre prince ne pourrait le remplacer avan-
« tageusement pour nous. Il pense donc, pour
« prévenir cette catastrophe, à lui envoyer Caulain-
« court ! »

Mais le duc de Vicence, plus capable d'opiniâtreté que de flatterie, ne changea point de langage,
il soutint : « Que cette ouverture serait inutile ;
« que tant que le sol russe ne serait pas entièrement
« évacué, Alexandre n'écouterait aucune proposi-
« tion ; que la Russie sentait, à cette époque de
« l'année, tout son avantage ; que, bien plus, cette
« démarche serait nuisible, en ce qu'elle montre-
« rait le besoin que Napoléon avait de la paix,
« et découvrirait tout l'embarras de notre posi-
« tion ! »

Il ajouta que, « plus le choix du négociateur
« serait marquant, plus il marquerait d'inquiétude ;
« qu'ainsi lui, plus que tout autre, échouerait, et
« d'autant plus qu'il partirait avec cette certi-
« tude. » L'Empereur rompit brusquement cet
entretien par ces mots : « Eh bien, j'enverrai Lau-
« riston ! »

Celui-ci assure qu'il ajouta de nouvelles objections aux précédentes, et que, provoqué par l'Empereur, il ouvrit l'avis de commencer, dès le jour
même, la retraite, en se dirigeant par Kalougha.

Napoléon, irrité, lui répliqua avec amertume :
« Qu'il aimait les plans simples, les routes les moins
« détournées, les grandes routes, celle par laquelle
« il était venu, mais qu'il ne voulait la reprendre
« qu'avec la paix. » Puis, lui montrant, comme au
duc de Vicence, la lettre qu'il venait d'écrire à
Alexandre, il lui ordonna d'aller obtenir de
Kutusof un sauf-conduit pour Pétersbourg. Les
dernières paroles de l'Empereur à Lauriston
furent : « Je veux la paix, il me faut la paix,
« je la veux absolument ! Sauvez seulement
« l'honneur ! »

Ce général part, et arrive aux avant-postes le
5 octobre. La guerre est aussitôt suspendue, l'entrevue accordée ; mais Volkonsky, aide de camp
d'Alexandre, et Beningsen s'y trouvèrent sans Kutusof. Wilson assure que les généraux et les officiers russes, soupçonnant leur chef et l'accusant de
faiblesse, avaient crié à la trahison, et que celui-ci
n'avait point osé sortir de son camp.

Les instructions de Lauriston portaient qu'il ne
devait s'adresser qu'à Kutusof. Il rejeta donc avec
hauteur toute communication intermédiaire, et
saisissant, a-t-il dit, cette occasion de rompre une
négociation qu'il désapprouvait, il se retira malgré
les instances de Volkonsky, et voulut repartir pour
Moscou. Alors, sans doute, Napoléon irrité se serait
précipité sur Kutusof, aurait renversé et détruit
son armée, encore tout incomplète, et en eût
arraché la paix. Dans le cas d'un succès moins déci-

sif, du moins aurait-il pu se retirer sans désastre
sur ses renforts.

Malheureusement Beningsen se hâta de demander
un entretien à Murat. Lauriston attendit. Le chef
d'état-major russe, plus habile à négocier qu'à combattre, s'efforça d'enchanter ce roi nouveau par
des formes respectueuses ; de le séduire par des
éloges ; de le tromper par de douces paroles, qui ne
respiraient que la fatigue de la guerre et l'espoir
de la paix; et Murat, enfin las des batailles, inquiet de leur résultat, et regrettant, dit-on, son
trône, depuis qu'il n'en espérait plus un meilleur,
se laissa enchanter, séduire et tromper.

Beningsen avait à la fois persuadé son chef et
celui de notre avant-garde : il s'empressa d'envoyer
chercher Lauriston et de le faire conduire dans le
camp des Russes, où Kutusof l'attendait à minuit.
L'entrevue commença mal. Konownitzin et Volkonsky voulaient en rester les témoins. Cela choqua le général français : il exigea qu'ils se retiras-
sent. On le satisfit.

Dès que Lauriston fut seul avec Kutusof, il lui
exposa ses motifs et son but, et lui demanda
le passage pour Pétersbourg. Le général russe répondit que cette demande dépassait ses pouvoirs ;
mais aussitôt il proposa de charger Volkonsky de
la lettre de Napoléon pour Alexandre, et offrit
un armistice jusqu'au retour de cet aide de camp.
Il accompagna ces paroles de protestations pacifiques, qu'ensuite répétèrent tous ses généraux.

Ce qui fut bientôt prouvé, c'est qu'ils s'étaient surtout entendus pour tromper Murat et son Empereur. Ils y réussirent. Ces détails transportèrent de joie Napoléon. Crédule par espoir, par désespoir peut-être, il s'enivre quelques instants de cette apparence ; et, pressé d'échapper au sentiment intérieur qui l'oppresse, il semble vouloir s'étourdir en s'abandonnant à une joie expansive. Il appelle tous ses généraux ; il triomphe en leur annonçant une paix toute prochaine !

Toutefois l'armistice proposé par Kutusof lui déplut : il ordonna à Murat de le rompre sur-le-champ ; mais il n'en fut pas moins observé, et l'on en ignore la cause.

Cet armistice était singulier. Pour le rompre il suffisait de se prévenir réciproquement trois heures d'avance. Il n'existait que pour le front des deux camps, et non pour leurs flancs. Ce fut ainsi du moins que les Russes l'interprétèrent. On ne pouvait amener un convoi ni faire un fourrage sans combattre : de sorte que la guerre continuait partout, excepté où elle pouvait nous être favorable.

Pendant les premiers jours qui suivirent, Murat se complut à se montrer aux avant-postes ennemis Là il jouissait des regards que sa bonne mine, sa réputation de bravoure et son rang attiraient sur lui. Les chefs russes n'eurent garde de le dégoûter : ils le comblèrent de toutes les marques de déférence propres à entretenir son illusion. Il pouvait ordonner à leurs vedettes comme aux Français. Si quelque partie du terrain qu'ils occupaient lui convenait, ils s'empressaient de la lui céder.

Des chefs cosaques allèrent jusqu'à feindre l'enthousiasme, et à dire qu'ils ne reconnaissaient plus pour Empereur que celui qui régnait à Moscou. Murat crut un instant qu'ils ne se battraient plus contre lui. Il alla plus loin. On entendit Napoléon s'écrier, en lisant ses lettres : « Murat, roi des cosa- « ques ! quelle folie ! » Toutes les idées possibles venaient à des hommes à qui tout était arrivé.

Quant à l'Empereur, qu'on ne trompait guère, il n'eut que quelques instants d'une joie factice.

En effet, deux convois considérables venaient encore de tomber au pouvoir de l'ennemi ; l'un, par négligence de son chef, qui se tua de désespoir ; l'autre, par la lâcheté d'un officier, qu'on allait punir quand la retraite commença. La perte de l'armée fit son salut.

Chaque matin il fallait que nos soldats, et surtout nos cavaliers, allassent au loin chercher la nourriture du soir et du lendemain. Et comme les environs de Moscou et de Winkowo se dégarnissaient de plus en plus, on s'écartait tous les jours davantage. Les hommes et les chevaux revenaient épuisés, ceux toutefois qui revenaient : car chaque mesure de seigle chaque trousse de fourrage, nous étaient disputées ; il fallait les arracher à l'ennemi. C'étaient des surprises, des combats, des pertes continuelles ! Les paysans s'en mêlaient. Ils punirent de mort ceux d'entre eux que l'appât du gain

Devant Moscou.
(D'après le tableau de Verestchagin.)

avait attirés dans nos camps avec quelques vivres.
D'autres mettaient le feu à leurs propres villages,
pour en chasser nos fourrageurs et les livrer aux
cosaques, qu'ils avaient d'abord appelés et qui
nous y tenaient assiégés.

Ce furent encore des paysans qui prirent Véréia,
ville voisine de Moscou. Un de leurs prêtres conçut,
dit-on, le projet de ce coup de main, et l'exécuta. Il
arma des habitants, obtint quelques troupes de
Kutusof ; puis, le 10 octobre avant le jour, il fit
donner, d'une part, le signal d'une fausse attaque,
quand, de l'autre, lui-même se précipitait sur nos
palissades. Il les détruisit, pénétra dans la ville,
et en fit égorger toute la garnison.

Ainsi la guerre était partout, devant, sur nos
flancs, derrière nous : l'armée s'affaiblissait ; l'ennemi devenait chaque jour plus entreprenant. Il en
allait être de cette conquête comme de tant d'autres,
qui se font en masse et se perdent en détail.

Murat lui-même s'inquiète enfin. Il a vu dans ces
affaires journalières se fondre la moitié du reste de
sa cavalerie. Aux avant-postes, dans leurs rencon-
tres avec les nôtres, les officiers russes, soit fatigue,
vanité, ou franchise militaire poussée jusqu'à
l'indiscrétion, se sont récriés sur les malheurs qui
nous menacent. Ils nous montrent « ces chevaux
« d'un aspect encore sauvage, à peine domptés, et
« dont la longue crinière balayait la poussière de
« la plaine. Cela ne nous disait-il pas qu'une nom-
« breuse cavalerie leur arrivait de toutes parts,

« quand la nôtre se perdait ? Le bruit continuel de
« décharges d'armes à feu, dans l'intérieur de leur
« ligne, ne nous annonçait-il pas qu'une multitude
« de recrues s'y exerçaient à la faveur de l'armis-
« tice ? »

L'Empereur n'ignorait point ces avertissements,
mais il les repoussait, ne voulant pas se laisser ébranler. L'inquiétude dont il était ressaisi se décelait
par des ordres de colère. Ce fut alors qu'il fit dépouiller les églises du Kremlin de tout ce qui pouvait
servir de trophée à la Grande Armée. Ces objets,
voués à la destruction par les Russes eux-mêmes,
appartenaient, disait-il, aux vainqueurs, par le
double droit donné par la victoire, et surtout par
l'incendie !

Il fallut de longs efforts pour arracher à la tour du
grand Yvan sa gigantesque croix. L'Empereur
voulait qu'à Paris le dôme des Invalides en fût
orné. Le peuple russe attachait le salut de son
empire à la possession de ce monument. Pendant
les travaux, on remarqua qu'une foule de corbeaux
entouraient sans cesse cette croix, et que Napoléon,
fatigué de leurs tristes croassements, s'écria :
« Qu'il semblait que ces nuées d'oiseaux sinistres
voulussent la défendre ! » On ignore, dans cette
position si critique, quelles étaient toutes ses pensées, mais on le savait accessible à tous les pressentiments.

Ses sorties journalières, qu'éclairait toujours un
soleil brillant, dans lequel il s'efforçait de voir et

de montrer son étoile, ne le distrayaient point. Au
triste silence de Moscou morte se joignait celui des
déserts qui l'environnent, et le silence encore plus
menaçant d'Alexandre. Ce n'était point le faible
bruit des pas de nos soldats, errant dans ce vaste
tombeau, qui pouvait tirer notre Empereur de sa
rêverie, l'arracher à ses cruels souvenirs et à sa
prévoyance plus cruelle encore.

Ses nuits surtout deviennent fatigantes. Il en
passe une partie avec le comte Daru. Là seulement
il convient du danger de sa position.

Appréciant alors toute la force qu'il tire du
prestige de son infaillibilité, il frémit d'y porter une
première atteinte : «Quelle effrayante suite de
« guerres périlleuses dateront de son premier pas
« rétrograde ! Qu'on ne blâme donc plus son inac-
« tion. Eh ! ne sais-je pas, ajoute-t-il, que militai-
« rement Moscou ne vaut rien ? Mais Moscou n'est
« point une position militaire, c'est une position
« politique. On m'y croit général, quand j'y suis
« empereur ! » Puis il s'écrie : «Qu'en politique
« il ne faut jamais reculer, ne jamais revenir sur
« ses pas, se bien garder de convenir d'une erreur ;
« que cela déconsidère ; que lorsqu'on s'est trompé
« il faut persévérer, que cela donne raison ! »

C'est pourquoi il s'opiniâtre avec cette ténacité,
ailleurs sa première qualité, ici son premier défaut.

Cependant sa détresse augmente : il sait qu'il
ne doit pas compter sur l'armée prussienne. Un avis,
d'une main trop sûre, adressé à Berthier, lui fait

perdre sa confiance dans l'appui de l'armée autrichienne. Kutusof le joue ; il le sent, mais il se trouve engagé si avant qu'il ne peut plus ni avancer, ni rester, ni reculer, ni combattre avec honneur et succès ! Ainsi, tour à tour poussé, retenu par tout ce qui décide ou détourne, il demeure sur ces cendres, espérant à peine, et désirant toujours.

Sa lettre, remise par Lauriston, avait dû partir le 6 octobre ; la réponse ne pouvait guère arriver avant le 20 ; et, malgré tant d'apparences menaçantes, la fierté de Napoléon, sa politique, et sa santé peut-être, lui conseillent le plus dangereux de tous les partis, celui d'attendre cette réponse, de se fier au temps qui le tue. Daru, comme ses autres officiers, s'étonne de ne point retrouver en lui cette décision vive, mobile et rapide comme les circonstances ; ils disent que son génie ne sait plus s'y plier ; ils s'en prennent à sa persistance naturelle, qui fit son élévation et qui causera sa chute !

Mais, dans cette position de guerre si critique par sa complication politique la plus délicate qui fût jamais, ce n'était point d'un caractère jusque-là si grand par son inébranlable persévérance qu'on devait attendre une prompte renonciation au but que depuis Vitepsk il s'était proposé.

L'attitude de son armée secondait son désir. La plupart des officiers persévéraient dans leur confiance. Les simples soldats, qui voient toute leur vie dans le moment présent, et qui, attendant peu de l'avenir, ne s'en inquiètent guère, conservaient leur in-

souciance, la plus précieuse de leurs qualités. A la
vérité, les récompenses que, dans les revues journalières, l'Empereur leur prodiguait, n'étaient plus
reçues qu'avec une joie grave, mêlée de quelque
tristesse. Les places vides qu'on allait remplir
étaient encore toutes sanglantes : ces faveurs menaçaient.

D'autre part, depuis Vilna, beaucoup avaient jeté
leurs vêtements d'hiver pour se charger de vivres ;
la route avait détruit leur chaussure ; le reste de
leurs vêtements était usé par les combats ; mais,
malgré tout, leur attitude restait haute ! Ils cachaient avec soin leur dénûment devant leur Empereur, et se paraient de leurs armes éclatantes et
bien réparées. Dans cette première cour du palais
des czars, à huit cents lieues de leurs ressources, et
après tant de combats et de bivouacs, ils voulaient
paraître encore propres, prêts et brillants : c'est là
l'honneur du soldat ; ils y attachaient encore plus
de prix à cause de la difficulté, pour étonner, et
parce que l'homme s'enorgueillit de tout ce qui est
effort.

L'Empereur s'y prêtait complaisamment, s'ai-
dant de tout pour espérer, quand vinrent tout à coup
les premières neiges. Avec elles tombèrent toutes
les illusions dont il cherchait à s'environner. Dès
lors il ne songe plus qu'à la retraite, sans toutefois
en prononcer le nom, sans qu'on puisse lui arracher
un ordre qui l'annonce positivement. Il dit seulement que dans vingt jours il faudra que l'armée

soit en quartiers d'hiver ; et il presse le départ de ses blessés. Là, comme ailleurs, sa fierté ne peut consentir au moindre abandon volontaire : les attelages manquent à son artillerie, désormais trop nombreuse pour une armée aussi réduite ; il n'importe, il s'irrite à la proposition d'en laisser une partie dans Moscou : « Non, l'ennemi s'en ferait un trophée! » et il exige que tout marche avec lui.

Dans ce pays désert, il ordonne l'achat de vingt mille chevaux ; il veut qu'on s'approvisionne de deux mois de fourrages, sur un sol où, chaque jour, les courses les plus lointaines et les plus périlleuses ne suffisent pas à la nourriture de la journée. Quelques-uns des siens s'étonnèrent d'entendre des ordres si inexécutables ; mais on a déjà vu que quelquefois il les donnait ainsi pour tromper ses ennemis, et, le plus souvent, pour indiquer aux siens l'étendue des besoins, et les efforts qu'ils devaient faire pour y subvenir.

Toutefois Napoléon ne se décide encore ni à rester ni à partir. Vaincu dans ce combat d'opiniâtreté, il remet de jour en jour à avouer sa défaite. Au milieu de ce terrible orage d'hommes et d'éléments qui s'amasse autour de lui, ses ministres, ses aides de camp le voient passer ces dernières journées à discuter le mérite de quelques vers nouveaux, qu'il vient de recevoir, ou le règlement de la Comédie française de Paris, qu'il met trois soirées à achever. Comme ils connaissent toute son anxiété, ils admirent la force de son génie, et la facilité avec laquelle il déplace et fixe où il lui plaît toute la puissance de son attention.

On remarqua seulement qu'il prolongeait ses repas, jusque-là si simples et si courts. Il cherchait à s'étourdir. Puis ils le voyaient s'appesantissant passer de longues heures à demi couché, comme engourdi, et attendant, un roman à la main, le dénoûment de sa terrible histoire. Alors ils répètent entre eux, en voyant ce génie opiniâtre et inflexible lutter contre l'impossibilité, que, parvenu au faîte de sa gloire, sans doute ils pressent que de son premier mouvement rétrograde datera sa décroissance ; que c'est pourquoi il demeure immobile, s'attachant et se retenant encore quelques instants sur ce sommet !

Enfin, après plusieurs jours d'illusion, le charme se dissipe. Un cosaque achève de le rompre. Ce barbare a tiré sur Murat au moment où ce prince venait se montrer aux avant-postes. Murat, s'irrite : il déclare à Miloradowitch qu'un armistice sans cesse violé n'existe plus, et que désormais chacun ne doit plus avoir confiance qu'en lui-même.

En même temps il fait avertir l'Empereur qu'à sa gauche un terrain couvert peut favoriser des surprises contre son flanc et ses derrières ; que sa première ligne, adossée à un ravin, y peut être précipitée ; qu'enfin la position qu'il occupe en avant d'un défilé est dangereuse, et nécessite un mouvement rétrograde. Mais Napoléon n'y peut consentir, quoique d'abord il eût indiqué Voronowo comme une position plus sûre. Dans cette guerre, encore à ses yeux plutôt politique que militaire, il craignait surtout de paraître fléchir. Il préférait tout risquer.

Toutefois, le 13 octobre, Lauriston est renvoyé vers Murat pour examiner la position de l'avant-garde. Quant à l'Empereur, soit ténacité dans son premier espoir, soit que toute disposition qui pouvait annoncer une retraite répugnât autant à sa fierté qu'à sa politique, on remarqua une singulière négligence dans ces préparatifs de départ. Il y songeait cependant, car dès ce même jour il trace son plan de retraite. Il en dicte, un moment après, un autre sur Smolensk. Junot reçoit l'ordre de brûler, le 21, à Kolotskoi, tous les fusils des blessés, et de faire sauter les caissons. D'Hilliers occupera Elnia, et y formera des magasins. C'est le 17 seulement, qu'à Moscou, et pour la première fois, Berthier pense à faire distribuer des cuirs.

Ce major général supplée peu son chef dans cette circonstance critique. Au milieu de ce sol et de ce climat nouveau, il ne recommanda aucune précaution nouvelle, et il attendit que les moindres détails lui fussent dictés par son Empereur. Ils furent oubliés. Cette négligence ou cette imprévoyance eut des suites funestes. Dans une armée dont chaque partie était commandée par un maréchal, un prince, ou même un roi, on compta trop peut-être les uns sur les autres. D'ailleurs Berthier n'ordonnait rien de lui-même : il se contentait de répéter fidèlement la lettre même des volontés de Napoléon ; car pour leur esprit, soit fatigue ou habitude, il lui arrivait sans cesse de confondre la partie positive de ces instructions avec leur partie conjecturale.

Cependant Napoléon rallie ses corps d'armée ; les revues qu'il passe dans le Kremlin sont plus fréquentes ; il réunit en bataillons tous les cavaliers démontés, et il prodigue les récompenses. Les trophées et tous les blessés transportables partent pour Mojaïsk ; le reste est réuni dans le grand hôpital *des enfants trouvés ;* on y place des chirurgiens français ; les blessés russes, mêlés aux nôtres, seront leur sauvegarde.

Mais il était trop tard. Au milieu de ces préparatifs, et dans l'instant où Napoléon passait en revue, dans la première cour du Kremlin, les divisions de Ney, tout à coup le bruit se répand autour de lui que le canon gronde vers Winkovo. On fut quelque temps sans oser l'en avertir : les uns par incrédulité ou incertitude, et redoutant un premier mouvement d'impatience ; quelques autres par mollesse, hésitant à provoquer un signal terrible, ou par crainte d'être envoyés pour vérifier cette assertion et de s'exposer à une course fatigante.

Enfin Duroc se détermine. L'Empereur changea d'abord de visage ; puis il se remit promptement, et continua sa revue. Mais un aide de camp, le jeune Béranger, accourt. Il annonce que la première ligne de Murat a été surprise et culbutée ; sa gauche tournée à la faveur des bois, son flanc attaqué, sa retraite coupée ; que douze canons, vingt caissons, trente fourgons sont pris, deux généraux tués, trois à quatre mille hommes perdus, et le bagage ; qu'enfin le roi est blessé. Il n'a pu arracher à l'ennemi les restes de son avant-garde que par des charges multipliées sur les troupes nombreuses qui déjà occupaient, derrière lui, le grand chemin, sa seule retraite.

Cependant l'honneur est sauvé. L'attaque de front, conduite par Kutusof, a été molle ; Poniatowski, à quelques lieues à droite, a résisté glorieusement ; Murat et les carabiniers, par des efforts surnaturels, ont arrêté Bagawout près d'entrer dans notre flanc gauche ; ils ont rétabli le combat. Claparède et Latour-Maubourg ont nettoyé le défilé de Spas-kaplia, qu'occupait déjà Platof, à deux lieues en arrière de notre ligne. Deux généraux russes sont tués, d'autres blessés, la perte des ennemis est considérable ; mais il leur reste l'avantage de l'attaque, nos canons, notre position, enfin la victoire.

Pour Murat, il n'a plus d'avant-garde : l'armistice avait perdu la moitié des restes de sa cavalerie, ce combat l'a achevée ; ses débris, exténués de faim, pourraient à peine fournir une charge. Et voilà la guerre recommencée ! C'était le 18 octobre.

A cette nouvelle, Napoléon retrouve le feu de ses premières années. Mille ordres d'ensemble et de détail, tous différents, tous d'accord, tous nécessaires, jaillissent à la fois de son génie impétueux ! La nuit n'est point encore venue, et déjà toute son armée est en mouvement. L'Empereur lui-même,

avant que le jour du 19 octobre l'éclaire, sort de
Moscou : il s'écrie : « Marchons sur Kalougha, et
« malheur à ceux qui se trouveront sur mon pas-
« sage ! »

———————

V

MALO-IAROSLAVETZ

Dans la partie méridionale de Moscou, près de l'une de ses portes, un de ses plus larges faubourgs se divise en deux grandes routes ; toutes deux vont à Kalougha : l'une, celle de gauche, est la plus ancienne ; l'autre est neuve. C'était sur la première que Kutusof venait de battre Murat. Ce fut par cette même route que Napoléon sortit de Moscou, le 19 octobre, en annonçant à ses officiers qu'il allait regagner les frontières de la Pologne par Kalougha et Smolensk. Puis, montrant un ciel toujours pur, il leur demanda : « Si dans ce soleil « brillant ils ne reconnaissaient pas son étoile ! » Mais cet appel à sa fortune et l'expression sinistre de ses traits démentaient la sécurité qu'il affectait !

Napoléon, entré dans Moscou avec quatre-vingt-dix mille combattants et vingt mille malades et blessés, en sortait avec plus de cent mille combattants ; il n'y laissait que douze cents malades. Son

séjour, malgré les pertes journalières, lui avait donc
servi à reposer son infanterie, à compléter ses munitions, à augmenter ses forces de dix mille hommes,
et à protéger le rétablissement ou la retraite d'une
grande partie de ses blessés. Mais, dès cette première journée, il put remarquer que sa cavalerie
et son artillerie se traînaient plutôt qu'elles ne marchaient.

Un spectacle fâcheux ajoutait aux tristes pressentiments de notre chef. L'armée, depuis la veille,
sortait de Moscou sans interruption. Dans cette
colonne de cent quarante mille hommes et d'environ cinquante mille chevaux de toute espèce, cent
mille combattants marchant à la tête, avec leurs
sacs, leurs armes, plus de cinq cent cinquante
canons et deux mille voitures d'artillerie, rappelaient encore cet appareil terrible de guerriers vainqueurs du monde. Mais le reste, dans une proportion effrayante, ressemblait à une horde de Tartares après une heureuse invasion. C'était, sur trois
ou quatre files d'une longueur infinie, un mélange,
une confusion de calèches, de caissons, de riches
voitures et de chariots de toute espèce. Ici, des trophées de drapeaux russes, turcs et persans, et cette
gigantesque croix du grand Yvan ; là, des paysans
russes, avec leurs barbes, conduisant ou portant
notre butin, dont ils font partie ; d'autres, traînant
à force de bras jusqu'à des brouettes pleines de tout
ce qu'ils ont pu emporter. Les insensés n'atteindront
pas ainsi la fin de la première journée; mais devant

leur folle avidité huit cents lieues de marche et de combats disparaissent !

On remarquait surtout, dans cette suite d'armée, une foule d'hommes de toutes les nations, sans uniformes, sans armes, et des valets jurant dans toutes les langues, et faisant avancer, à force de cris et de coups, des voitures élégantes, traînées par des chevaux nains attelés de cordes. Elles sont pleines de butin arraché à l'incendie, ou de vivres. Elles portent aussi des femmes françaises avec leurs enfants. Jadis ces femmes furent d'heureuses habitantes de Moscou ; elles fuient aujourd'hui la haine des Moscovites, que l'invasion a appelée sur leurs têtes ; l'armée est leur seul asile. Quelques filles russes, captives volontaires, suivaient aussi.

On croyait voir une caravane, une nation errante, ou plutôt une de ces armées de l'antiquité, revenant toute chargée d'esclaves et de dépouilles après une grande destruction.

On ne concevait pas comment la tête de cette colonne pourrait traîner et soutenir, pendant une si longue marche, une aussi lourde masse d'équipages.

Malgré la largeur du chemin et les cris de son escorte, Napoléon avait peine à se faire jour au travers de cette immense cohue. Il ne fallait sans doute que l'embarras d'un défilé, quelques marches forcées, ou une boutade de cosaques, pour nous débarrasser de tout cet attirail ; mais le sort ou l'ennemi avaient seuls le droit de nous alléger ainsi. Pour l'Empereur, il sentait bien qu'il ne pouvait ni ôter ni reprocher à ses soldats ce fruit de tant de travaux. D'ailleurs, les vivres cachaient le butin ; et lui, qui ne pouvait pas donner aux siens les subsistances qu'il leur devait, pouvait-il leur défendre d'en emporter ? Enfin, les transports militaires manquant, ces voitures étaient, pour les malades et les blessés, la seule voie de salut.

Napoléon se dégagea donc, en silence, de l'immense attirail qu'il entraînait après lui, et s'avança sur la vieille route de Kalougha. Il poussa dans cette direction pendant quelques heures, annonçant qu'il allait vaincre Kutusof sur le champ même de sa victoire. Mais tout à coup, au milieu du jour, à la hauteur du château de Krasnopachra, où il s'arrêta, il tourna subitement à droite avec son armée, et gagna, en trois marches, et à travers champs, la nouvelle route de Kalougha.

Au milieu de cette manœuvre la pluie le surprit, gâta les chemins de traverse, et le força d'y séjourner. Ce fut un grand malheur. On ne tira qu'avec peine nos canons de ces bourbiers.

Toutefois l'Empereur avait masqué son mouvement par le corps de Ney et les débris de la cavalerie de Murat, restés derrière la Motscha et à Woronowo. Kutusof, trompé par ce simulacre, attendit encore la Grande Armée sur l'ancienne route, tandis que le 23 octobre, transportée tout entière sur la nouvelle, elle n'avait plus qu'une marche à faire pour passer paisiblement à côté de lui, et pour le devancer vers Kalougha.

Une lettre de Berthier à Kutusof, datée du premier jour de cette marche de flanc, fut à la fois une dernière tentative de paix, et peut-être une ruse de guerre. Elle resta sans réponse satisfaisante.

Le 23, le quartier impérial était à Borowsk. Cette nuit fut douce pour l'Empereur : il apprit qu'à six heures du soir Delzons et sa division avaient, à quatre lieues devant lui, trouvé vide Malo-Iaroslavetz et les bois qui la dominent ; c'était une position forte, à portée de Kutusof, et le seul point sur lequel il pouvait nous couper la nouvelle route de Kalougha.

L'Empereur voulut d'abord assurer ce succès par sa présence : l'ordre de marche fut même donné, on ignore pourquoi il le retira. Il passa toute cette soirée à cheval, non loin de Borowsk, sur la grande route, du côté où il supposait Kutusof. Il examinait, au travers d'une grosse pluie, le terrain, comme s'il eût pu devenir un champ de bataille. Le lendemain 24, il apprit qu'on disputait à Delzons la possession de Malo-Iaroslavetz ; il ne s'en émut guère, soit confiance, soit incertitude dans ses projets.

Il sortait donc de Borowsk, tard et sans se hâter quand le bruit d'un combat très vif arriva jusqu'à lui. Alors il s'inquiète ; il court se placer sur une hauteur, et il écoute : « Les Russes l'avaient-ils « prévenu ? Sa manœuvre était-elle manquée ? « N'avait-il point mis assez de rapidité dans sa

« marche, où il s'agissait de dépasser le flanc
« gauche de Kutusof ? »

En effet, on dit qu'il y eut dans tout ce mouvement un peu de l'engourdissement qui suit un long
repos. Moscou n'est séparée de Malo-Iaroslavetz
que par cent dix verstes : quatre journées suffisaient
pour les franchir ; on en mit six. Mais l'armée, sur-
chargée de vivres et de butin, était lourde, les chemins étaient marécageux. On avait été forcé de
sacrifier tout un jour au passage de la Nara et de
son marais, ainsi qu'au ralliement des différents
corps. D'ailleurs, en défilant si près de l'ennemi, il
fallait marcher serré pour ne pas lui prêter un flanc
trop allongé. Quoi qu'il en soit, on peut dater tous
nos malheurs de ce séjour.

Cependant l'Empereur écoute encore ; le bruit
augmente : « Est-ce une bataille ? » s'écrie-t-il.
Chaque décharge le déchire, car il ne s'agissait plus
pour lui de conquérir, mais de conserver, et il presse
Davout qui le suit ; mais ce maréchal n'arriva
près du champ de bataille qu'avec la nuit, quand
les feux s'affaiblissaient, quand tout était décidé.

L'Empereur vit la fin du combat, mais sans pouvoir secourir le vice-roi. Une bande de cosaques
de Twer faillit prendre, à peu de distance de lui,
l'un de ses officiers.

Quand la nuit fut venue, un général envoyé par
le prince Eugène, lui vint tout expliquer :

« Hier, Delzons ne trouva point l'ennemi à
« Malo-Iaroslavetz ; mais il ne crut pas devoir

« placer toute sa division dans la ville haute, au
« delà d'une rivière, d'un défilé, et sur la crête
« d'un précipice dans lequel une surprise nocturne
« aurait pu la jeter. Il est donc resté sur cette rive
« basse de la Louja, et n'a fait occuper la ville et
« observer la plaine haute que par deux bataillons.

« La nuit finissait ; il était quatre heures, tout
« dormait encore dans les bivouacs de Delzons,
« hors quelques sentinelles, quand tout à coup les
« Russes de Doctorof sortent des bois avec des cris
« épouvantables. Nos sentinelles sont renversées
« sur leurs postes, les postes sur leurs bataillons,
« les bataillons sur la division ; ce n'était point un
« coup de main, car les Russes avaient montré
« du canon ! Dès le commencement de l'attaque
« ses éclats avaient été à trois lieues de là, porter
« au vice-roi la nouvelle d'un combat sérieux. »

Le rapport ajoutait : « Qu'alors le prince était
« accouru avec quelques officiers ; que ses divisions
« et sa garde l'avaient suivi précipitamment. A me-
« sure qu'il s'est approché, un vaste amphithéâtre
« tout animé s'est déployé devant lui; La Louja en
« marquait le pied, et déjà une nuée de tirailleurs
« russes disputaient ses rives. »

Derrière eux, et du haut des escarpements de la
ville, leur avant-garde plongeait ses feux sur Delzons ; au delà, sur la plaine haute, toute l'armée de
Kutusof accourait, en deux longues et noires colonnes. On les voyait se prolonger et se retrancher
sur cette pente rase, d'une demi-lieue de rayon, d'où

elles dominaient et embrassaient tout par leur nombre et leur position ; déjà même elles s'établis-
saient en travers de cette vieille route de Kalougha,
libre hier, et que nous étions maîtres d'occuper et de
parcourir, mais que désormais Kutusof pourra
défendre pied à pied.

En même temps l'artillerie ennemie a profité des
hauteurs qui, de son côté, bordent la rivière ; ses
feux traversent le fond du repli dans lequel Delzons et ses troupes sont engagés. La position était
intenable, et toute hésitation funeste. Il fallait en
sortir, ou par une prompte retraite ou par une
attaque impétueuse ; mais c'était devant nous qu'é-
tait notre retraite, et le vice-roi a ordonné l'attaque.

Après avoir franchi la Louja sur un pont étroit,
la grande route de Kalougha entre dans Malo-Iaroslavetz en suivant le fond d'un ravin qui monte
dans la ville. Les Russes remplissaient en masse
ce chemin creux ; Delzons et ses Français s'y enfoncent la tête baissée ; les Russes, rompus, sont
renversés : ils cèdent, et bientôt nos baïonnettes
brillent sur les hauteurs.

Delzons, se croyant sûr de la victoire, l'annonça.
Il n'avait plus qu'une enceinte de bâtiments à envahir, mais ses soldats hésitèrent. Lui s'avança ; et
il les encourageait du geste, de la voix, et de son
exemple, quand une balle le frappa au front et
l'étendit par terre. On vit alors son frère se jeter
sur lui, le couvrir de son corps, le serrer dans ses
bras, et vouloir l'arracher du feu et de la mêlée ;

mais une seconde balle l'atteignit lui-même, et
tous deux expirèrent ensemble.

Cette perte laissait un grand vide, qu'il fallut
remplir. Guilleminot remplaça Delzons ; et d'abord
il jeta cent grenadiers dans une église et dans un
cimetière, dont ils crénelèrent les murs. Cette église
située à gauche du grand chemin, le dominait ; on
lui dut la victoire. Cinq fois, dans cette journée, ce
poste se trouva dépassé par les colonnes russes qui
poursuivaient les nôtres, et cinq fois ses coups,
ménagés et tirés à propos sur leur flanc et sur leurs
derrières, inquiétèrent et ralentirent leur impulsion ; puis, quand nous reprenions l'offensive,
cette position les mettait entre deux feux, et assurait le succès de nos attaques.

A peine ce général a-t-il fait cette disposition, que
des nuées de Russes l'assaillent ; il est repoussé vers
le pont, où le vice-roi se tenait pour juger des coups
et préparer ses réserves. D'abord les secours qu'il
envoya ne vinrent que faibles, les uns après les
autres ; et, comme il arrive toujours, chacun d'eux,
insuffisant pour un grand effort, fut successivement
détruit sans résultat.

Enfin toute la 14e division s'engage ; alors le
combat remonte et regagne une troisième fois les
hauteurs. Mais dès que les Français dépassent les
maisons, dès qu'ils s'éloignent du point central
d'où ils sont partis, dès qu'ils paraissent dans la
plaine, où ils sont à découvert, où le cercle s'agrandit, ils ne suffisent plus : alors écrasés par les feux

de toute une armée, ils s'étonnent et s'ébranlent ; de nouveaux Russes accourent sans cesse, et nos rangs éclaircis cèdent et se brisent, les obstacles du terrain augmentaient leur désordre ; et les voilà encore qui redescendent précipitamment en abandonnant tout.

Mais des obus avaient embrasé derrière eux cette ville de bois : en reculant ils rencontrent l'incendie ; le feu les repousse sur le feu ; les recrues russes, fanatisées, s'acharnent ; nos soldats s'indignent ; on se bat corps à corps : on en voit se saisir d'une main, frapper de l'autre, et, vainqueur ou vaincu, rouler au fond des précipices et dans les flammes sans lâcher prise. Là les blessés expirent, ou étouffés par la fumée, ou dévorés par des charbons ardents. Bientôt leurs squelettes, norcis et calcinés, sont d'un aspect hideux, quand l'œil y démêle un reste de forme humaine.

Cependant tous ne firent pas également bien leur devoir : on remarqua un chef, grand parleur, qui, du fond d'un ravin, employait à pérorer le temps d'agir. Il retenait près de lui, dans ce lieu sûr, ce qu'il fallait de troupes pour l'autoriser à y rester lui-même, laissant le reste s'exposer en détail, sans ensemble, et au hasard.

La 15ᵉ division restait encore. Le vice-roi l'appelle ; elle s'avance en jetant une brigade à gauche dans le faubourg, et une à droite dans la ville. C'étaient des Italiens, des recrues ; c'était la première fois qu'ils combattaient. Ils montèrent en poussant des cris d'enthousiasme, ignorant le danger ou le méprisant, par cette singulière disposition qui rend la vie moins chère dans sa fleur qu'à son déclin, soit que jeune on craigne moins la mort, par l'instinct de son éloignement, ou qu'à cet âge, riche de jours et prodigue de tout, on prodigue sa vie comme les riches leur fortune.

Le choc fut terrible ; tout fut reconquis une quatrième fois, et tout perdu de même. Plus ardents que leurs anciens pour commencer, ils se dégoûtèrent plus tôt, et revinrent, en fuyant, sur les vieux bataillons qui les soutinrent, et qui furent obligés de les ramener au danger.

Ce fut alors que les Russes, enhardis par leur nombre sans cesse croissant et par le succès, descendirent par leur droite pour s'emparer du pont et nous couper toute retraite. Le prince Eugène en était à sa dernière réserve ; il s'engagea lui-même avec sa garde. A cette vue et à ses cris, les restes des 13e, 14e et 15e divisions se raniment : elles font un dernier et puissant effort, et, pour la cinquième fois, la guerre est encore reportée sur les hauteurs.

En même temps le colonel Péraldi et les chasseurs italiens culbutaient, à coups de baïonnette, les Russes qui déjà voyaient la gauche du pont ; et, sans reprendre haleine, enivrés de la fumée et des feux qu'ils ont traversés, des coups qu'ils donnaient, et de leur victoire, ils s'emportèrent au loin dans la plaine, et voulurent s'emparer des canons ennemis ; mais une des crevasses profondes dont le sol

russe est sillonné les arrêta sous un feu meurtrier :
leurs rangs s'ouvrirent, la cavalerie ennemie les
attaqua ; ils furent repoussés jusque dans les jardins du faubourg. Là ils s'arrêtent et se resserrent ;
Durrieu, Gifflinga, Trezel, Français et Italiens, tous
défendent avec acharnement les issues hautes de la
ville, et les Russes, enfin rebutés, reculent et se
concentrent sur la route de Kalougha, entre les
bois et Malo-Iaroslavetz.

C'est ainsi que dix-huit mille Italiens et Français,
ramassés au fond d'un ravin ont vaincu cinquante
mille Russes placés au-dessus de leurs têtes, et secondés par tous les obstacles que peut offrir une
ville bâtie sur une pente rapide !

Toutefois l'armée contemplait avec tristesse ce
champ de bataille, où sept généraux et quatre mille
Français et Italiens venaient d'être blessés ou tués.
La vue des pertes de l'ennemi ne consolait pas ;
elle n'était pas double de la nôtre, et leurs blessés
seraient sauvés. On se rappelait d'ailleurs que,
dans une pareille position, Pierre Ier, en sacrifiant
dix Russes contre un Suédois, avait cru non seulement ne faire qu'une perte égale, mais même
gagner à ce terrible marché. On gémissait surtout
en pensant qu'un choc si sanglant eût pu être épar-
gné.

En effet, des feux qui brillèrent sur notre gauche
dans la nuit du 23 au 24, avertirent du mouvement
des Russes vers Malo-Iaroslavetz ; et cependant on
remarquait qu'on y avait marché languissamment,

qu'une division seule, jetée à trois lieues de tout
secours y avait été négligemment aventurée ; que
les corps d'armée étaient restés hors de portée les
uns des autres. Qu'étaient devenu ces mouvements
rapides et décisifs de Marengo, d'Ulm et d'Eckmühl ? Pourquoi cette marche molle et pesante
dans une circonstance si critique ? Etait-ce notre
artillerie et nos bagages qui nous avaient tant
alanguis ? C'était là ce qu'il y avait de plus vraisemblable.

Quand l'Empereur écouta le rapport de ce combat, il était à quelques pas à droite de la grande
route, au fond d'un ravin, sur le bord du ruisseau
et du village de Ghorodinia, dans une cabane de
tisserand, maison de bois, vieille, délabrée, infecte.
Là il se trouvait à une demi-lieue de Malo-Iaroslavetz, à l'entrée du repli de la Louja. Ce fut dans
cette habitation vermoulue, et dans une chambre
sale, obscure, et partagée en deux par une toile,
que le sort de l'armée et de l'Europe allait se décider !

Les premières heures de la nuit se passèrent à
recevoir des nouvelles. Toutes annonçaient que
l'ennemi se préparait pour le lendemain à une bataille que tous inclinaient à refuser. A onze heures
du soir Bessières entra. Ce maréchal devait son
élévation à d'honorables services et à l'affection de
l'Empereur, qui s'était attaché à lui comme à sa
création. Il est vrai qu'on ne pouvait être favori de
Napoléon comme d'un autre monarque ; qu'il

fallait, du moins, l'avoir suivi, lui être de quelque
utilité, car il sacrifiait peu à l'agréable ; qu'enfin
il fallait avoir été plus que le témoin de tant de victoires ; et l'Empereur, fatigué, s'habituait à regarder par des yeux qu'il croyait avoir formés.

Il venait d'envoyer ce maréchal pour examiner
l'attitude des ennemis. Bessières a obéi ; il a soigneusement parcouru le front de la position des Russes :
« Elle est, dit-il, inattaquable ! — O Ciel ! s'écrie
« l'Empereur en joignant les mains ; avez-vous bien
« vu ! Est-il bien vrai ? M'en répondez-vous ? »
Bessières répète son assertion : il affirme, « que trois
« cents grenadiers suffiraient là pour arrêter une
« armée ! » On vit alors Napoléon croiser ses bras
d'un air consterné, baisser la tête, et rester comme
enseveli dans les plus tristes réflexions : « Son armée
« est victorieuse, et lui vaincu ! Sa route est coupée,
« sa manœuvre déjouée ; Kutusof, un vieillard, un
« Scythe, l'a prévenu ! Et il ne peut accuser son
« étoile ! Le soleil de France ne semble-t-il pas
« l'avoir suivi en Russie ? Hier encore la route de
« Malo-Iaroslavetz n'était-elle pas libre ? Sa for-
« tune ne lui a donc pas manqué ; est-ce lui qui a
« manqué à sa fortune ? »

Perdu dans cet abîme de pensées désolantes, il
tombe dans une si grande contention d'esprit,
qu'aucun de ceux qui l'approchent n'en peut tirer
une parole. A peine, à force d'importunités, par-
vient-on à obtenir de lui un signe de tête. Il veut
enfin prendre quelque repos ; mais une brûlante

insomnie le travaille. Tout le reste de cette cruelle nuit, il se couche, se relève, appelle sans cesse, sans toutefois qu'aucun mot trahisse sa détresse : c'est seulement par l'agitation de son corps qu'on juge de celle de son esprit.

Vers quatre heures du matin, un de ses officiers d'ordonnance, le prince d'Arenberg, vint l'avertir que dans l'ombre de la nuit et des bois, et à la faveur de quelques plis de terrain, des cosaques se glissaient entre lui et ses avant-postes. L'Empereur venait d'envoyer Poniatowski sur sa droite, à Kremenskoé. Il attendait si peu l'ennemi de ce côté, qu'il avait négligé de faire éclairer son flanc droit. Il méprisa donc l'avis de son officier d'ordonnance.

Dès que le soleil du 25 se montra à l'horizon, il monta à cheval et s'avança sur la route de Kalougha, qui n'était plus pour lui que celle de Malo-Iaroslavetz. Pour atteindre le pont de cette ville il fallait qu'il traversât la plaine, longue et large d'une demi-lieue, que la Louja embrasse de son contour : quelques officiers seulement suivaient l'Empereur. Les quatre escadrons de son escorte habituelle, n'ayant pas été avertis, se hâtaient pour le rejoindre, mais ne l'avaient pas encore atteint. La route était couverte de caissons d'ambulance, d'artillerie et de voitures de luxe: c'était l'intérieur de l'armée, chacun marchait sans défiance.

On vit d'abord au loin, vers la droite, courir quelques pelotons, puis de grandes lignes noires s'avancer. Alors des clameurs s'élevèrent ; déjà

quelques femmes et quelques goujats revenaient
sur leurs pas en courant, n'entendant plus rien, ne
répondant à aucune question, l'air tout effaré,
sans voix et sans haleine. En même temps la file
des voitures s'arrêtait incertaine, le trouble s'y
mettait ; les uns voulaient continuer, d'autres retourner : elles se croisèrent, se culbutèrent ; ce fut
bientôt un tumulte, un désordre complet.

L'Empereur regardait et souriait, s'avançant
toujours, et croyant à une terreur panique. Ses
aides de camp soupçonnaient des cosaques, mais ils
les voyaient marcher si bien pelotonnés, qu'ils en
doutaient encore ; et si ces misérables n'eussent pas
hurlé en attaquant, comme ils le font tous pour
s'étourdir sur le danger, peut-être que Napoléon
ne leur eût pas échappé. Ce qui augmenta le péril,
c'est qu'on prit d'abord ces clameurs pour des cris
de « *Vive l'Empereur !* »

C'était Platof et six mille cosaques qui, derrière
notre avant-garde victorieuse, avaient tenté de
traverser la rivière, la plaine basse et le grand
chemin, en enlevant tout sur leur passage ; et dans
cet instant même où l'Empereur, tranquille au milieu de son armée et des replis d'une rivière ravi-
neuse, s'avançait en ne voulant pas croire à un
projet si audacieux, ils l'exécutaient !

Une fois lancés ils s'approchèrent si rapidement,
que Rapp n'eut que le temps de dire à l'Empereur : « Ce sont eux, retournez ! » L'Empereur, soit
qu'il vît mal, soit répugnance à fuir, s'obstina ;

et il allait être enveloppé, quand Rapp saisit la bride
de son cheval et le fit tourner en arrière, en lui criant
« Il le faut ! » Et réellement il convenait de fuir.
La fierté de Napoléon ne put s'y décider. Il mit
l'épée à la main, le prince de Neuchâtel et le grand
écuyer l'imitèrent ; et, se plaçant sur le côté gauche
de la route, ils attendirent la horde. Quarante pas
les en séparaient à peine. Rapp n'eut que le temps
de se retourner et de faire face à ces barbares,
dont le premier enfonça si violemment sa lance
dans le poitrail de son cheval, qu'il le renversa. Les
autres aides de camp et quelques cavaliers de la
garde dégagèrent ce général. Cette action, le courage
de Lecoulteux, les efforts d'une vingtaine d'officiers et de chasseurs, et surtout la soif de ces barbares pour le pillage, sauvèrent l'Empereur !

Pourtant ils n'avaient qu'à étendre la main pour
le saisir ; car, au même moment, la horde, en traversant la grande route, y culbuta tout, chevaux,
hommes, voitures, blessant et tuant les soldats du
train qu'ils entraînaient dans les bois pour les dépouiller ; puis, détournant les chevaux attelés aux
canons, ils les emmenaient à travers champs. Mais
ils n'eurent qu'une victoire d'un instant, un triomphe de surprise. La cavalerie de la garde accourut :
à cette vue, ils lâchèrent prise, ils s'enfuirent, et ce
torrent s'écoula, en laissant, il est vrai, de fâcheuses
traces, mais en abandonnant tout ce qu'il entraînait.

Cependant plusieurs de ces barbares s'étaient

montrés audacieux jusqu'à l'insolence. On les avait
vus se retirer à travers l'intervalle de nos escadrons,
au pas, et en rechargeant tranquillement leurs armes. Ils comptaient sur la pesanteur de nos cavaliers d'élite et sur la légèreté de leurs chevaux,
qu'ils pressent avec un fouet. Leur fuite s'était opé-
rée sans désordre : ils avaient fait face plusieurs fois,
sans attendre, il est vrai, jusqu'à la portée du feu,
de sorte qu'ils avaient à peine laissé quelques blessés et pas un prisonnier. Enfin, ils nous avaient
attirés sur des ravins hérissés de broussailles, où
leurs canons, qui les y attendaient, nous avaient
arrêtés. Tout cela faisait réfléchir. Notre armée
était usée, et la guerre renaissait toute neuve et
entière !

L'Empereur, frappé d'étonnement qu'on eût osé
l'attaquer, s'arrêta jusqu'à ce que la plaine fût
nettoyée ; puis il regagna Malo-Iaroslavetz, où le
vice-roi lui montra les obstacles vaincus la veille.

La terre elle-même en disait assez. Jamais champ
de bataille ne fut d'une plus terrible éloquence !
Ses formes prononcées, ses ruines toutes sanglantes;
les rues, dont on ne reconnaissait plus la trace qu'à
la longue traînée de morts et de têtes écrasées par
les roues des canons ; des blessés, qu'on apercevait
encore sortant des décombres, et se traînant avec
leurs habits, leurs cheveux, et leurs membres à
demi consumés, en poussant des cris lamentables ;
enfin le bruit lugubre des tristes et derniers honneurs
que les grenadiers rendaient aux restes de leurs colo-

nels et de leurs généraux tués ; tout attestait le
choc le plus acharné. L'Empereur, dit-on, n'y vit
que de la gloire ; il s'écria : « Que l'honneur d'une
« si belle journée appartenait tout entier au prince
« Eugène ! » Mais, déjà saisi d'une funeste impression, ce spectacle l'ébranla. Il s'avança ensuite
dans la plaine haute.

Mes compagnons ! vous le rappelez-vous, ce
champ funeste, où s'arrêta la conquête du monde,
où vingt ans de victoires vinrent échouer, où commença le grand écroulement de notre fortune ? Vous
représentez-vous encore cette ville bouleversée et
sanglante, ces profonds ravins, et les bois qui environnent cette plaine haute, et en font comme un
champ clos ? D'un côté, les Français venant du
nord qu'ils évitent ; de l'autre, à l'entrée des bois,
les Russes gardant le sud, et cherchant à nous repousser sur leur puissant hiver ; Napoléon entre ces
deux armées au milieu de cette plaine ses pas et ses
regards errant du midi à l'ouest sur les routes de
Kalougha et de Medyn. Toutes deux lui sont fermées : sur celle de Kalougha Kutusof et cent vingt
mille hommes paraissent prêts à lui disputer vingt
lieues de défilés ; du côté de Medyn, il voit une cavalerie nombreuse : c'est Platof et ces mêmes hordes
qui viennent de pénétrer dans le flanc de l'armée,
qui l'ont traversée de part en part et qui en sont
ressorties chargées de butin pour se reformer sur
son flanc droit où des renforts et leur artillerie les
ont attendus. C'est de ce côté que les yeux de l'Em-

pereur se sont attachés le plus longtemps, qu'il a
consulté ses cartes, écouté ses chefs, et apprécié
tout ce qu'avait de critique sa position, par l'extrême violence de leurs dissentiments, dont sa présence ne peut contenir l'expression. Puis, tout chargé
de regrets et de tristes pressentiments, on l'a vu
revenir lentement dans son quartier général.

Murat, le prince Eugène, Berthier, Davout et
Bessières l'avaient suivi. Cette chétive habitation
d'un obscur artisan renfermait un Empereur, deux
rois, trois généraux d'armée ! Ils allaient y décider de l'Europe, et de l'armée qui l'avait conquise ! Smolensk était le but. Y marchera-t-on par
Kalougha, Medyn ou Mojaïsk ? Cependant Napoléon est assis devant une table ; sa tête s'appuie
sur ses mains qui cachent ses traits, et sans doute
aussi la détresse qu'ils expriment.

On respectait un silence plein de destinées si
imminentes, quand Murat, qui ne marchait que par
bonds, se fatigue de cette hésitation. N'écoutant que
son génie, tout entier dans la chaleur de son sang, il
s'élance hors de cette incertitude par un de ces premiers mouvements qui élèvent ou précipitent !

Il se lève, il s'écrie : « Qu'on pourra l'accuser
« encore d'imprudence, mais qu'à la guerre c'est
« aux circonstances à décider de tout, et à donner
« à chaque chose son nom ; que là où il n'y a plus
« qu'à attaquer, la prudence devient témérité, et
« la témérité prudence ; que s'arrêter est impossi-
« ble, fuir dangereux ; qu'il faut donc poursuivre.

« Qu'importent cette attitude menaçante des Rus-
« ses, et leurs bois impénétrables ? Il les méprise !
« Qu'on lui donne seulement les restes de la cava-
« lerie et celle de la garde, et il va s'enfoncer dans
« leurs forêts, dans leurs bataillons, renverser tout,
« et rouvrir à l'armée la route de Kalougha ! »

Ici Napoléon, soulevant sa tête, fit tomber toute
cette fougue, en disant : « Que c'était assez de témé-
« rités ; qu'on n'avait que trop fait pour la gloire ;
« qu'il était temps de ne plus songer qu'à sauver
« les restes de l'armée ! »

Alors Bessières, soit que son orgueil eût frémi
à l'idée d'obéir au roi de Naples, soit désir de conserver intacte cette cavalerie de la garde, qu'il avait
formée, dont il répondait à Napoléon, et dans laquelle consistait son commandement, Bessières,
qui se sent soutenu, ose ajouter : « Que, pour de
« pareils efforts, dans l'armée, dans la garde même,
« l'élan manquerait. Déjà l'on y disait que, les
« transports étant insuffisants, désormais le vain-
« queur atteint resterait en proie aux vaincus ;
« qu'ainsi toute blessure serait mortelle ; Murat
« serait donc suivi mollement, et dans quelle posi-
« tion ? On venait d'en reconnaître la force. Contre
« quels ennemis ? n'avait-on pas remarqué le
« champ de bataille de la veille, et avec quelle fu-
« reur les recrues russes, à peine armées et vêtues,
« venaient de s'y faire tuer ? » Ce maréchal finit
en prononçant le mot de *retraite*, que l'Empereur
approuva de son silence.

Aussitôt le prince d'Eckmühl déclara que, « puis-
« qu'on se décidait à se retirer, il demandait que
« ce fût par Medyn et Smolensk. » Mais Murat
interrompt Davout ; et, soit inimitié ou découragement, suite ordinaire d'une témérité repoussée, il
s'étonne « qu'on ose proposer à l'Empereur une si
« grande imprudence ! Davout a-t-il juré la perte
« de l'armée ? Veut-il qu'une si longue et si lourde
« colonne aille se traîner, sans guides et incertaine,
« sur une route inconnue, à portée de Kutusof,
« offrant son flanc à tous les coups des ennemis ?
« Sera-ce lui, Davout, qui la défendra ? Pourquoi,
« quand derrière nous Borowsk et Véréia nous con-
« duisent sans danger à Mojaïsk, refuser cette voie
« de salut ? Là des vivres doivent avoir été ras-
« semblés, tout nous y est connu, aucun traître
« ne nous égarera. »

A ces mots, Davout, tout brûlant d'une colère
qu'il concentre avec effort, répond « qu'il propose
« une retraite à travers un sol fertile, sur une route
« vierge, nourricière, grasse, intacte, dans des vil-
« lages encore debout, et par le chemin le plus
« court, afin que l'ennemi ne s'en serve pas pour
« nous couper la route de Mojaïsk à Smolensk,
« celle que désigne Murat ; et quelle route ? un
« désert de sables et de cendres, où des convois
« de blessés s'ajouteront à nos embarras, où nous
« ne trouverons que des débris, des traces de sang,
« des squelettes, et la famine !

« Qu'au reste il doit son avis quand on le lui

« demande ; qu'il obéira à l'ordre qui lui sera con-
« traire avec le même zèle qu'il exécuterait celui
« qu'il aurait inspiré ; mais que l'Empereur seul
« avait le droit de lui imposer silence, et non Murat,
« qui n'était pas son souverain, et qui ne le serait
« jamais ! »

La querelle s'échauffant, Bessières et Berthier
s'interposèrent. Pour l'Empereur, toujours absorbé
dans la même attitude, il paraissait insensible. Enfin
il rompit son silence et ce conseil par ces mots :
« C'est bien, Messieurs ; je me déciderai ! »

Il se décida à se retirer, et ce fut par le chemin qui
d'abord l'éloignait le plus promptement de l'ennemi ; mais il fallut encore un cruel effort pour qu'il
pût s'arracher à lui-même un ordre de marche si
nouveau pour lui ! Cet effort fut si pénible, il coûta
tant à sa fierté, que dans ce combat intérieur il
perdit l'usage de ses sens. Ceux qui le secoururent ont
dit que le rapport d'une autre échauffourée de cosaques, vers Borowsk, à quelques lieues derrière l'armée,
fut le faible et dernier choc qui acheva de le déterminer à cette funeste résolution.

Ce qui est remarquable, c'est qu'il ordonna cette
retraite vers le nord, au même moment où Kutusof
et ces Russes, tout ébranlés du choc de Malo-Iaroslavetz, se retiraient vers le sud.

Dans cette même nuit, une même anxiété avait
agité le camp des Russes. Pendant le combat de
Malo-Iaroslavetz, on avait vu Kutusof ne s'approcher du champ de bataille qu'en tâtonnant, s'arrê-

tant à chaque pas, sondant le terrain, comme s'il eût craint de le voir manquer sous lui, et se faisant arracher successivement les différents corps qu'il envoyait au secours de Doctorof. Il n'osa venir lui-même se placer en travers du chemin de Napoléon qu'à l'heure où les batailles générales ne sont plus à craindre.

Alors Wilson, tout échauffé du combat, était accouru vers lui ; Wilson, cet Anglais actif, remuant, celui qu'on vit en Egypte, en Espagne, et partout l'ennemi des Français et de Napoléon. Il représentait dans l'armée russe les alliés ; c'était, au milieu de la puissance de Kutusof, un homme indépendant, un observateur, un juge même, motifs infaillibles d'aversion ; sa présence était odieuse au vieillard russe, et, la haine ne manquant jamais d'engendrer la haine, tous deux se détestaient.

Wilson lui reproche son inconcevable lenteur : cinq fois, dans une seule journée, elle venait de leur faire manquer la victoire, comme à Vinkovo ; et il lui rappelle ce combat du 18 octobre. En effet, ce jour-là Murat était perdu si Kutusof eût occupé fortement le front des Français par une vive attaque quand Beningsen tournait leur aile gauche. Mais soit insouciance ou lenteur, défauts de la vieillesse ; soit comme le disent plusieurs Russes, que Kutusof fût plus envieux de Beningsen qu'ennemi de Napoléon, le vieillard avait attaqué trop mollement, trop tard, et s'était arrêté trop tôt.

Wilson continue, il l'interpelle ; il lui demande pour le lendemain une bataille décisive.

Mais Wilson est repoussé, et pourtant Kutusof, enfermé avec l'armée française dans cette plaine haute de Malo-Iaroslavetz, se trouve forcé d'y montrer l'appareil le plus menaçant. Il y déploie, le 25, toutes ses divisions, et sept cents pièces d'artillerie. Dans les deux armées on ne doute plus qu'un dernier jour ne soit arrivé ; Wilson y croit lui-même. Il a remarqué que les lignes russes sont adossées à un ravin fangeux que traverse un pont mal sûr. Cette seule voie de retraite, à la vue de l'ennemi, lui paraît impraticable : il faut enfin que Kutusof vainque ou périsse, et l'Anglais sourit à l'espoir d'une bataille décisive : que son issue soit fatale à Napoléon, ou dangereuse pour la Russie, elle sera sanglante, et l'Angleterre ne peut qu'y gagner.

Toutefois, la nuit venue, inquiet encore, il parcourt les rangs ; il jouit en écoutant Kutusof jurer enfin qu'il va combattre ; il tromphe en voyant tous les généraux russes se préparer pour un choc terrible ; Beningsen seul en doute encore. Néanmoins l'Anglais, en songeant que la position ne permettait plus de reculer, reposait enfin en attendant le jour, quand, vers trois heures du matin, un ordre général de retraite le réveille. Tous ses efforts furent inutiles. Kutusof était décidé à fuir vers le sud, d'abord à Gonczarewo, puis au delà de Kalougha, et déjà, sur l'Oka, tout était prêt pour son passage.

C'était dans ce même instant que Napoléon ordonnait aux siens de se retirer vers le nord, sur Mojaïsk. Les deux armées se tournèrent donc le dos, en se trompant mutuellement par leurs arrières-gardes.

Du côté de Kutusof, Wilson assure que ce fut comme une déroute. On vit de toutes parts arriver à l'entrée du pont, auquel l'armée russe était adossée, la cavalerie, les canons, les voitures et les bataillons. Là toutes ces colonnes, accourant de la droite, de la gauche et du centre, se rencontrent, se pressent, et se confondent en une masse si énorme, si amoncelée, qu'elle perd toute puissance de mouvement. On fut plusieurs heures à ne pouvoir désencombrer et faire dégorger ce passage. Quelques boulets de Davout, qu'il crut perdus, tombèrent dans cette bagarre.

Napoléon n'avait qu'à avancer sur cette foule en désordre. Ce fut lorsque le plus grand effort, celui de Malo-Iaroslavetz, était fait et quand il n'y avait plus qu'à marcher, qu'il se retira. Mais voilà la guerre : on n'essaie, on n'ose jamais assez. *L'ost ignore ce que fait l'ost ;* les avant-postes sont les dehors de ces deux grands corps ennemis ; c'est par là qu'ils s'en imposent. Il y a un abîme entre deux armées en présence !

Au reste, ce fut peut-être parce que l'Empereur avait manqué de prudence à Moscou, qu'ici il manqua de témérité ; il se fatigua ; ces deux échauffourées de cosaques l'avaient dégoûté ; ses blessés l'attendrirent ; tant d'horreurs le rebutèrent ; et, comme les hommes de résolutions extrêmes, n'espérant plus de victoire entière, il se résolut à une retraite précipitée.

Depuis ce moment il ne vit plus que Paris, de même qu'en partant de Paris il n'avait eu en vue que Moscou ! Ce fut le 26 octobre que commença le fatal mouvement de notre retraite. Davout, avec vingt-cinq mille hommes, resta à l'arrière-garde. Pendant qu'il avançait de quelques pas, et jetait, sans le savoir, la terreur chez les Russes, la grande armée, étonnée, leur tournait le dos. Elle marchait les yeux baissés, comme honteuse et humiliée. Au milieu d'elle son chef, sombre et silencieux, paraissait mesurer avec anxiété sa ligne de communication avec les places de la Vistule.

Napoléon, réduit à de si hasardeuses conjectures, arrivait tout pensif à Véréia, quand Mortier se présenta devant lui. Mais je m'aperçois qu'entraînés, comme nous l'étions alors, par cette rapide succession de scènes violentes et d'événements mémorables, mon attention s'est détournée d'un fait digne de remarque. Le 23 octobre, à une heure et demie du matin, l'air avait été ébranlé par une effrayante explosion ; les deux armées s'en étonnèrent un instant, quoiqu'on ne s'étonnât plus guère, s'attendant à tout.

Mortier avait obéi ; le Kremlin n'existait plus : des tonneaux de poudre avaient été placés dans toutes les salles du palais des czars, et cent quatre-vingt-trois milliers sous les voûtes qui les soutenaient. Le maréchal, avec huit mille hommes, était resté sur ce volcan, qu'un obus russe pouvait faire éclater. Là il couvrait la marche de l'armée sur

Kalougha, et la retraite de nos différents convois vers Mojaïsk.

Dans ces huit mille hommes, il y en avait à peine deux mille sur lesquels Mortier pût compter ; les autres, cavaliers démontés, hommes de régiments et de pays divers, sous des chefs nouveaux, sans habitudes pareilles, sans souvenirs communs, enfin sans rien de ce qui lie, formaient ensemble bien moins un corps organisé qu'un attroupement : ils ne devaient pas tarder à se disperser.

Le commandement du génie avait été confié au brave et savant colonel Després. Cet officier arrivait du fond de l'Espagne ; il venait de voir se terminer, au commencement de septembre, la retraite de Madrid à Valence ; il vit commencer, pendant le mois suivant, celle de Moscou à Vilna. Partout nos armes fléchissaient.

On regardait le duc de Trévise comme un homme sacrifié. Les autres chefs, ses vieux compagnons de gloire, l'avaient quitté les larmes aux yeux, et l'Empereur en lui disant « qu'il comptait sur sa fortune, « mais qu'au reste, à la guerre, il fallait bien faire « une part au feu ! » Mortier s'était résigné sans hésitation. Il avait ordre de défendre le Kremlin, puis, en se retirant, de le faire sauter, et d'incendier les restes de la ville. C'était du château de Krasno-Pachra, le 21 octobre, que Napoléon lui avait envoyé ses derniers ordres. Mortier devait, après les avoir exécutés, se diriger sur Véréia, et former l'arrière-garde de l'armée.

Dans cette lettre Napoléon lui recommandait
surtout « de charger sur les voitures de la jeune
« garde, sur celles de la cavalerie à pied, et sur
« toutes celles qu'il trouverait, les hommes qui res-
« taient encore aux hôpitaux. Les Romains, ajou-
« tait-il, donnaient des couronnes civiques à ceux qui
« sauvaient des citoyens ; le duc de Trévise en méri-
« tera autant qu'il sauvera de soldats ! Qu'il les
« fasse monter sur ses chevaux, sur ceux de tout
« son monde. C'est ainsi que lui, Napoléon, a fait à
« Saint-Jean-d'Acre. Il doit d'autant plus prendre
« cette mesure, qu'à peine le convoi aura rejoint
« l'armée, on trouvera à lui donner les chevaux
« et les voitures que la consommation aura rendus
« inutiles au duc de Trévise pour lui avoir sauvé
« cinq cents hommes. Il doit commencer par les
« officiers, ensuite par les sous-officiers, et préférer
« les Français : qu'il assemble donc tous les géné-
« raux et officiers sous ses ordres, pour leur faire
« sentir l'importance de cette mesure, et combien
« ils mériteront de l'Empereur, s'ils lui ont sauvé
« cinq cents hommes ! »

Cependant, à mesure que la Grande Armée était
sortie de Moscou, les cosaques avaient pénétré
dans ses faubourgs, et Mortier s'était retiré vers le
Kremlin, comme un reste de vie se retire vers le
cœur, à mesure que la mort s'empare des extrémités.
Ces cosaques éclairaient dix mille Russes, que commandait Wintzingerode.

Cet étranger, enflammé de haine contre Napoléon,

exalté du désir de reprendre Moscou et de se natu-
raliser en Russie par cet exploit signalé, s'emporta
loin des siens : il traverse en courant la colonie
géorgienne, se précipite vers la ville chinoise et le
Kremlin, rencontre des avant-postes, les méprise,
tombe dans une embuscade ; et, se voyant pris dans
cette ville qu'il venait prendre, il change soudain
de rôle, agite en l'air son mouchoir, et se déclare
parlementaire.

On le conduisit au duc de Trévise. Là il se ré-
clama audacieusement du droit des gens qu'on vio-
lait, disait-il, en sa personne. Mortier lui répondit
« qu'un général en chef qui se présentait ainsi pou-
« vait être pris pour un soldat téméraire, mais
« jamais pour un parlementaire, et qu'il eût à
« rendre sur-le-champ son épée! » Alors, n'espérant
plus en imposer, le général russe se résigna, et convint de son imprudence.

Enfin, après quatre jours de résistance, les Français abandonnent pour jamais cette ville fatale. Ils
emportent avec eux quatre cents blessés ; mais,
en se retirant, ils déposent, dans un lieu sûr et
secret, un artifice habilement préparé qu'un feu
lent dévorait déjà ; ses progrès étaient calculés :
on savait l'heure à laquelle son feu devait atteindre
l'immense amas de poudre renfermé dans les fonda-
tions de ces palais condamnés.

Mortier se hâte de fuir, mais en même temps
qu'il s'éloigne rapidement, d'avides Cosaques et
de sales moujiks, attirés, dit-on, par la soif du pil-

lage, accourent, s'approchent ; ils écoutent, et,
s'enhardissant du calme apparent qui règne dans la
forteresse, ils osent y pénétrer ; ils montent, et
déjà leurs mains avides de pillage s'étendaient,
quand tout à coup tous sont détruits, écrasés, lancés
dans les airs avec ces murs qu'ils venaient dépouiller, et trente mille fusils qu'on y avait abandonnés ;
puis, avec tous ces débris de murailles et ces tronçons d'armes, leurs membres mutilés vont au loin
retomber en une pluie effroyable !

La terre trembla sous les pas de Mortier. A dix
lieues plus loin, à Feminskoé, l'Empereur entendit
cette explosion.

C'est ainsi désormais que tout sera brûlé derrière
lui. En conquérant, Napoléon avait conservé ; en
se retirant, il détruira : soit nécessité, pour ruiner
l'ennemi et ralentir sa marche, à la guerre tout étant
impérieux ; soit représailles, terrible effet des guerres d'invasion, qui d'abord légitiment tous les
moyens de défense, ce qui motive ensuite ceux d'attaque.

Au reste l'agression, dans ce terrible genre de
guerre, n'était point du côté de Napoléon. Le 19
octobre Berthier avait écrit à Kutusof pour l'engager « à régler les hostilités de manière à ce
« qu'elles ne laissassent supporter à l'empire mos-
« covite que les maux indispensables à l'état de
« guerre ; la dévastation de la Russie étant aussi
« nuisible à cet empire qu'elle affectait douloureu-
« sement Napoléon. » Mais Kutusof avait ré-

pondu « qu'il lui était impossible de contenir le
« patriotisme russe » ; ce qui était avouer la guerre
de Tartares que nous faisaient ses milices, et ce qui
autorisait en quelque sorte à la leur rendre.

Les mêmes feux consumèrent Véréia, où Mortier
venait de rejoindre l'Empereur et de lui amener
Wintzingerode. A la vue de ce général allemand,
toutes les douleurs cachées de Napoléon prirent
feu ; son accablement devint colère, et il déchargea
sur cet ennemi tout le chagrin qui l'oppressait.
« Qui êtes-vous ? » lui cria-t-il en croisant les bras
avec violence, comme pour se saisir et se contenir
lui-même : « Qui êtes-vous ? Un homme sans
« patrie ! Vous avez toujours été mon ennemi per-
« sonnel ! Quand j'ai fait la guerre aux Autri-
« chiens, je vous ai trouvé dans leurs rangs ! L'Au-
« triche est devenue mon alliée, et vous avez de-
« mandé du service à la Russie. Vous avez été l'un
« des plus ardents fauteurs de la guerre actuelle.
« Cependant vous êtes né dans les Etats de la Con-
« fédération du Rhin ; vous êtes mon sujet. Vous
« n'êtes point un ennemi ordinaire, vous êtes un
« rebelle ; j'ai le droit de vous faire juger ! Gendar-
« mes d'élite, saisissez cet homme-là ! » Les gendarmes restèrent immobiles, comme des hommes
accoutumés à voir se terminer sans effet ces scènes
violentes, et sûrs d'obéir mieux en désobéissant.

L'Empereur reprit : « Voyez-vous, monsieur, ces
« campagnes dévastées, ces villages en flammes !
« A qui doit-on reprocher ces désastres ? A cin-

« quante aventuriers comme vous, soudoyés par
« l'Angleterre, qui les a jetés sur le continent.
« Mais le poids de cette guerre retombera sur ceux
« qui l'ont provoquée : dans six mois je serai à
« Pétersbourg, et l'on me fera raison de toutes ces
« fanfaronnades ! »

Alors, s'adressant à l'aide de camp de Wintzingerode, prisonnier comme lui : « Pour vous, comte
« Narischkin, je n'ai rien à vous reprocher ; vous
« êtes Russe, vous faites votre devoir ; mais com-
« ment un homme de l'une des premières familles
« de Russie a-t-il pu devenir l'aide de camp d'un
« étranger mercenaire ? Soyez l'aide de camp d'un
« général russe ; cet emploi sera beaucoup plus
« honorable. »

Jusque-là le général Wintzingerode n'avait pu
répondre à ces violentes paroles que par son attitude ; elle fut calme comme sa réplique. Il répondit :
« Que l'empereur Alexandre était son bienfaiteur
« et celui de sa famille ; que tout ce qu'il possédait,
« il le tenait de lui ; que la reconnaissance l'avait
« rendu son sujet ; qu'il était au poste que son bien-
« faiteur lui avait assigné ; qu'il avait donc fait
« son devoir. »

Napoléon ajouta quelques menaces déjà moins
violentes ; et il s'en tint aux paroles, soit qu'il eût
jeté toute sa colère dans un premier mouvement,
soit qu'il n'eût voulu qu'en effrayer tous les Allemands qui seraient tentés de l'abandonner. Ce fut
ainsi du moins qu'autour de lui on apprécia sa

violence. Elle déplut, on n'en tint compte, et chacun s'empressa autour du général prisonnier pour
le rassurer et le consoler. Ces soins continuèrent
jusqu'en Lithuanie, où les cosaques reprirent Wintzingerode et son aide de camp. L'Empereur avait
affecté de traiter avec bonté ce jeune seigneur russe,
en même temps qu'il avait tonné contre ce général ;
ce qui prouve qu'il y avait eu du calcul jusque dans
sa colère.

VI

VIAZMA.

Le 28 octobre nous revîmes Mojaïsk. Cette ville était encore remplie de blessés ; les uns furent emportés, les autres réunis et abandonnés, comme à Moscou, à la générosité des Russes. Napoléon dépassa cette ville de quelques verstes, et l'hiver commença. Ainsi, après un combat terrible et dix jours de marches et de contremarches, l'armée, qui n'avait emporté de Moscou que quinze rations de farine par homme, n'était avancée dans sa retraite que de trois journées. Elle manquait de vivres, et l'hiver l'avait atteinte !

Déjà quelques hommes succombaient. Dès les premiers jours de la retraite, le 26 octobre, on avait brûlé des voitures de vivres que les chevaux ne pouvaient plus traîner. L'ordre de tout incendier derrière soi vint alors ; on obéit en faisant sauter dans les maisons des caissons de poudres dont les attelages étaient épuisés. Mais enfin, l'ennemi ne

reparaissant pas encore, nous semblions ne recommencer qu'un pénible voyage ; et Napoléon,
en revoyant cette route connue, se rassurait, quand
vers le soir, un chasseur russe prisonnier lui fut
envoyé par Davout.

D'abord il le questionna négligemment ; mais le
hasard voulut que ce Moscovite eût quelque idée
des routes, des noms et des distances : il répondit
« que toute l'armée russe marchait par Medyn sur
« Viazma ». Alors l'Empereur devint attentif.
Kutusof voulait-il le prévenir là comme à Malo-
Iaroslavetz, lui couper sa retraite sur Smolensk
comme sur Kalougha, l'enfermer dans ce désert,
sans vivres, sans abri, et au milieu d'une insurrection générale ? Cependant son premier mouvement
le porta à mépriser cet avis ; car soit fierté, soit
expérience, il s'était accoutumé à ne pas supposer
à ses adversaires l'habileté qu'il aurait eue à leur
place.

Ici pourtant il eut un autre motif. Sa sécurité
n'était qu'affectée ; car il était évident que l'armée russe prenait la route de Medyn, celle-là même
que Davout, avait conseillée pour l'armée française ;
et Davout, par amour-propre, ou par inadvertance, n'avait pas confié à sa dépêche seule cette
alarmante nouvelle. Napoléon en craignit l'effet
sur les siens ; c'est pourquoi il parut la repousser
avec mépris ; mais, en même temps, il ordonna que
le lendemain sa garde marchât en toute hâte, et
tant que durerait le jour, jusqu'à Gjatz. Il voulait

y donner un séjour et des vivres à cette troupe d'élite, s'assurer de plus près de la marche de Kutusof, et le prévenir sur ce point.

Mais le temps n'avait point été appelé à son conseil ; il parut s'en venger. L'hiver était si près de nous, qu'il n'avait fallu qu'un coup de vent de quelques minutes pour l'amener âpre, mordant, dominateur ! On sentit aussitôt qu'en ce pays il était indigène, et nous étrangers. Tout changea : les chemins, les figures, les courages ; l'armée devint morne, la marche pénible ; la consternation commença.

A quelques lieues de Mojaïsk, il fallut traverser la Kalougha. Ce n'était qu'un gros ruisseau ; deux arbres, autant de chevalets, et quelques planches suffisaient pour en assurer le passage ; mais le désordre était tel, et l'incurie si grande, que l'Empereur y fut arrêté. On y noya plusieurs canons qu'on voulut faire passer à gué. Il semblait que chaque corps d'armée marchât pour son compte, qu'il n'y eût point d'état-major, point d'ordre général, point de nœud commun, rien qui liât tous ces corps ensemble. Et en effet, l'élévation de chacun de leurs chefs les rendait trop indépendants les uns des autres. L'Empereur lui-même s'était tant grandi qu'il se trouvait à une distance démesurée des détails de son armée ; et Berthier, placé comme intermédiaire entre lui et des chefs, tous rois, princes ou maréchaux, était obligé à trop de ménagements. Il était d'ailleurs insuffisant à cette position.

L'Empereur, arrêté par ce faible obstacle d'un pont rompu, se contenta de faire un geste de mécontentement et de mépris, à quoi Berthier ne répondit que par un air de résignation. Cet ordre de détail ne lui avait pas été dicté par l'Empereur, il ne se croyait donc pas coupable, car Berthier n'était plus qu'un écho fidèle, qu'un miroir, et rien de plus. Toujours prêt, clair et net, la nuit comme le jour, il réfléchissait, il répétait l'Empereur, mais n'ajoutait rien, et ce que Napoléon oubliait était oublié sans ressource.

Après la Kalougha on marchait absorbé, quand plusieurs de nous, levant les yeux, jetèrent un cri de saisissement ! Soudain chacun regarda autour de soi : on vit une terre toute piétinée, nue, dévastée, tous les arbres coupés à quelques pieds du sol, et plus loin des mamelons écrêtés ; le plus élevé paraissait le plus difforme. Il semblait que ce fût un volcan éteint et détruit. Tout autour, la terre était couverte de débris de casques et de cuirasses, de tambours brisés, de tronçons d'armes, de lambeaux d'uniforme, et d'étendards tachés de sang.

Sur ce sol désolé gisaient trente milliers de cadavres à demi dévorés. Quelques squelettes restés sur l'éboulement de l'une de ces collines, dominaient tout. Il semblait que la mort eût établi là son empire : c'était cette terrible redoute, conquête et tombeau de Caulaincourt. Alors le cri : « *C'est le champ de la grande bataille !* » forma un long et triste murmure. L'Empereur passa vite. Personne

ne s'arrêta : le froid, la faim, et l'ennemi pressaient ;
seulement on détournait la tête en marchant, pour
jeter un triste et dernier regard sur ce vaste tombeau de tant de compagnons d'armes sacrifiés
inutilement, et qu'il fallait abandonner !

C'était là que nous avions tracé avec le fer et
le sang l'une des plus grandes pages de notre histoire ! Quelques débris le disaient encore, et bientôt
ils allaient être effacés. Un jour le voyageur passerait avec indifférence sur ce champ semblable à
tous les autres ; cependant, quand il apprendra
que ce fut celui de la grande bataille, il reviendra
sur ses pas, il le fixera longtemps de ses regards
curieux, il en gravera les moindres accidents dans
sa mémoire avide, et sans doute qu'alors il s'écriera :
« Quels hommes ! Quel chef ! Quelle destinée ! Ce
« sont ceux qui, treize ans plus tôt dans le Midi, sont
« venus tenter l'Orient par l'Egypte, et se briser
« contre ses portes ! Depuis, ils ont conquis l'Eu-
« rope ! et les voilà qui reviennent, par le Nord,
« se présenter de nouveau devant cette Asie, pour
« s'y briser encore ! Qui donc les a poussés dans
« cette vie errante et aventureuse ? Ce n'étaient
« point des barbares cherchant de meilleurs cli-
« mats, des habitations plus commodes, des spec-
« tacles plus enivrants, de plus grandes richesses ;
« au contraire, ils possédaient tous ces biens, ils
« jouissaient de tant de délices, et ils les ont aban-
« donnés pour vivre sans abri, sans pain, pour
« tomber chaque jour et successivement, ou morts,

« ou mutilés ! Quelle nécessité les a poussés ? Et
« quoi donc, si ce n'est la confiance dans un chef
« jusque-là infaillible ! l'ambition d'achever un
« grand ouvrage glorieusement commencé ! l'eni-
« vrement de la victoire, et surtout cette insatiable
« passion de la gloire, cet instinct puissant, qui
« pousse l'homme à la mort pour chercher l'im-
« mortalité ! »

Cependant l'armée s'écoulait dans un grave et
silencieux recueillement devant ce champ funeste,
lorsqu'une des victimes de cette sanglante journée
y fut, dit-on, aperçue vivante encore, et perçant l'air
de ses gémissements. On y courut : c'était un soldat
français. Ses deux jambes avaient été brisées dans
le combat ; il était tombé parmi les morts ; il y fut
oublié. Le corps d'un cheval éventré par un obus,
fut d'abord son abri ; ensuite, pendant cinquante
jours, l'eau bourbeuse d'un ravin, où il avait roulé,
et la chair putréfiée des morts servirent d'appareil
à ses blessures et de soutien à son être mourant.
Ceux qui disent l'avoir découvert affirment qu'ils
l'ont sauvé.

Plus loin on revit la grande abbaye ou l'hôpital
de Kolotskoï spectacle plus affreux encore que celui
du champ de bataille. A Borodino c'était la mort,
mais aussi le repos ; là du moins le combat était
fini ; à Kolotskoï, il durait encore : la mort y semblait poursuivre ces victimes échappées au combat ;
elle pénétrait en eux par tous leurs sens à la fois.
Pour la repousser tout manquait excepté des or-

dres inexécutables dans ces déserts, et qui d'ailleurs, donnés de trop haut et de trop loin, passaient
par trop de mains pour être exécutés.

Toutefois, malgré la faim, le froid, et le dénûment
le plus complet, le dévouement de quelques chirurgiens et un reste d'espoir soutenaient encore un
grand nombre de blessés dans ce séjour fétide.
Mais quand ils virent que l'armée repassait, qu'ils
allaient être abandonnés, qu'il n'y avait plus d'espoir, les moins faibles se traînèrent sur le seuil de la
porte ; ils bordèrent le chemin, et nous tendirent
leurs mains suppliantes !

L'Empereur venait d'ordonner que chaque voiture quelle qu'elle fût, reçût un de ces malheureux.
et que les plus faibles fussent, comme à Moscou,
laissés sous la protection de ceux des officiers russes
prisonniers et blessés que nos soins avaient rétablis.
Il s'arrêta pour faire exécuter cet ordre, et ce fut au
feu de ses caissons abandonnés que lui et la plupart
des siens se ranimèrent. Depuis le matin, une multitude d'explosions avertissaient des nombreux sacrifices de cette espèce que déjà l'on était obligé de
faire.

Pendant cette halte on vit une action atroce.
Plusieurs blessés venaient d'être placés sur des charrettes de vivandiers. Ces misérables, dont le butin
de Moscou surchargeait les voitures, ne reçurent
qu'en murmurant ce nouveau poids ; on les contrai-
gnit à l'accepter ; ils se turent. Mais à peine furent.
ils en marche, qu'ils se ralentirent ; ils se laissèrent

dépasser par leur colonne ; alors profitant d'un instant de solitude, ils jetèrent dans ces fossés tous ces infortunés confiés à leurs soins. Un seul survécut assez pour être recueilli par les premières voitures qui passèrent ; c'était un général. On sut par lui ce crime. Un frémissement d'horreur se propagea dans la colonne ; il parvint jusqu'à l'Empereur, car les souffrances n'étaient pas encore assez vives et assez universelles pour éteindre la pitié, et concentrer en soi toutes les affections.

Le soir de cette longue journée, la colonne impériale approcha de Gjatz, surprise de trouver sur son passage des Russes tués tout nouvellement. On remarquait que chacun d'eux avait la tête brisée de la même manière, et que sa cervelle sanglante était répandue près de lui. On savait que deux mille prisonniers Russes marchaient devant, et que c'étaient des Espagnols, des Portugais, et des Polonais qui les conduisaient. Chacun, suivant son caractère, s'indignait, approuvait, ou restait indifférent. Autour de l'Empereur, ces différentes impressions restaient muettes. Caulaincourt éclata, il s'écria : « Que c'était une atroce cruauté ! Voilà « donc la civilisation que nous apportions à la « Russie ! Quel serait sur l'ennemi l'effet de cette « barbarie ? Ne lui laissions-nous pas nos blessés, « une foule de prisonniers ? Lui manquerait-il de « quoi exercer d'horribles représailles ? »

Napoléon garda un sombre silence, mais le lendemain ces meurtres avaient cessé. On se con-

tenta de laisser ces malheureux mourir de faim
dans les enceintes où, pendant la nuit, on les parquait
comme des bêtes. C'était sans doute encore une barbarie ; mais que pouvait-on faire ? Les échanger ?
L'ennemi s'y refusait. Les relâcher ? Ils auraient été
publier le dénûment général, et bientôt, réunis à
d'autres, ils seraient revenus s'acharner sur nos
pas. Dans cette guerre à mort, leur donner la vie
c'eût été se sacrifier soi-même. On fut cruel par
nécessité. Le mal venait de s'être jeté dans une si
terrible alternative !

Au reste, dans leur marche vers l'intérieur de
la Russie, nos soldats prisonniers ne furent pas
traités plus humainement, et là pourtant l'impé-
rieuse nécessité n'était point une excuse.

Enfin on atteignit Gjatz avec la nuit ; mais cette
première journée d'hiver avait été cruellement
remplie : l'aspect du champ de bataille, de ces deux
hôpitaux abandonnés, cette multitude de caissons
livrés aux flammes, ces Russes fusillés, l'excessive
longueur de la route, les premières atteintes de
l'hiver, tout la rendit funeste ; la retraite devenait
fuite ; et c'était un spectacle bien nouveau que Napoléon contraint de céder et de fuir !

Plusieurs de nos alliés en jouissaient avec cette
secrète satisfaction qu'ont les inférieurs de voir leurs
chefs enfin dominés et forcés de plier à leur tour.
Ils se laissaient aller à cette triste envie qu'inspire
un bonheur extraordinaire, dont il est rare qu'on
n'ait pas abusé, et qui choque l'égalité, premier be-

soin des hommes. Mais cette maligne joie s'éteignit bientôt, et se perdit dans un malheur universel !

La fierté souffrante de Napoléon supposa ces pensées. On s'en aperçut dans une halte de ce jour : là, sur les sillons roidis d'un champ gelé et parsemé de débris russes et français, il voulut, par la puissance de ses paroles, se décharger du poids de l'insupportable responsabilité de tant de malheurs. Cette guerre, qu'en effet il avait redoutée, il en voua l'auteur à l'horreur du monde entier. Ce fut *** qu'il en accusa : « C'était ce ministre russe, vendu « aux Anglais, qui l'avait fomentée ! Le perfide y « avait entraîné Alexandre et lui ! »

Ces paroles prononcées devant deux de ses généraux, étaient écoutées avec ce silence commandé par un ancien respect, auquel se joignait déjà celui qu'on devait au malheur. Mais le duc de Vicence, trop impatient peut-être, s'irrita : il fit un geste de colère et d'incrédulité, et rompit, en se retirant brusquement, ce pénible entretien.

De Gjatz l'Empereur gagna Viazma en deux marches. Il y séjourna pour attendre le prince Eugène et Davout, et pour observer le chemin de Medyn et d'Iouknow, qui débouche en cet endroit sur la grande route de Smolensk ; c'était ce chemin de traverse qui, de Malo-Iaroslavetz, devait amener l'armée russe sur son passage. Mais le 1ᵉʳ novembre, après trente-six heures d'attente, Napoléon n'en avait aperçu aucun avant-coureur. Il partit, flottant entre l'espoir que Kutusof s'était endormi et la

crainte que le Russe n'eût laissé Viazma à sa droite,
et ne fût allé lui couper la retraite à deux marches
plus loin, vers Dorogobouje. Toutefois il laissa Ney
à Viazma, pour recueillir le premier le quatrième
corps, et relever, à l'arrière-garde, Davout qu'il jugeait fatigué.

Ils se plaignit de la lenteur de celui-ci : il lui
reprochait d'être encore à cinq marches derrière
lui, quand il n'aurait dû être attardé que de trois
journées ; il jugeait le génie de ce maréchal trop
méthodique pour diriger convenablement une
marche si irrégulière.

Mais la route était, à chaque instant, traversée
par des fonds marécageux. Une pente de verglas y
entraînait les voitures ; elles s'y enfonçaient : pour
les en retirer, il fallait gravir contre la rampe opposée, sur un chemin de glace, où les pieds des chevaux, couverts d'un fer usé et poli. ne pouvaient
pas mordre ; à tout moment eux et leurs conducteurs
tombaient épuisés les uns sur les autres. Aussitôt les
soldats affamés se jetaient sur ces chevaux abattus,
et les dépeçaient ; puis sur des feux faits des débris
de leurs voitures, ils grillaient ces chairs toutes sanglantes, et les dévoraient.

Cependant les artilleurs, troupe d'élite, et leurs
officiers, tous sortis de la première école du monde,
écartaient ces malheureux, et couraient dételer leurs
propres calèches et leurs fourgons, qu'ils abandon-
naient pour sauver les canons. Ils y attelaient leurs
chevaux ; ils s'y attelaient eux-mêmes. Les cosa-

ques, qui voyaient de loin ce désastre, n'osaient en
approcher ; mais, avec leurs pièces légères portées
sur des traîneaux, ils jetaient des boulets dans tout
ce désordre et l'augmentaient.

Le premier corps avait déjà perdu dix mille
hommes. Néanmoins, à force de peines et de sacrifices, le vice-roi et le prince d'Eckmühl étaient
arrivés, le 2 novembre, à deux lieues de Viazma.
Pendant le calme trompeur de cette nuit, l'avant-
garde russe arrivait de Malo-Iaroslavetz, où notre
retraite avait fait cesser la sienne ; elle côtoyait les
deux corps français et celui de Poniatowski, dépassait leurs bivouacs, et disposait ses colonnes d'attaque contre le flanc gauche de la route, dans l'intervalle de deux lieues qu'avaient laissé Davout et
Eugène entre eux et Viazma.

Miloradowitch, celui qu'on appelait le *Murat
russe*, commandait cette avant-garde. C'était, selon
ses compatriotes, un guerrier infatigable, avanta-
geux, impétueux comme ce roi-soldat, d'une sta-
ture aussi remarquable, et, comme lui, favorisé de
la fortune. Jamais on ne le vit blessé, quoiqu'une
foule d'officiers et de soldats eussent été tués autour de lui, et plusieurs chevaux sous lui. Il
méprisait les principes de la guerre ; il mettait même
de l'art à ne pas suivre les règles de cet art, préten-
dant surprendre l'ennemi par des coups inattendus,
car il est prompt à se décider ; il dédaigne de rien
préparer, attendant conseil des lieux et des circonstances, et ne se conduisant que par inspirations

subites ; du reste, général sur le champ de bataille
seulement, sans prévoyance d'administration d'aucun genre, ou privée ou publique, dissipateur cité,
et, ce qui est rare, probe et prodigue.

C'était ce général, avec Platof et vingt mille
hommes, qu'on allait avoir à combattre.

Le 3 novembre, le prince Eugène s'acheminait
vers Viazma, où ses équipages et son artillerie le
précédaient, quand les premières lueurs du jour
lui montrèrent à la fois : sa retraite menacée, à sa
gauche, par une armée ; derrière lui, son arrière-
garde coupée ; à sa droite, la plaine couverte de
traîneurs et de chariots épars, fuyant sous les lances ennemies. En même temps, vers Viazma, il
entend le maréchal Ney, qui devait le secourir,
combattre pour sa propre conservation.

Ce prince n'était point de ces généraux nés de la
faveur, pour qui tout est imprévu et cause d'étonnement, faute d'expérience. Il envisage aussitôt et
le mal et le remède. Il s'arrête, fait volte-face, déploie ses divisions à droite du grand chemin, et
contient dans la plaine les colonnes russes qui cherchaient à lui faire perdre cette route. Déjà même
leurs premières troupes, en débordant la droite des
Italiens, s'en étaient emparées sur un point, et
elles s'y maintenaient, quand Ney lança de Viazma
un de ses régiments, qui les attaqua par derrière, et
leur fit lâcher prise.

En même temps Compans, général de Davout,
joint sa division à l'arrière-garde italienne ; ils se

font jour, et pendant que, réunis au vice-roi, ils combattent, Davout avec sa colonne s'écoule rapidement derrière eux par le côté gauche du grand chemin ; puis, le traversant aussitôt qu'il les a dépassés, il réclame son rang de bataille, prend l'aile droite, et se trouve entre Viazma et les Russes. Le prince Eugène lui cède ce terrain qu'il a défendu, et passe de l'autre côté de la route. Alors l'ennemi commence à s'étendre devant eux, et cherche à déborder leurs ailes.

Par le succès de cette première manœuvre, les deux corps français et italien n'avaient pas conquis le droit de continuer leur retraite, mais seulement la possibilité de la défendre. Ils comptaient encore trente mille hommes ; mais dans le premier corps, celui de Davout, il y avait du désordre; cette manœuvre précipitée, cette surprise, tant de misère, et surtout l'exemple fatal d'une foule de cavaliers démontés, sans armes, et courant çà et là tout égarés de frayeur, le désorganisaient.

Ce spectacle encouragea l'ennemi : il crut à une déroute. Son artillerie, supérieure en nombre, manœuvrait au galop ; elle prenait en écharpe et en flanc nos lignes qu'elle abattait, quand les canons français, déjà à Viazma et qu'on faisait revenir en hâte, se traînaient avec peine. Cependant Davout et ses généraux avaient encore autour d'eux leurs plus fermes soldats. On voyait plusieurs de ces chefs, blessés depuis la Moskowa, l'un le bras en écharpe, l'autre la tête enveloppée de linges, soutenir les meilleurs, retenir les plus ébranlés, s'élancer sur les batteries ennemies, les faire reculer, se saisir même de trois de leurs pièces, enfin étonner à la fois les ennemis et leurs fuyards, et combattre l'exemple du mal par un noble exemple.

Alors Miloradowitch, sentant sa proie lui échapper, demanda du secours ; et ce fut encore Wilson, qui se trouvait partout où il pouvait le plus nuire à la France, qui courut appeler Kutusof. Il trouva le vieux maréchal se reposant avec son armée au bruit du combat. L'ardent Wilson, pressant comme la circonstance, l'excite vainement ; il ne peut l'émouvoir. Transporté d'indignation, il l'appelle *traître ;* il lui déclare qu'à l'instant même un de ses Anglais va courir à Pétersbourg dénoncer sa trahison à son empereur et à ses alliés.

Cette menace n'ébranla point Kutusof : il s'obstina dans son inaction ; soit qu'aux glaces de l'âge se fussent jointes celles de l'hiver, et que, dans son corps tout cassé, son esprit se trouvât affaissé sous le poids de tant de ruines ; soit que, par un autre effet de la vieillesse, on devienne prudent quand on n'a presque plus rien à risquer, et temporisateur quand on n'a plus de temps à perdre. Il parut encore croire, comme à Malo-Iaroslavetz, que l'hiver moscovite pouvait seul abattre Napoléon ; que ce génie, vainqueur des hommes, n'était pas encore assez vaincu par la nature ; qu'il fallait laisser au climat l'honneur de cette victoire, et au ciel russe sa vengeance.

Miloradowitch, réduit à lui-même, s'efforçait alors de rompre le corps de bataille français ; mais ses feux y pouvaient seuls pénétrer ; ils y firent d'affreux ravages. Eugène et Davout s'affaiblissaient ; et comme ils entendaient un autre combat en arrière de leur droite, ils crurent que c'était tout le reste de l'armée russe qui arrivait sur Viazma par le chemin d'Iuknof, dont Ney défendait le débouché.

Ce n'était qu'une avant-garde ; mais le bruit de cette bataille en arrière de leur bataille, et menaçant leur retraite, les inquiéta. Le combat durait déjà depuis sept heures ; les bagages devaient être écoulés, la nuit s'approchait, les généraux français commencèrent donc à se retirer.

Ce mouvement rétrograde accrut l'ardeur de l'ennemi, et, sans un mémorable effort des 25e, 57e et 85e régiments, et la protection d'un ravin, le corps de Davout eût été enfoncé, tourné par sa droite, et détruit. Le prince Eugène, moins vivement attaqué, put effectuer plus rapidement sa retraite au travers de Viazma ; mais les Russes l'y suivirent : ils avaient pénétré dans cette ville, lorsque Davout, poussé par vingt mille hommes, et écrasé par quatre-vingts pièces de canon, voulut y passer à son tour.

La division Morand s'engagea la première dans la ville ; elle marchait avec confiance, croyant le combat fini, quand les Russes, que cachaient les sinuosités des rues, tombèrent tout à coup sur elle. La surprise fut complète, et le désordre grand ;

toutefois Morand rallia, raffermit les siens, rétablit
le combat, et se fit jour.

Ce fut Compans qui termina tout. Il fermait la
marche avec sa division. Se sentant serré de trop
près par les plus braves troupes de Miloradowitch,
il se retourna, courut lui-même sur les plus acharnés, les culbuta, et, s'étant fait ainsi respecter, il
acheva tranquillement sa retraite. Ce combat fut
glorieux pour chacun, et son résultat fâcheux pour
tous : l'ordre et l'ensemble y manquèrent. Il y
aurait eu assez de soldats pour vaincre, s'il n'y avait
pas eu trop de chefs. Ce ne fut que vers deux
heures que ceux-ci se réunirent pour concerter leurs
manœuvres ; encore furent-elles exécutées sans
accord.

Lorsqu'enfin la rivière, la ville de Viazma, la nuit,
une fatigue mutuelle, et le maréchal Ney, eurent
séparé de l'ennemi, le péril étant ajourné et les
bivouacs établis, on se compta. Plusieurs canons
brisés, des bagages et quatre mille morts ou blessés manquaient. Beaucoup de soldats s'étaient dispersés. On avait sauvé l'honneur ; mais il y avait
dans les rangs des vides immenses. Il fallut tout
resserrer, tout réduire, pour mettre quelque ensemble dans ce qui restait. Chaque régiment formait à peine un bataillon, chaque bataillon un peloton. Les soldats n'avaient plus leurs places, leurs
compagnons et leurs chefs accoutumés.

Cette triste réorganisation se fit à la lueur de
l'incendie de Viazma, et au bruit successif des coups

de canon de Ney et de Miloradowitch, dont les re-
tentissements se prolongeaient au travers de la
double obscurité de la nuit et des forêts. Plusieurs
fois ces restes de braves soldats se crurent attaqués,
et se traînèrent à leurs armes. Le lendemain, quand
ils reprirent leurs rangs, ils s'étonnèrent de leur
petit nombre.

Toutefois l'exemple des chefs et l'espoir de retrouver tout à Smolensk, soutenaient les courages,
et surtout l'aspect d'un soleil brillant encore de
cette source universelle d'espoir et de vie, qui semblait contredire et désavouer tous les spectacles
de désespoir et de mort dont nous étions déjà environnés.

Mais le 6 novembre le ciel se déclare. Son azur
disparaît. L'armée marche enveloppée de vapeurs
froides. Ces vapeurs s'épaississent : bientôt c'est
un nuage immense qui s'abaisse et fond sur elle en
gros flocons de neige. Il semble que le ciel descende
et se joigne à cette terre et à ces peuples ennemis
pour achever notre perte ! Tout alors est confondu
et méconnaissable : les objets changent d'aspect ;
on marche sans savoir où l'on est, sans apercevoir
son but ; tout devient obstacle. Pendant que le
soldat s'efforce pour se faire jour au travers de ces
tourbillons de vents et de frimas, les flocons de
neige, poussés par la tempête, s'amoncellent et
s'arrêtent dans toutes les cavités : leur surface cache
des profondeurs inconnues qui s'ouvrent perfidement sous nos pas. Là le soldat s'engouffre, et les

plus faibles s'abandonnant, y restent ensevelis.

Ceux qui suivent se détournent, mais la tourmente leur fouette au visage la neige du ciel et celle qu'elle enlève à la terre ; elle semble vouloir avec acharnement s'opposer à leur marche. L'hiver moscovite, sous cette nouvelle forme, les attaque de toutes parts : il pénètre au travers de leurs légers vêtements et de leur chaussure déchirée. Leurs habits mouillés se gèlent sur eux ; cette enveloppe de glace saisit leurs corps et roidit tous leurs membres ; un vent aigre et violent coupe leur respiration ; il s'en empare au moment où ils l'exhalent, et en forme des glaçons qui pendent par leur barbe autour de leur bouche.

Les malheureux se traînent encore en grelottant, jusqu'à ce que la neige, qui s'attache sous leurs pieds en forme de pierre, quelques débris, une branche, ou le corps de l'un de leurs compagnons, les fasse trébucher et tomber. Là ils gémissent en vain ; bientôt la neige les couvre ; de légères éminences les font reconnaître : voilà leur sépulture ! La route est toute parsemée de ces ondulations, comme un champ funéraire ; les plus intrépides ou les plus indifférents s'affectent ; ils passent rapidement en détournant leurs regards. Mais devant eux, autour d'eux, tout est neige : leur vue se perd dans cette immense et triste uniformité ; l'imagination s'étonne : c'est comme un grand linceul dont la nature enveloppe l'armée ! Les seuls objets qui s'en détachent, ce sont de sombres sapins, des arbres de tombeaux, avec leur funèbre verdure, et la gigantesque immobilité de leurs noires tiges, et leur grande tristesse qui complète cet aspect désolé d'un deuil général, d'une nature sauvage, et d'une armée mourante au milieu d'une nature morte !

Tout, jusqu'à leurs armes, encore offensives à Malo-Iaroslavetz, mais, depuis, seulement défensives, se tourna alors contre eux-mêmes. Elles parurent à leurs bras engourdis un poids insupportable. Dans les chutes fréquentes qu'ils faisaient, elles s'échappaient de leurs mains, elles se brisaient, ou se perdaient dans la neige. S'ils se relevaient, c'était sans elles, car ils ne les jetèrent point, la faim et le froid les leur arrachèrent. Les doigts de beaucoup d'autres gelèrent sur le fusil qu'ils tenaient encore, et qui leur ôtait le mouvement nécessaire pour y entretenir un reste de chaleur et de vie.

Bientôt l'on rencontra une foule d'hommes de tous les corps, tantôt isolés, tantôt par troupes. Ils n'avaient point déserté lâchement leurs drapeaux : c'était le froid, l'inanition qui les avait détachés de leurs colonnes. Dans cette lutte générale et individuelle, ils s'étaient séparés les uns des autres, et les voilà désarmés, vaincus, sans défense, sans chefs, n'obéissant qu'à l'instinct pressant de leur conservation.

La plupart, attirés par la vue de quelques sentiers latéraux, se dispersent dans les champs avec l'espoir d'y trouver du pain et un abri pour la nuit qui

s'approche ; mais dans leur premier passage tout a
été dévasté sur une largeur de sept ou huit lieues ;
ils ne rencontrent que des cosaques et une population armée qui les entourent, les blessent, les dé-
pouillent, et les laissent, avec des rires féroces,
expirer tout nus sur la neige ! Ces peuples, soulevés
par Alexandre et Kutusof, et qui ne surent pas
alors, comme depuis, venger noblement une patrie
qu'ils n'avaient pas pu défendre, côtoient l'armée
sur ses deux flancs, à la faveur des bois. Tous
ceux qu'ils n'ont point achevés avec leurs piques
et leurs haches, ils les ramènent sur la fatale et
dévorante grande route.

La nuit arrive alors, une nuit de seize heures !
Mais, sur cette neige qui couvre tout, on ne sait où
s'arrêter, où s'asseoir, où se reposer, où trouver
quelque racine pour se nourrir, et des bois secs pour
allumer les feux ! Cependant la fatigue, l'obscurité,
des ordres répétés, arrêtent ceux que leurs forces
morales et physiques et les efforts des chefs ont
maintenus ensemble. On cherche à s'établir ; mais
la tempête toujours active disperse les premiers
apprêts des bivouacs. Les sapins, tout chargés de
frimas, résistent obstinément aux flammes ; leur
neige, celle du ciel, dont les flocons se succèdent
avec acharnement, celle de la terre, qui se fond sous
les efforts des soldats et par l'effet des premiers
feux, éteignent ces feux, les forces et les courages.

Lorsqu'enfin la flamme l'emportant s'éleva, autour d'elle les officiers et les soldats apprêtèrent

leurs tristes repas : c'étaient des lambeaux maigres
et sanglants de chair arrachés à des chevaux abattus, et, pour bien peu, quelques cuillerées de farine
de seigle délayée dans de l'eau de neige. Le lendemain, des rangées circulaires de soldats étendus
roides morts marquèrent les bivouacs ; les alentours
étaient jonchés des corps de plusieurs milliers de
chevaux !

Depuis ce jour, on commença à moins compter
les uns sur les autres. Dans cette armée vive, sus-
ceptible de toutes les impressions, et raisonneuse par
une civilisation avancée, le désordre se mit vite ; le
découragement et l'indiscipline se communiquèrent
promptement, l'imagination allant sans mesure
dans le mal comme dans le bien. Dès lors, à chaque
bivouac, à tous les mauvais passages, à tout instant,
il se détacha des troupes encore organisées quelque
portion qui tomba dans le désordre. Il y en eut pourtant qui résistèrent à cette grande contagion d'indiscipline et de découragement : ce furent les officiers, les sous-officiers et des soldats tenaces. Ceux-
là furent des hommes extraordinaires : ils s'encourageaient en répétant le nom de Smolensk dont ils
se sentaient approcher, et où tout leur avait été
promis.

Ce fut ainsi que, depuis ce déluge de neige et le
redoublement de froid qu'il annonçait, chacun,
chef comme soldat, conserva ou perdit sa force
d'esprit, suivant son caractère, son âge, et son tempérament. Celui de nos chefs que jusque-là on avait

vu le plus rigoureux pour le maintien de la discipline, ne se trouva plus l'homme de la circonstance. Jeté hors de toutes ses idées arrêtées de régularité, d'ordre et de méthode, il fut saisi de désespoir à la vue d'un désordre si général, et jugeant avant les autres tout perdu, il se sentit lui-même prêt à tout abandonner.

De Gjatz à Mikalewska, village entre Dorogobouje et Smolensk, il n'arriva rien de remarquable dans la colonne impériale, si ce n'est qu'il fallut jeter dans le lac de Semlewo les dépouilles de Moscou : des canons, des armures gothiques, ornements du Kremlin, et la croix du grand Yvan y furent noyés. Trophées, gloire, tous ces biens auxquels nous avions tout sacrifié, devenaient à charge ; il ne s'agissait plus d'embellir, d'orner sa vie, mais de la sauver. Dans ce grand naufrage, l'armée, comme un grand vaisseau battu par la plus horrible des tempêtes, jetait, sans hésiter, à cette mer de neige et de glace, tout ce qui pouvait appesantir ou retarder sa marche !

Le 3 et le 4 novembre Napoléon avait séjourné à Slawkowo. Ce repos et la honte de paraître fuir enflammèrent son imagination. On l'entendit dicter des ordres, d'après lesquels son arrière-garde, paraissant reculer en désordre, devait attirer les Russes dans une embuscade où lui-même les attendrait ; mais ce vain projet s'évanouit avec la préoccupation qui l'avait enfanté. Le 5 il avait couché à Dorobouje. Il y trouva les moulins à bras commandés pour l'expédition ; on en fit une tardive et bien inutile distribution ; les cantonnements de Smolensk furent alors projetés.

Ce fut le lendemain, à la hauteur de Mikalewska, et le 6 novembre, à l'instant où ces nuées chargées de frimas crevaient sur nos têtes, que l'on vit le comte Daru accourir, et un cercle de vedettes se former autour de lui et de l'Empereur.

Une estafette, la première qui, depuis dix jours, avait pu pénétrer jusqu'à nous, venait d'apporter la nouvelle de cette étrange conjuration (1) tramée, dans Paris même, par un général obscur, et au fond d'une prison. Il n'avait eu d'autres complices que la fausse nouvelle de notre destruction, et de faux ordres à quelques troupes d'arrêter le ministre, le préfet de police et le commandant de Paris. Tout avait réussi par l'impulsion d'un premier mouvement, par l'ignorance et par l'étonnement général ; mais aussi, dès le premier bruit qui s'en était répandu, un ordre avait suffi pour rejeter dans les fers le chef avec ses complices ou ses dupes.

L'Empereur apprenait à la fois leur crime et leur supplice. Ceux qui de loin cherchaient à lire sur ses traits ce qu'ils devaient penser, n'y virent rien ; il se concentra, ses premières et seules paroles à Daru furent : « Eh bien ! si nous étions restés à Moscou ! » Puis il se hâta d'entrer dans une maison

(1) La conspiration Malet.

palissadée qui avait servi de poste de correspondance.

Dès qu'il fut seul avec ses officiers les plus dévoués, toutes ses émotions éclatèrent à la fois par des exclamations d'étonnement, d'humiliation et de colère ! Quelques instants après il fit venir plusieurs autres militaires pour remarquer l'effet que produisait une si étrange nouvelle. Il vit une douleur inquiète, de la consternation, et la confiance dans la stabilité de son gouvernement tout ébranlée. Il put savoir qu'on s'abordait en gémissant, et en répétant qu'ainsi la grande révolution de 1789, qu'on avait crue terminée, ne l'était donc pas. Déjà vieillis par les efforts qu'on avait faits pour en sortir, fallait-il donc s'y replonger de nouveau, et rentrer encore dans la terrible carrière des bouleversements politiques ? Ainsi la guerre nous atteignait partout, et nous pourrions perdre tout à la fois.

Quelques-uns se réjouirent de cette nouvelle, dans l'espoir qu'elle hâterait le retour de l'Empereur en France, qu'elle l'y fixerait, et qu'il n'irait plus se risquer au dehors, n'étant pas sûr du dedans. Le lendemain les souffrances du moment firent cesser les conjectures. Quant à Napoléon, toutes ses pensées le précédaient encore dans Paris, et il s'avançait machinalement vers Smolensk, quand lui-même fut rappelé tout entier au lieu et au moment présent par l'arrivée d'un aide de camp de Ney.

Depuis Viazma ce maréchal avait commencé

à soutenir cette retraite, mortelle pour tant d'autres, et pour lui immortelle ! Jusqu'à Dorogobouje, elle n'avait été inquiétée que par quelques bandes de cosaques, insectes importuns, qu'attiraient nos mourants et nos voitures abandonnées, fuyant partout où l'on portait la main, mais fatiguant par leur retour continuel.

Ce n'était point le sujet du message de Ney. En approchant de Dorogobouje, il avait rencontré les traces du désordre dans lequel étaient tombés les corps qui le précédaient ; il n'avait pu les effacer. Jusque-là il s'était résigné à laisser à l'ennemi des bagages ; mais il avait rougi de honte à la vue des premiers canons abandonnés devant Dorogobouje.

Ce maréchal s'y était arrêté. Là, après une nuit horrible, où la neige, le vent et la famine avaient chassé des feux la plupart de ses soldats, l'aurore, qu'on attend toujours si impatiemment au bivouac, avait amené la tempête, l'ennemi, et le spectacle d'une défection presque générale. En vain lui-même venait de combattre à la tête de ce qui lui restait de soldats et d'officiers ; il se voyait obligé de reculer précipitamment jusque derrière le Dnieper : « c'est de quoi il faisait avertir l'Empereur. »

Il voulait qu'il sût tout. Son aide de camp, le colonel Dalbignac, devait lui dire : « Que, dès « Malo-Iaroslavetz, le premier mouvement de « retraite, pour des soldats qui n'avaient jamais « reculé, avait décontenancé l'armée ; que l'affaire « de Viazma l'avait ébranlée ; et qu'enfin ce déluge

« de neige, et le redoublement de froid qu'il annon-
« çait, en achevait la désorganisation !

« Qu'une multitude d'officiers ayant tout perdu,
« pelotons, bataillons, régiments, divisions même,
« s'ajoutaient aux masses errantes. On les voyait
« par troupes de généraux, de colonels, et d'offi-
« ciers de tous grades, mêlés avec des soldats, et
« marchant à l'aventure, tantôt avec une colonne,
« tantôt avec une autre ; que, l'ordre ne pouvant
« exister devant le désordre, cet exemple entraî-
« nait jusqu'à ces vieux cadres de régiments qui
« avaient traversé toute la guerre de la révolution !

« Qu'on entendait dans les rangs les meilleurs
« soldats se demander pourquoi c'était à eux seuls
« à combattre pour assurer la fuite des autres ; et
« comment on croyait les encourager, quand ils
« entendaient les cris de désespoir qui partaient des
« bois voisins, où les grands convois de leurs bles-
« sés, inutilement traînés depuis Moscou, venaient
« d'être abandonnés. Voilà donc le sort qui les
« attendait ! Qu'avaient-ils à gagner autour du
« drapeau ? Pendant le jour c'étaient des travaux,
« des combats continuels, et la nuit, la famine ;
« jamais d'abris, des bivouacs encore plus meur-
« triers que les combats : la faim et le froid en re-
« poussaient le sommeil, ou si la fatigue l'empor-
« tait un instant, le repos, qui devait refaire, ache-
« vait. Enfin l'aigle ne protégeait plus, il tuait !

« Pourquoi donc s'obstiner autour de lui, pour
« succomber par bataillon, par masse ? Il valait

« mieux se disperser ; et puisqu'il n'y avait plus
« qu'à fuir, disputer de vitesse ; alors ce ne seraient
« plus les meilleurs qui succomberaient ; derrière
« eux les lâches ne dévoreraient plus les restes de
« la grande route ! » Enfin, l'aide de camp devait
dévoiler à l'Empereur toute l'horreur de sa situation. Ney en rejetait la responsabilité.

Mais Napoléon en voyait assez autour de lui pour
juger du reste. Les fuyards le dépassaient ; il sentait qu'il n'y avait plus qu'à sacrifier successivement l'armée, partie par partie, en commençant
par les extrémités, pour en sauver la tête. Quand
donc l'aide de camp voulut commencer, il l'interrompit brusquement par ces mots : « Colonel, je
ne vous demande pas ces détails ! » Celui-ci se tut,
comprenant que, dans ce désastre, désormais irré-
médiable, et où il fallait à chacun toute sa force,
l'Empereur craignait des plaintes qui ne pouvaient
qu'affaiblir celui qui s'y laissait aller et celui qui
les entendait.

Il remarqua l'attitude de Napoléon, celle qu'il
conserva pendant toute cette retraite : elle était
grave, silencieuse et résignée ; souffrant moins de
corps que les autres, mais bien plus d'esprit, et
acceptant son malheur.

En ce moment le général Charpentier lui envoyait
de Smolensk un convoi de vivres. Bessières voulut
s'en emparer ; mais l'Empereur les fit passer sur-
le-champ au prince de la Moskowa, en disant :
« Que c'était à ceux qui se battaient à manger

« avant les autres ! » En même temps il envoya
recommander à Ney « de se défendre assez
« pour lui donner quelque séjour à Smolensk,
« où l'armée mangerait, reposerait, et se réorgani-
« serait. »

Mais si cet espoir soutint les uns dans leur devoir, beaucoup d'autres abandonnèrent tout pour
courir vers ce terme promis à leurs souffrances. Pour
Ney, il vit qu'il fallait une victime, et qu'il était
désigné ; il se dévoua, acceptant tout entier un
danger grand comme son courage ! Dès lors il
n'attache plus son honneur à des bagages, ni même
à des canons, que l'hiver seul lui arrache. Un premier repli du Borysthène en arrête et retient une
partie au pied de ses rampes de glace ; il les sacrifie
sans hésiter, passe cet obstacle, se retourne, et
force le fleuve ennemi qui traversait la route à lui
servir de défense.

Toutefois les Russes s'avançaient à la faveur d'un
bois et de nos voitures abandonnées ; de là, ils fusil-
laient les soldats de Ney ; la moitié de ceux-ci, dont
les armes glacées gèlent les mains engourdies, se
découragent : ils lâchent prise, s'autorisant de leur
faiblesse de la veille, fuyant parce qu'ils avaient fui ;
ce qu'avant ils auraient regardé comme impossible.
Mais Ney se jette au milieu d'eux, arrache une de
leurs armes, et les ramène au feu, que lui-même
recommence, exposant sa vie en soldat, le fusil à la
main, comme lorsqu'il n'était ni époux, ni père, ni
riche, ni puissant et considéré ; enfin, comme s'il

avait encore tout à gagner, quand il avait tout à
perdre ! En même temps qu'il redevint soldat, il
resta général : il s'aida du terrain, s'appuya d'une
hauteur, se couvrit d'une maison palissadée. Ses
généraux et ses colonels, parmi lesquels lui-même
remarqua Fezensac, le secondèrent vigoureusement, et l'ennemi, qui s'attendait à poursuivre,
recula !

Par cette action, Ney donna vingt-quatre heures
de répit à l'armée ; elle en profita pour s'écouler
vers Smolensk. Le lendemain, et tous les jours suivants, ce fut un même héroïsme : de Viazma à
Smolensk il combattit dix jours entiers !

Le 13 novembre il touchait à cette ville, où il
ne devait entrer que le lendemain, et faisait volte-
face pour maintenir l'ennemi, quand tout à coup
les hauteurs, auxquelles il voulait appuyer sa gauche
se couvrirent d'une foule de fuyards. Dans leur
effarement ces malheureux se précipitaient et roulaient jusqu'à lui sur la neige glacée qu'ils teignaient
de leur sang. Une bande de cosaques, qu'on vit
bientôt au milieu d'eux, fit comprendre la cause de
ce désordre. Le maréchal, étonné, ayant fait dissiper
cette nuée d'ennemis, aperçut derrière elle l'armée
d'Italie, revenant sans bagages, sans canons, toute
dépouillée.

Platof l'avait tenue comme assiégée depuis Dorogobouje. Le prince Eugène avait quitté la grande
route près de cette ville, et repris, pour se diriger
sur Vitepsk, celle qui, deux mois avant, l'avait

amené de Smolensk ; mais alors le Wop, qu'il traversa, n'était qu'un ruisseau ; on l'avait à peine
remarqué : on y retrouva une rivière. Elle coulait
sur un lit de fange que resserrent deux rives escarpées. Il fallut trancher ses berges roides et glacées,
et donner l'ordre de démolir, pendant la nuit, les
maisons voisines pour en construire un pont. Le
vice-roi, plus estimé que craint, ne fut point obéi.
Les pontonniers se rebutèrent, et, quand le jour
reparut avec les cosaques, le pont, deux fois rompu,
était abandonné.

Cinq ou six mille soldats, encore en ordre, deux
fois autant d'hommes débandés, de malades et de
blessés, plus de cent canons, leurs caissons, et une
multitude d'équipages, bordaient l'obstacle. Ils
couvraient une lieue de terrain. On tenta un gué
à travers les glaçons que charriait le torrent. Les premiers canons qui se présentèrent atteignirent l'autre
rive ; mais, de moment en moment, l'eau s'élevait
en même temps que le gué se creusait sous les roues
et sous les efforts des chevaux : un chariot s'engrava
d'autres s'y ajoutèrent, et tout fut arrêté.

Cependant, le jour s'avançait ; on s'épuisait en
efforts inutiles ; la faim, le froid et les cosaques devenaient pressants, et le vice-roi se vit enfin réduit
à ordonner l'abandon de son artillerie et de tous ses
bagages. Ce fut alors un spectacle de désolation.
Les possesseurs de ces biens eurent à peine le temps
de s'en séparer : pendant qu'ils choisissent leurs
effets les plus indispensables et qu'ils en chargent

des chevaux, une foule de soldats accourt ; c'est
surtout sur les voitures de luxe qu'ils se précipitent : ils brisent, ils enfoncent tout, se vengeant de
leur misère sur ces richesses, de leurs privations
sur ces jouissances, et les enlevant aux cosaques
qui les regardaient de loin.

C'était aux vivres que la plupart en voulaient.
Ils écartaient et rejetaient, pour quelques poignées
de farine, les vêtements brodés, des tableaux, des
ornements de toute espèce, et des bronzes dorés. Le
soir ce fut un singulier aspect que celui de ces richesses de Paris et de Moscou, de ce luxe de deux
des plus grandes villes du monde, gisant épars et
dédaigné sur une neige sauvage et déserte !

En même temps la plupart des artilleurs, désespérés, enclouent leurs pièces, et dispersent leur
poudre. D'autres en établissent une traînée qu'ils
poussent jusque sous des caissons arrêtés au loin,
en arrière de nos bagages. Ils attendent que les
cosaques les plus avides soient accourus, et, quand
ils les voient en grand nombre, tous acharnés au
pillage, ils jettent la flamme d'un bivouac sur cette
poudre. Le feu court, et dans l'instant il atteint
son but : les caissons sautent, les obus éclatent, et
ceux des cosaques qui ne sont pas détruits se dispersent épouvantés !

Quelques centaines d'hommes, qu'on appelait
encore la 14ᵉ division, furent opposés à ces hordes, et
suffirent pour les contenir hors de portée jusqu'au
lendemain. Tout le reste, soldats, administrateurs,

femmes et enfants, malades et blessés, poussés par
les boulets ennemis, se pressaient sur la rive du
torrent. Mais à la vue de ses eaux grossies, de leurs
glaçons massifs et tranchants et de la nécessité
d'augmenter, en se plongeant dans ces flots glacés,
le supplice d'un froid déjà intolérable, tous hésitèrent.

Il fallut qu'un Italien, le colonel Delfanti, s'élan-
çât le premier. Alors les soldats s'ébranlèrent et la
foule suivit. Il resta les plus faibles, les moins déter-
minés, ou les plus avares. Ceux qui ne surent point
rompre avec leur butin, et quitter la fortune qui les
quittait, ceux-là furent surpris dans leur hésitation. Le lendemain on vit de sauvages cosaques,
au milieu de tant de richesses, être encore avides
des vêtements sales et déchirés de ces malheureux
devenus leurs prisonniers : ils les dépouillèrent, et
les réunirent ensuite en troupeaux, puis il les faisaient marcher nus, sur la neige, à grands coups du
bois de leurs lances.

L'armée d'Italie, ainsi démantelée, toute péné-
trée des eaux du Wop, sans vivres, sans abri, passa
la nuit sur la neige, près d'un village où ses généraux
voulurent en vain se loger. Leurs soldats assiégeaient ces maisons de bois. Ces malheureux fon-
daient en désespérés et par essaims sur chaque habitation, profitant de l'obscurité qui les empêchait de
reconnaître leurs chefs et d'en être reconnus. Ils
arrachaient tout, portes, fenêtres, et jusqu'à la
charpente des toits, peu touchés de réduire d'autres,

quels qu'ils fussent, à bivouaquer comme eux-mêmes.

Leurs généraux les repoussaient inutilement : ils se laissaient frapper sans se plaindre, sans se révolter, mais sans s'arrêter, même ceux des gardes royale et impériale ; car, dans toute l'armée, c'était, chaque nuit, des scènes pareilles. Les malheureux restaient silencieusement et activement acharnés sur ces murs de bois, qu'ils dépéçaient de tous les côtés à la fois, et qu'après de vains efforts leurs chefs étaient obligés d'abandonner, de peur qu'ils ne s'écroulassent sur eux. C'était un singulier mélange de persévérance dans leur dessein, et de respect pour l'emportement de leurs généraux.

Le feux bien allumés, ils passèrent la nuit à se sécher au bruit des cris, des imprécations, des gémissements de ceux qui achevaient de franchir le torrent, ou qui, du haut de ses berges, roulaient et se perdaient dans ses glaçons.

C'est un fait honteux pour l'ennemi, qu'au milieu de ce désastre, et à la vue d'un si riche butin, quelques centaines d'hommes, laissés à une demi-lieue du vice-roi, et sur l'autre rive du Wop, aient arrêté, pendant vingt heures, non seulement le courage, mais aussi la cupidité des cosaques de Platof !

Peut-être l'hetman crut-il avoir assuré pour le lendemain la perte du vice-roi. En effet toutes ses mesures furent si bien prises, qu'à l'instant où l'armée d'Italie, après une marche inquiète et désordonnée, apercevait Doukhowtchina, ville encore entière, et se hâtait avec joie d'aller s'y abriter, elle en vit sortir plusieurs milliers de cosaques avec des canons, qui l'arrêtèrent tout à coup.

En même temps Platof, avec toutes ses hordes, accourut et attaqua son arrière-garde et ses deux flancs.

Plusieurs témoins disent qu'alors ce fut un tumulte, un désordre complet ; que les hommes débandés, les femmes, les valets, se précipitèrent les uns sur les autres, et tout au travers des rangs ; qu'enfin il y eut un instant où cette malheureuse armée ne fut plus qu'une foule informe, une vile cohue qui tourbillonnait sur elle-même ! On crut tout perdu. Mais le sang-froid du prince et les efforts des chefs sauvèrent tout. Les hommes d'élite se dégagèrent, les rangs se rétablirent. On avança en tirant quelques coups de fusil, et l'ennemi, qui avait tout pour lui, hors le courage, seul bien qui nous restât, s'ouvrit et s'écarta, s'en tenant à une vaine démonstration.

On prit sa place encore toute chaude dans cette ville, hors de laquelle il alla bivouaquer et préparer de pareilles surprises jusques aux portes de Smolensk ; car le désastre du Wop avait fait renoncer à se séparer de l'empereur. Là ces hordes s'enhardirent ; elles enveloppèrent la 14e division. Quand le prince Eugène voulut la dégager, les soldats et leurs officiers, roidis par vingt degrés d'un froid que le vent rendait déchirant, restèrent étendus sur les cendres chaudes de leurs feux. On leur montra inutilement leurs compagnons environnés, l'ennemi qui s'approchait, enfin les balles et les boulets qui les atteignaient déjà : ils s'obstinèrent à ne pas se lever, protestant qu'ils aimaient mieux périr que d'avoir à supporter plus longtemps des maux aussi cruels. Les vedettes elles-mêmes avaient abandonné leurs postes. Le prince Eugène réussit cependant à sauver son arrière-garde.

C'était en revenant avec elle sur Smolensk que ses traîneurs avaient été culbutés sur les soldats de Ney. Ils leur communiquèrent leur effroi : tous se précipitèrent vers le Dnieper, et ils s'amoncelaient à l'entrée du pont sans songer à se défendre, lorsqu'une charge du 4e régiment arrêta l'ennemi.

Son colonel, le jeune Fezensac, sut ranimer ces hommes à demi perclus de froid. Là, comme dans tout ce qui est action, on vit la supériorité des sentiments de l'âme sur les sensations du corps : car toute sensation physique portait à se rebuter et à fuir, la nature le conseillait de ses cent voix les plus pressantes, et pourtant quelques mots d'honneur suffirent pour obtenir le dévouement le plus héroïque ! Les soldats du 4e régiment coururent en furieux contre l'ennemi, contre la montagne de neige et de glace dont il était maître, et contre l'ouragan du Nord, car ils avaient tout contre eux ! Ney lui-même fut obligé de les modérer.

Un reproche de leur colonel avait opéré ce changement. Ces simples soldats se dévouaient pour ne pas manquer à eux-mêmes, par cet instinct qui

veut du courage dans l'homme ; enfin par habitude et amour de la gloire ; mot bien éclatant pour
une position si obscure ! Car qu'est-ce que la gloire
d'un tirailleur qui périt sans témoins, qui n'est
loué, blâmé ou regretté que par une escouade ?
Mais le cercle de chacun lui suffit ; une petite association renferme autant de passions qu'une grande.
Les proportions des corps sont différentes ; mais ils
sont composés des mêmes éléments : c'est la même
vie qui les anime ; et les regards d'un peloton exci-
tent un soldat, comme ceux d'une armée enflam-
ment un général !

Enfin l'armée a revu Smolensk ! elle a touché à
ce terme tant de fois offert à ses souffrances. Les
soldats se la montrent. Là voilà cette terre promise,
où sans doute leur famine va retrouver l'abondance,
leur fatigue le repos ; où les bivouacs par dix-neuf
degrés de froid vont être oubliés dans des maisons
bien échauffées. Là ils goûteront un sommeil répa-
rateur ; ils pourront refaire leur habillement ; là
de nouvelles chaussures et des vêtements propres au
climat leur seront distribués !

A cette vue le corps d'élite, quelques soldats, et
les cadres ont seuls conservé leurs rangs ; le reste
a couru et s'est précipité. Des milliers d'hommes,
la plupart sans armes, ont couvert les deux rives
escarpées du Borysthène ; ils se sont pressés en
masse contre les hautes murailles et les portes de
la ville ; mais leur foule désordonnée, leurs figures
hâves, noircies de terre et de fumée, leurs uniformes

en lambeaux, les vêtements bizarres par lesquels ils
y ont suppléé, enfin leur aspect étrange, hideux,
et leur ardeur effrayante, ont épouvanté. On a cru
que si l'on ne repoussait l'irruption de cette multitude enragée de faim, elle mettrait tout au pillage,
et les portes lui ont été fermées !

On espérait aussi que, par cette rigueur, on forcerait à se rallier. Alors, dans les restes de cette
malheureuse armée, il s'est établi une horrible lutte
entre l'ordre et le désordre. C'est vainement que
les uns ont prié, pleuré, conjuré, qu'ils ont menacé
et cherché à ébranler les portes, qu'ils sont tombés
mourants aux pieds de leurs compagnons chargés
de les repousser ; ils les ont trouvés inexorables :
il a fallu qu'ils attendissent l'arrivée de la première
troupe, encore commandée et en ordre.

C'était la vieille et la jeune garde. Les hommes
débandés n'entrèrent qu'à sa suite ; eux et les autres
corps qui, depuis le 8 jusqu'au 14, arrivèrent successivement, crurent qu'on n'avait retardé leur
entrée que pour donner plus de repos et de vivres
à cette garde. Leurs souffrances les rendirent injus-
tes, ils la maudirent : « Seraient-ils donc sans cesse
« sacrifiés à cette classe privilégiée, à cette vaine
« parure qu'on ne voyait plus la première qu'aux
« revues, aux fêtes et surtout aux distributions ?
« L'armée n'aurait-elle jamais que ses restes ?
« Pour les obtenir, faudrait-il toujours attendre
« qu'elle fût rassasiée ? » On ne pouvait que leur
répondre : qu'il fallait, du moins conserver un corps

entier, et donner la préférence à celui qui, dans une dernière occasion, pourrait faire un puissant effort.

Cependant ces malheureux sont dans cette Smolensk tant désirée ; ils ont laissé les rampes du Borysthène jonchées des corps mourants des plus faibles d'entre eux ; l'impatience et plusieurs heures d'attente les ont achevés. Ils en laissent d'autres sur l'escarpement de glace qu'il leur faut surmonter pour atteindre la haute ville. Le reste court aux magasins, et là il en expire encore pendant qu'ils en assiègent les portes ; car on les a repoussés : « Qui sont-ils ? De quel corps ? Comment les re- « connaître ? Les distributeurs des vivres en sont « responsables ; ils ne doivent les délivrer qu'à des « officiers autorisés, et porteurs de reçus contre « lesquels ils échangeront les rations qui leur sont « confiées ; et ceux qui se présentent n'ont plus « d'officiers, ils ne savent où sont leurs régiments ! » Les deux tiers de l'armée sont ainsi.

Ces infortunés se répandent dans les rues, n'ayant plus d'espoir que le pillage. Mais partout des chevaux disséqués jusqu'aux os leur annoncent la famine ; partout les portes et les fenêtres des maisons, brisées et arrachées, ont servi à alimenter les bivouacs : ils n'y trouvent point d'asiles ; point de quartiers d'hiver préparés, point de bois ; les malades, les blessés, restent dans les rues, sur les charrettes qui les ont apportés. C'est encore, c'est toujours la fatale grande route passant au travers d'un vain nom ; c'est un nouveau bivouac dans de

trompeuses ruines, plus froides encore que les
forêts qu'ils viennent de quitter !

Alors seulement ces hommes débandés cherchent
leurs drapeaux ; ils les rejoignent momentanément
pour y trouver des vivres ; mais tout le pain qu'on
avait pu confectionner venait d'être distribué :
il n'y avait plus de biscuit, point de viande. On leur
délivra de la farine de seigle, des légumes secs et de
l'eau-de-vie. Il fallut des efforts inouïs pour empêcher les détachements des différents corps de s'entre-
tuer aux portes des magasins ; puis, quand après
de longues formalités ces misérables vivres étaient
délivrés, les soldats refusaient de les porter à leurs
régiments : ils se jetaient sur les sacs, en arrachaient
quelques livres de farine, et s'allaient cacher pour
les dévorer. Il en fut de même pour l'eau-de-vie. Le
lendemain on trouva les maisons pleines de cadavres de ces infortunés.

Enfin cette funeste Smolensk, que l'armée avait
crue le terme de ses souffrances, n'en marquait que
les commencements ! Une immensité de douleur se
déroulait devant nous : il fallait marcher encore
quarante jours sous ce joug de fer ! Les uns déjà
surchargés des maux présents, s'anéantirent et succombèrent devant cet effrayant avenir ; quelques
autres se révoltèrent contre leur destinée : ils ne
comptèrent plus que sur eux-mêmes, et résolurent
de vivre à quelque prix que ce fût.

Dès lors, suivant qu'ils se trouvèrent les plus forts
ou les plus faibles, ils arrachèrent violemment ou

dérobèrent à leurs compagnons mourants leurs subsistances, leurs vêtements, et même l'or dont ils
avaient rempli leurs sacs au lieu de vivres. Puis ces
misérables, que le désespoir avait poussés au bri-
gandage, jetaient leurs armes pour sauver leur infâme butin, profitant d'une position commune,
d'un nom obscur, d'un uniforme devenu méconnaissable, et de la nuit, enfin de tous les genres d'obs-
curités, toutes favorables à la lâcheté et au crime !
Si des écrits, déjà publiés, n'avaient pas exagéré ces
horreurs, je me serais tu sur des détails si répu-
gnants ; car ces atrocités furent rares, et l'on fit
justice des plus coupables.

L'Empereur arriva, le 9 novembre, au milieu
de cette scène de désolation. Il s'enferma dans l'une
des maisons de la place neuve, et n'en sortit, le 14,
que pour continuer sa retraite. Il comptait sur
quinze jours de vivres et de fourrages pour une armée de cent mille hommes : il ne s'en trouvait pas
la moitié en farine, riz et eau-de-vie ! La viande
manquait. On entendit ses cris de fureur contre l'un
des hommes chargés de cet approvisionnement.
Le munitionnaire n'obtint la vie qu'en se traînant
longtemps sur ses genoux aux pieds de Napoléon !
Peut-être les raisons qu'il donna firent-elles plus
pour lui que ses supplications.

« Quand il arriva, dit-il, les bandes de traîneurs
« qu'en s'avançant l'armée laissa derrière elle,
« avaient comme enveloppé Smolensk de terreur et
« de destruction. On y mourait de faim comme sur

« la route. Lorsqu'un peu d'ordre avait été rétabli,
« les juifs s'étaient d'abord offerts pour fournir les
« vivres qui manquaient. De plus nobles motifs
« avaient ensuite attiré les secours de quelques sei-
« gneurs lithuaniens. Enfin la tête des longs convois
« de vivres, rassemblés en Allemagne, avait paru.
« C'étaient les voitures *comtoises ;* elles seules
« avaient traversé les sables lithuaniens, encore
« n'avaient-elles apporté que deux cents quintaux
« de farine et de riz ; plusieurs centaines de bœufs
« allemands et italiens étaient aussi arrivés avec
« elles.

« Cependant l'entassement des cadavres dans les
« maisons, les cours et les jardins, et leurs exhalai-
« sons morbifiques, empestaient l'air. Les morts
« tuaient les vivants. Les employés, comme beau-
« coup de militaires, avaient été atteints : les uns
« étaient devenus comme imbéciles ; ils pleuraient,
« ou fixaient sur la terre un œil hagard et opiniâtre.
« Il y en avait eu dont les cheveux s'étaient roidis,
« dressés et tordus en cordes ; puis, au milieu d'un
« torrent de blasphèmes, d'une horrible convulsion,
« ou d'un rire encore plus affreux, ils étaient tom-
« bés morts.

« En même temps il avait fallu promptement
« abattre le plus grand nombre des bœufs amenés
« d'Allemagne et d'Italie : ces animaux ne voulaient
« plus ni marcher ni manger ; leurs yeux, ren-
« foncés dans leur orbite, étaient mornes et sans
« mouvement ; on les tuait sans qu'ils cher-

« chassent à éviter le coup. D'autres malheurs sont
« arrivés : plusieurs convois ont été interceptés, des
« magasins pris ; un parc de huit cents bœufs
« vient d'être enlevé à Krasnoé. »

Cet homme ajouta, « qu'il fallait aussi avoir
« égard à la grande quantité de détachements qui
« avaient passé dans Smolensk ; au séjour qu'y
« avaient fait le maréchal Victor, vingt-huit mille
« hommes et environ quinze mille malades ; à la
« multitude de postes et de maraudeurs, que l'in-
« surrection et l'approche de l'ennemi avaient
« rejetés dans la ville. Tous avaient vécu sur les
« magasins : il avait fallu délivrer près de soixante
« mille rations par jour ; enfin on avait poussé des
« vivres et des troupeaux vers Moscou, jusqu'à
« Mojaïsk, vers Kalougha, jusqu'à Elnia. »

Plusieurs de ces allégations étaient fondées. D'autres magasins étaient encore échelonnés depuis
Smolensk jusqu'à Minsk et Vilna. Ces deux villes
étaient, bien plus encore que Smolensk, des centres
d'approvisionnement, dont les places de la Vistule
formaient la première ligne. La totalité des vivres
distribués dans cette étendue était incommensu-
rable, les efforts pour les y transporter gigantesques,
et le résultat presque nul : ils étaient insuffisants
dans cette immensité.

Ainsi les grandes expéditions s'écrasent sous
leur propre poids ! Les bornes humaines avaient été
dépassées : le génie de Napoléon, en voulant s'élever au-dessus du temps, du climat et des distances,

s'était comme perdu dans l'espace ; quelque grande que fût sa mesure, il avait été au delà !

Au reste il s'emportait par besoin. Il ne s'était point fait illusion sur ce dénûment. Alexandre seul l'avait trompé. Accoutumé à triompher de tout par la terreur de son nom et par l'étonnement qu'inspiraient son audace, son armée, lui, sa fortune, il avait tout mis au hasard d'un premier mouvement d'Alexandre. C'était toujours le même homme de l'Egypte, de Marengo, d'Ulm, d'Esslingen ; c'était Fernand Cortez ; c'était le Macédonien brûlant ses vaisseaux, et surtout voulant, malgré ses soldats, s'enfoncer encore dans l'Asie inconnue ; c'était enfin César, risquant sur une barque toute sa fortune !

Cependant la surprise de Vinkowo, cette attaque inopinée de Kutusof devant Moscou, n'avaient été qu'une étincelle d'un grand incendie. Au même jour, à la même heure, toute la Russie avait repris l'offensive ! Le plan général des Russes s'était tout à coup développé. L'aspect de la carte devenait effrayant.

Le 18 octobre, à l'instant même où le canon de Kutusof avait détruit les espérances de gloire et de paix de Napoléon, Wittgenstein, à cent lieues derrière sa gauche, s'était précipité sur Polotsk ; Tchitchakof, derrière sa droite, à deux cents lieues plus loin, avait profité de sa supériorité sur Schwartzenberg ; et tous deux, l'un descendant du nord, l'autre s'élevant du sud, s'étaient efforcés de se rejoindre vers Borizof.

C'était le passage le plus difficile de notre re-

traite, et déjà ces deux armées ennemies y touchaient,
quand douze marches, l'hiver, la famine, et la grande
armée russe, en séparaient encore Napoléon.

Dans Smolensk on ne faisait que soupçonner le
danger de Minsk; mais des officiers, présents à la
perte de Polotsk, en racontaient les détails; on se
pressait autour d'eux.

Depuis le combat du 18 août, celui qui fit Saint-
Cyr maréchal, ce général était resté, sur la rive
russe de la Düna, maître de Polotsk et d'un camp
retranché en avant de ses murs. Le 19 octobre
Saint-Cyr blessé avait dû battre en retraite vers
Smolensk après trois glorieuses journées où
quatorze mille Français luttant contre plus de cinquante mille Russes commandés par Wittgenstein
et Steinheil, tuèrent ou blessèrent dix mille Russes
et six généraux.

D'un côté, Polotsk, la Düna, Vitepsk étaient
perdus et Wittgenstein à quatre jours de Borizof.

De l'autre, la défaite de Baraguay-d'Hilliers et
l'enlèvement de la brigade Augereau ouvraient à
Kutusof la route d'Elnia par laquelle Kutusof peut
nous prévenir à Krasnoé comme il l'a fait à Viazma.
En arrière le prince Eugène était vaincu par le Wop.
En même temps à cent lieues en avant de nous
Schwartzenberg annonçait à l'Empereur qu'il couvrait Varsovie, c'est-à-dire qu'il découvrait Minsk
et Borizof, le magasin, la retraite de la Grande
Armée. L'Empereur d'Autriche semblait livrer son
gendre à la Russie.

VII

Napoléon était dans Smolensk depuis cinq jours.
On savait que Ney avait reçu l'ordre d'y arriver
le plus tard possible, et Eugène celui de rester deux
jours à Doukhowtchina : « Ce n'était donc pas la
« nécessité d'attendre l'armée d'Italie qui rete-
« nait ! A quoi devait-on attribuer cette stagnation,
« quand la famine, la maladie, l'hiver, quand trois
« armées ennemies marchaient autour de nous ?

« Pendant que nous nous étions enfoncés dans le
« cœur du colosse russe, ses bras n'étaient-ils pas
« restés avancés et étendus vers la mer Baltique
« et la mer Noire ? Les laisserait-il immobiles, au-
« jourd'hui que, loin de l'avoir frappé mortelle-
« ment, nous étions frappés nous-mêmes ? N'était-
« il pas venu le moment fatal où ce colosse allait
« nous envelopper de ses bras menaçants ? Croyait-
« on les lui avoir paralysés, en leur opposant des
« Autrichiens au sud et des Prussiens au nord ?

« C'était bien plutôt les Polonais et les Français,
« mêlés à ces alliés dangereux, qu'on avait ainsi
« rendus inutiles !

« Mais, sans aller chercher au loin des causes
« d'inquiétude, l'Empereur a-t-il ignoré la joie des
« Russes quand, trois mois plus tôt, il se heurta si
« rudement contre Smolensk, au lieu de marcher à
« droite, vers Elnia, oû il eût coupé l'armée enne-
« mie de sa capitale ? Aujourd'hui que la guerre est
« ramenée sur les mêmes lieux, ces Russes, dont tous
« les mouvements sont plus libres que ne l'étaient
« les nôtres, nous imiteront-ils ? Se tiendront-ils
« derrière nous, quand ils peuvent se placer en
« avant de nous, sur notre retraite ?

« Répugne-t-il à Napoléon de supposer l'attaque
« de Kutusof plus audacieuse que ne l'a été la
« sienne ? Les circonstances sont-elles donc les
« mêmes ? Tout, dans la retraite des Russes, ne
« les a-t-il pas secondés, tandis que dans la nôtre
« tout nous est contraire ? Augereau et sa brigade
« enlevés sur cette route ne l'éclairent-ils point ?
« Qu'avait-on à faire dans cette Smolensk brûlée‘
« dévastée, que d'y prendre des vivres et de passer
« vite ?

« Mais sans doute l'Empereur croit, en datant
« cinq jours de cette ville, donner à une déroute
« l'apparence d'une lente et glorieuse retraite !
« Voilà pourquoi il vient d'ordonner la destruction
« des tours d'enceinte de Smolensk, ne voulant
« plus, a-t-il dit, être arrêté par ses murailles ;

« comme s'il s'agissait de rentrer dans cette ville,
« quand on ignorait si l'on en pourrait sortir !

« Croira-t-on qu'il veut donner le loisir aux ar-
« tilleurs de ferrer leurs chevaux contre la glace ?
« Comme si l'on pouvait obtenir un travail quel-
« conque d'ouvriers exténués par la faim, par les
« marches ; de malheureux à qui le jour entier ne
« suffit pas pour trouver des vivres, pour les prépa-
« rer, dont les forges sont abandonnées ou gâtées, et
« qui d'ailleurs manquent des matériaux pour un
« travail si considérable !

« Mais peut-être l'Empereur a-t-il voulu se don-
« ner le temps de pousser en avant de lui, hors du
« danger et des rangs, cette foule embarrassante de
« soldats devenus inutiles, de rallier les meilleurs,
« et de réorganiser l'armée ? Comme s'il était pos-
« sible de faire parvenir un ordre quelconque à des
« hommes si épars, ou de les rallier, sans logements,
« sans distributions, à des bivouacs ; enfin de pen-
« ser à une réorganisation pour des corps mou-
« rants, dont l'ensemble ne tient plus à rien, que
« le moindre attouchement peut dissoudre ! »

Tels étaient autour de Napoléon les discours de
ses officiers, ou plutôt leurs réflexions secrètes ; car
leur dévouement devait se soutenir tout entier
deux ans encore, au milieu des plus grands malheurs
et de la révolte générale des nations !

L'Empereur tenta pourtant un effort qui ne fut
pas tout à fait infructueux : ce fut le ralliement, sous
un seul chef, de tout ce qui restait de cavalerie ;

mais, sur trente-sept mille cavaliers présents au
passage du Niémen, il ne s'en trouva que dix-huit
cents encore à cheval. Napoléon en donna le commandement à Latour-Maubourg. Personne ne ré-
clama, soit fatigue, ou estime.

Quant à Latour-Maubourg, il reçut cet honneur
ou ce fardeau sans joie et sans regret. C'était un
être à part : toujours prêt sans être empressé,
calme et actif, d'une sévérité de mœurs remarquable,
mais naturelle et sans ostentation ; du reste simple
et vrai dans ses rapports, n'attachant la gloire
qu'aux actions et non aux paroles. Il marcha toujours avec le même ordre et la même mesure, au
milieu d'un désordre démesuré ; et pourtant, ce
qui fait honneur au siècle, il arriva aussi vite, aussi
haut, et aussitôt que les autres.

Cette faible réorganisation, la distribution d'une
partie des vivres, le pillage du reste, le repos que
prirent l'Empereur et sa garde, la destruction d'une
partie de l'artillerie et des bagages, enfin l'expédition de beaucoup d'ordres, furent à peu près tout
le fruit qu'on retira de ce funeste séjour. Du reste
tout le mal prévu arriva. On ne rallia quelques
centaines d'hommes que pour un instant. L'explosion des mines fit à peine sauter quelques pans de
murailles, et ne servit, au dernier jour, qu'à chasser hors de la ville les traîneurs qu'on n'avait pas pu
mettre en mouvement.

Des hommes découragés, des femmes, et plusieurs
milliers de malades et de blessés furent abandon-

nés ; et à l'instant où le désastre d'Augereau près
d'Elnia faisait trop voir que Kutusof, poursuivant
à son tour, ne s'attachait pas exclusivement à la
grande route ; que de Viazma il marchait directement, par Elnia, sur Krasnoé ; lorsqu'enfin on aurait
dû prévoir qu'on allait avoir à se faire jour au travers de l'armée russe, ce fut le 14 novembre seulement que la grande armée, ou plutôt trente-six
mille combattants commencèrent à s'ébranler.

La vieille et la jeune garde n'avaient plus alors
que neuf à dix mille baïonnettes et deux mille
cavaliers ; Davout et le premier corps, cinq à six
mille ; le prince Eugène et l'armée d'Italie, cinq
mille ; Poniatowski, huit cents ; Junot et les Westphaliens, sept cents ; Latour-Maubourg et le reste
de la cavalerie, quinze cents. On pouvait compter
encore mille hommes de cavalerie légère, et cinq
cents cavaliers démontés que l'on était parvenu à
réunir.

Cette armée était sortie de Moscou forte de cent
mille combattants ; en vingt-cinq jours elle était
réduite à trente-six mille hommes ! Déjà l'artillerie avait perdu trois cent cinquante canons, et pourtant ces faibles restes étaient toujours divisés en
huit armées, que surchargeaient soixante mille
traîneurs sans armes, et une longue traînée de canons et de bagages.

On ne sait si ce fut cet embarras d'hommes et
de voitures, ou, ce qui est plus vraisemblable, une
fausse sécurité, qui conduisit l'Empereur à mettre

un jour d'intervalle entre le départ de chaque maréchal. Mais enfin lui, Eugène, Davout et Ney, ne
sortirent de Smolensk que successivement. Ney
ne devait en partir que le 16 ou le 17. Il avait l'ordre
de faire scier les tourillons des pièces qu'on abandonnait, de les faire enterrer, de détruire leurs munitions, de pousser tous les traîneurs devant lui, et de
faire sauter les tours d'enceinte de la ville.

Cependant Kutusof nous attendait à quelques
lieues de là, et ces restes de corps d'armée ainsi dis-
tendus et morcelés, il allait les faire passer tour à
tour par les armes !

Ce fut le 14 novembre, vers cinq heures du matin,
que la colonne impériale sortit enfin de Smolensk.
Sa marche était encore décidée, mais morne et taci-
turne comme la nuit, comme cette nature muette et
décolorée au milieu de laquelle elle s'avançait.

Ce silence n'était interrompu que par le retentissement des coups dont on accablait les chevaux, et
par des imprécations courtes et violentes quand les
ravins se présentèrent, et que, sur ces pentes de
glace, les hommes, les chevaux et les canons roulè-
rent, dans l'obscurité, les uns sur les autres. Cette
première journée fut de cinq lieues. Il fallut à
l'artillerie de la garde vingt-deux heures d'efforts
pour les parcourir.

Néanmoins cette première colonne arriva sans
une grande perte d'hommes à Korythnia, que
dépassa Junot avec son corps d'armée westphalien, réduit à sept cents hommes. Une avant-garde

Au Kremlin.
Napoléon regardant l'incendie de Moscou.
(*D'après le tableau de Verestchagin.*)

avait été poussée jusqu'à Krasnoé. Des blessés et
des hommes débandés étaient même près d'atteindre Liady. Korythnia est à cinq lieues de Smolensk ;
Krasnoé, à cinq lieues de Korythnia ; Liady, à
quatre lieues de Krasnoé. De Korythnia à Krasnoé
à deux lieues à droite du grand chemin, coule le
Borysthène.

C'est à la hauteur de Korythnia qu'une autre
route, celle d'Elnia à Krasnoé, se rapproche du
grand chemin. Ce jour-là même elle nous amenait
Kutusof : il la couvrait tout entière avec quatre-
vingt-dix mille hommes ; il côtoyait, il dépassait
Napoléon ; et, par des chemins qui vont d'une route
à l'autre, il envoyait des avant-gardes traverser
notre retraite.

En même temps Kutusof, avec le gros de son
armée, s'acheminait, et s'établissait en arrière de
ces avant-gardes, et à portée de toutes, s'applaudis-
sant du succès de ses manœuvres, que sa lenteur lui
aurait fait manquer sans notre imprévoyance ; car
ce fut un combat de fautes où les nôtres ayant été
plus graves, nous pensâmes tous périr. Les choses
ainsi disposées, le général russe dut croire que l'armée française lui appartenait de droit ; mais le fait
nous sauva. Kutusof se manqua à lui-même au moment de l'action : sa vieillesse exécuta à demi, et
mal, ce qu'elle avait sagement combiné.

Pendant que toutes ces masses se disposaient
autour de Napoléon, lui, tranquille dans une misérable masure, la seule qui restât du village de Koryth-

nia, semblait ou ignorer ou mépriser tous ces
mouvements d'hommes, d'armes et de chevaux qui
l'environnaient de toutes parts : du moins n'en-
voya-t-il pas l'ordre aux trois corps restés à Smolensk de se hâter ; lui-même attendit le jour pour
se mettre en marche.

Sa colonne s'avança sans précaution ; elle était
précédée par une foule de maraudeurs qui se pressaient d'atteindre Krasnoé, lorsqu'à deux lieues de
cette ville une rangée de Cosaques, placés depuis
les hauteurs à notre gauche jusqu'en travers de la
grande route, leur apparut. Saisis d'étonnement, nos
soldats s'arrêtèrent ; ils ne s'attendaient à rien de
pareil, et d'abord ils crurent que, sur cette neige,
un destin ennemi avait tracé entre eux et l'Europe
cette ligne longue, noire et immobile, comme le
terme fatal assigné à leurs espérances.

Quelques-uns, abrutis par la misère, insensibles,
les yeux fixés vers leur patrie, et suivant machinalement et obstinément cette direction, n'écoutèrent
aucun avertissement : ils allèrent se livrer ; les autres
se pelotonnèrent, et l'on resta de part et d'autre à
se considérer. Mais bientôt quelques officiers sur-
vinrent ; ils mirent quelque ordre dans ces hommes
débandés, et sept à huit tirailleurs qu'ils lancèrent
suffirent pour percer ce rideau si menaçant.

Les Français souriaient de l'audace d'une si
vaine démonstration, quand tout à coup, des hauteurs à leur gauche, une batterie ennemie éclata.
Ses boulets traversaient la route ; en même temps

trente escadrons se montrèrent du même côté ; ils
menacèrent le corps westphalien qui s'avançait, et
dont le chef, se troublant, ne fit aucune disposition.

Ce fut un officier blessé, inconnu à ces Allemands,
et que le hasard avait amené là, qui, d'une voix
indignée, s'empara de leur commandement.

Ils obéirent ainsi que leur chef. Dans ce danger
pressant les distances de convention disparurent.
L'homme réellement supérieur s'étant montré servit de ralliement à la foule, qui se groupa autour de
lui, et dans laquelle celui-ci put voir le général en
chef muet, interdit, recevant docilement son impulsion, et reconnaissant sa supériorité, qu'après le
danger il contesta, mais dont il ne chercha pas,
comme il arrive trop souvent, à se venger.

Cet officier blessé était Exelmans ! Dans cette
action il fut tout : général, officier, soldat, artilleur
même, car il se saisit d'une pièce abandonnée, la
chargea, la pointa, et la fit servir encore une fois
contre nos ennemis. Quant au chef des Westphaliens, depuis cette campagne, sa fin funeste et prématurée fit présumer que déjà d'excessives fatigues et les suites de cruelles blessures l'avaient frappé
mortellement.

L'ennemi, voyant cette tête de colonne marcher en bon ordre, n'osa l'attaquer que par ses boulets ; ils furent méprisés, et bientôt on les laissa
derrière soi. Quand ce fut aux grenadiers de la
vieille garde à passer au travers de ce feu, ils se
resserrèrent autour de Napoléon comme une for-

teresse mobile, fiers d'avoir à le protéger. Leur musique exprima cet orgueil. Au plus fort du danger elle lui fit entendre cet air dont les paroles sont si connues : « *Où peut-on être mieux qu'au sein de* « *sa famille ?* » Mais l'Empereur, qui ne négligeait rien, l'interrompit en s'écriant : « Dites plutôt : Veillons au salut de l'Empire ! » Paroles plus convenables à sa préoccupation et à la position de tous.

En même temps les feux de l'ennemi devenant importuns, il les envoya éteindre, et deux heures après il atteignit Krasnoé. Le seul aspect de Sébastiani et des premiers grenadiers qui le devançaient avait suffi pour en repousser l'infanterie ennemie. Napoléon y entra inquiet, ignorant à qui il avait eu affaire, et avec une cavalerie trop faible pour qu'il pût se faire éclairer par elle hors de portée du grand chemin. Il laissa Mortier et la jeune garde à une lieue derrière lui, tendant ainsi de trop loin une main trop faible à son armée, et décidé à l'attendre.

Le passage de la colonne n'avait pas été sanglant, mais elle n'avait pu vaincre le terrain comme les hommes : la route était montueuse, chaque éminence retint des canons, qu'on n'encloua pas, et des bagages qu'on pilla avant de les abandonner. Les Russes, de leurs collines, virent tout l'intérieur de l'armée, ses faiblesses, ses difformités, ses parties les plus honteuses, enfin tout ce que d'ordinaire on cache avec le plus de soin.

Néanmoins il semblait que, du haut de sa position, Miloradowitch se fût contenté d'insulter au passage de l'Empereur et de cette vieille garde depuis si longtemps l'effroi de l'Europe. Il n'osa ramasser ses débris que lorsqu'elle se fut écoulée ; mais alors il s'enhardit, resserra ses forces, et, descendant de ses hauteurs, il s'établit fortement avec vingt mille hommes en travers de la grande route : par ce mouvement il séparait de l'Empereur, Eugène, Davout et Ney, et fermait à ces trois chefs le chemin de l'Europe.

Pendant qu'il se préparait ainsi. Eugène s'efforçait de réunir dans Smolensk ses troupes dispersées : il les arracha avec peine du pillage des magasins, et ne réussit à rallier huit mille hommes que lorsque la journée du 15 fut avancée. Il fallut qu'il leur promît des vivres, et qu'il leur montrât la Lithuanie, pour les décider à se remettre en route. La nuit arrêta ce prince à trois lieues de Smolensk ; déjà la moitié de ses soldats avaient quitté leurs rangs. Le lendemain il continua sa route avec ceux que le froid de la nuit et de la mort n'avait pas fixés autour de leurs bivouacs.

Le bruit du canon qu'on avait entendu la veille avait cessé ; la colonne royale s'avançait péniblement, ajoutant ses débris à ceux qu'elle rencontrait. A sa tête le vice-roi et son chef d'état-major, abîmés dans leurs tristes pensées, laissaient leurs chevaux marcher en liberté. Ils se détachèrent insensiblement de leur troupe, sans s'apercevoir de leur isolement ; car la route était parsemée de traîneurs et d'hommes marchant à volonté, qu'on avait renoncé à maintenir en ordre.

Ils continuèrent ainsi jusqu'à deux lieues de Krasnoé ; mais alors un mouvement singulier qui se passait devant eux fixa leurs regards distraits. Plusieurs des hommes débandés s'étaient arrêtés subitement. Ceux qui les suivaient, les atteignant, se groupaient autour d'eux ; d'autres déjà plus avancés, reculaient sur les premiers, ils s'attroupaient ; bientôt ce fut une masse. Alors le vice-roi, surpris, regarde autour de lui ; il s'aperçoit qu'il a devancé d'une heure de marche son corps d'armée, qu'il n'a près de lui qu'environ quinze cents hommes de tous grades, de toutes nations, sans organisation, sans chefs, sans ordre, sans armes prêtes ou propres pour un combat, et qu'il est sommé de se rendre.

Cette sommation vient d'être repoussée par une exclamation générale d'indignation ! Mais le parlementaire russe, qui s'est présenté seul, a insisté : « Napoléon et sa garde, a-t-il dit, sont battus ; « vingt mille Russes vous environnent ; vous n'avez « plus de salut que dans des conditions honorables, « et Miloradowitch vous les propose ! »

A ces mots, Guyon, l'un de ces généraux dont tous les soldats étaient morts ou dispersés, s'est élancé de la foule, et d'une voix forte s'est écrié : « Retournez promptement d'où vous venez ; allez, « dites à celui qui vous envoie que, s'il a vingt mille « hommes, nous en avons quatre-vingt mille ! » et le Russe, interdit, s'est retiré.

Un instant avait suffi pour cet événement, et déjà des collines à gauche de la route jaillissaient des éclairs et des tourbillons de fumée : une grêle d'obus et de mitraille balayait le grand chemin, et des têtes de colonnes menaçantes montraient leurs baïonnettes.

Le vice-roi eut un moment d'hésitation. Il lui répugnait de quitter cette malheureuse troupe ; mais enfin, lui laissant son chef d'état-major, il retourna à ses divisions pour les amener au combat, pour leur faire dépasser l'obstacle avant qu'il devînt insurmontable, ou pour périr : car ce n'était pas avec l'orgueil d'une couronne et de tant de victoires qu'on pouvait songer à se rendre.

Cependant Guilleminot appelle à lui les officiers qui, dans cet attroupement, se trouvent mêlés avec les soldats. Plusieurs généraux, des colonels, un grand nombre d'officiers, en sortent et l'entourent ; ils se concertent, et, le proclamant leur chef, ils se partagent en pelotons tous ces hommes confondus en une seule masse, et qu'il était impossible de remuer.

Cette organisation se fit sous un feu violent. Des officiers supérieurs allèrent se placer fièrement dans les rangs et redevinrent soldats. Par une autre fierté quelques marins de la garde ne voulurent pour chef qu'un de leurs officiers, tandis que chacun des autres pelotons était commandé par un général. Jusque-là ils n'avaient eu que l'Empereur pour colonel ; près de périr ils soutenaient leur privilège, que rien ne leur faisait oublier, et qu'on respecta.

Tous ces braves gens, ainsi disposés, continuèrent leur marche vers Krasnoé ; et déjà ils avaient
dépassé les batteries de Miloradowitch, quand
celui-ci, lançant ses colonnes sur leurs flancs, les
serra de si près qu'il les força de faire volte-face, et
de choisir une position pour se défendre. Il faut le
dire pour l'éternelle gloire de ces guerriers, ces
quinze cents Français et Italiens, un contre dix,
et n'ayant pour eux qu'une contenance décidée
et quelques armes en état de faire feu, tinrent leurs
ennemis en respect pendant une heure.

Mais le vice-roi et les restes de ses divisions ne
paraissaient pas. Une plus longue résistance devenait impossible. Les sommations de mettre bas les
armes se multipliaient. Pendant ces courtes suspen-
sions on entendait le canon gronder au loin devant
et derrière soi. Ainsi « toute l'armée était attaquée
à la fois ; et de « Smolensk à Krasnoé ce n'était
« qu'une bataille ! Si l'on voulait du secours, il
« n'y en avait donc pas à attendre : il fallait l'aller
« chercher ; mais de quel côté ? Vers Krasnoé
« cela était impossible, on en était trop loin ; tout
« portait à croire qu'on s'y battait. Il faudrait
« d'ailleurs se remettre en retraite ; et ces Russes
« de Miloradowitch, qui de leurs rangs criaient de
« mettre bas les armes, on en était trop près pour
« oser leur tourner le dos. Il valait donc bien mieux,
« puisqu'on regardait Smolensk, puisque le prince
« Eugène était de ce côté, se serrer en une seule
« masse, bien lier tous ces mouvements, et, mar-

« chant tête baissée, rentrer en Russie au travers
« de ces Russes, rejoindre le vice-roi, puis tous en-
« semble revenir, renverser Miloradowitch, et ga-
« gner enfin Krasnoé. »

A cette proposition de leur chef, on répondit par
un cri d'assentiment unanime. Aussitôt la colonne,
serrée en masse, se précipita au travers de dix mille
fusils et canons ennemis ; et d'abord ces Russes,
saisis d'étonnement, s'ouvrent et laissent ce petit
nombre de guerriers presque désarmés s'avancer
jusqu'au milieu d'eux. Puis, quand ils comprennent
leur résolution, soit admiration ou pitié, des deux
côtés de la route que bordent les bataillons ennemis,
ils crient aux nôtres de s'arrêter, ils les conjurent
de se rendre ; mais on ne leur répond que par une
marche décidée, un silence farouche, et la pointe
des armes. Alors tous les feux russes éclatent à la
fois, à bout portant, et la moitié de la colonne héroïque tombe blessée ou morte !

Le reste continua sans qu'un seul quittât le gros
de sa troupe, qu'aucun Moscovite n'osa approcher !
Peu de ces infortunés revirent le vice-roi et leurs
divisions qui s'avançaient. Alors seulement ils se
désunirent. Ils coururent pour se jeter dans ces
faibles rangs, qui s'ouvrirent pour les recevoir
et les protéger.

Depuis une heure le canon des Russes les éclair-
cissait. En même temps qu'une moitié de leurs forces
avait poursuivi Guilleminot, et l'avait contraint à
rétrograder, Miloradowitch, à la tête de l'autre moi-

tié, avait arrêté le prince Eugène. Sa droite était
appuyée à un bois que protégeaient des hauteurs
toutes garnies de canons ; sa gauche touchait à la
grande route, mais plus en arrière, timidement, et
en se refusant. Cette disposition avait dicté celle
d'Eugène. La colonne royale, à mesure qu'elle était
arrivée, s'était déployée à droite de cette route, sa
droite plus en avant que sa gauche. Le prince mettait ainsi obliquement, entre lui et l'ennemi, le
grand chemin qu'on se disputait. Chacune des deux
armées l'occupait par sa gauche.

Les Russes, placés dans une position si offensive,
s'y défendaient ; leurs boulets seuls attaquaient
Eugène. Une canonnade, foudroyante de leur côté et
presque nulle du nôtre, était engagée. Eugène,
fatigué de leurs feux, se décide : il appelle la 14e division française, la dispose à gauche du grand chemin et lui montre la hauteur boisée où s'appuie
l'ennemi, et qui fait sa principale force ; c'est le
point décisif, le nœud de l'action, et, pour faire
tomber le reste, il faut l'enlever. Il ne l'espérait
pas ; mais cet effort fixerait de ce côté l'attention
et les forces de l'ennemi, la droite de la grande route
pourrait rester libre, et l'on essayerait d'en profiter.

Trois cents soldats, formés en trois troupes, furent
les seuls qu'on put décider à monter à cet assaut.
On vit ces hommes dévoués s'avancer résolûment,
contre des milliers d'ennemis, sur une position formidable. Une batterie de la garde italienne s'avança
pour les protéger ; mais d'abord les batteries

russes la brisèrent, et leur cavalerie s'en empara.

Cependant les trois cents Français que déchire la mitraille, persévèrent ; et déjà ils atteignaient la position ennemie, quand soudain, des deux côtés du bois, débouchent au galop deux masses de cavalerie qui fondent sur eux, les écrasent, et les massacrent. Tous périrent, emportant avec eux tout ce qui restait de discipline et de courage dans leur division !

Ce fut alors que reparut le général Guilleminot. Dans une position si critique, que le prince Eugène, avec quatre milliers d'hommes affaiblis, restes de plus de quarante-deux mille, n'ait point désespéré, qu'il ait encore montré une contenance audacieuse, on le conçoit de ce chef ; mais que la vue de notre désastre et l'ardeur du succès n'aient inspiré aux Russes que des efforts indécis, et qu'enfin ils aient laissé la nuit terminer le combat, c'est ce qui fait encore aujourd'hui le sujet de notre étonnement. La victoire était si nouvelle pour eux, que, la tenant dans leurs mains, ils ne surent point en profiter : ils remirent au lendemain pour achever.

Mais le vice-roi s'apercevait que la plupart de ces Moscovites, attirés par ses démonstrations, s'étaient portés à la gauche de la route, et il attendait que la nuit, cette alliée du plus faible, eût enchaîné tous leurs mouvements. Alors laissant des feux de ce côté pour tromper l'ennemi, il s'en écarta, et, tout au travers des champs, il tourne, il dépasse en silence la gauche de la position de Miloradowitch,

pendant que, trop sûr de son succès, ce général
y rêvait à la gloire de recevoir le lendemain l'épée
du fils de Napoléon.

Au milieu de cette marche hasardeuse, il y eut un
moment terrible. Dans l'instant le plus critique,
quand ces hommes, restes de tant de combats,
s'écoulaient, en retenant leur haleine et le bruit de
leurs pas, le long de l'armée russe ; quand tout pour
eux dépendait d'un regard ou d'un cri d'alarme,
tout à coup la lune, sortant brillante d'un nuage
épais, vint éclairer leurs mouvements. En même
temps une voix russe éclate, leur crie d'arrêter, et
leur demande qui ils sont. Ils se crurent perdus !
Mais Klisky, un Polonais, court à ce Russe, et lui
parlant dans sa langue, sans se troubler : « Tais-toi,
« malheureux ! lui dit-il à voix basse. Ne vois-tu
« pas que nous sommes du corps d'Ouwarof, et que
« nous allons en expédition secrète ? » Le Russe,
trompé se tut.

Mais des cosaques accouraient à tous moments
sur les flancs de la colonne, comme pour la reconnaître. Puis ils retournaient au gros de leur troupe.
Plusieurs fois leurs escadrons s'avancèrent comme
pour charger ; mais ils s'en tinrent toujours là, soit
incertitude sur ce qu'ils voyaient, car on les trompa
encore, soit prudence, car on s'arrêtait souvent en
leur montrant un front déterminé.

Enfin, après deux heures d'une marche cruelle,
on rejoignit la grande route ; et le vice-roi était
déjà dans Krasnoé quand, le 17 novembre, Milora-

dowitch, descendant de ses hauteurs pour le saisir, ne trouvait plus sur le champ de bataille que des traîneurs, qu'aucun effort n'avait pu déterminer la veille à quitter leurs feux.

De son côté, l'Empereur, pendant toute la journée précédente, avait attendu le vice-roi. Le bruit de son combat l'avait ému. Un effort rétrograde pour percer jusqu'à lui avait été inutile, et la nuit, arrivant sans ce prince, avait augmenté l'inquiétude de son père adoptif. « Eugène et l'armée d'Ita- « lie, et ce long jour d'une attente à tous moments « trompée, avaient-ils donc fini à la fois ? » Un seul espoir restait à Napoléon : c'est que le vice-roi, repoussé sur Smolensk, s'y serait réuni à Davout et à Ney, et que le lendemain tous les trois ensemble tenteraient un effort décisif.

Dans son anxiété, l'empereur rassemble les maréchaux qui lui restent : c'étaient Berthier, Bessières, Mortier, Lefebvre. Eux sont sauvés ; ils ont franchi l'obstacle ; la Lithuanie leur est ouverte ; ils n'ont qu'à continuer leur retraite ; mais abandonneront-ils leurs compagnons au milieu de l'armée russe ? Non sans doute; et ils se décident à rentrer dans cette Russie pour les en sauver ou pour y succomber avec eux !

Cette détermination prise, Napoléon en prépara froidement les dispositions. De grands mouvements qui se manifestaient autour de lui ne l'ébranlèrent point. Ils lui montraient Kutusof s'avançant pour l'envelopper et le saisir lui-même dans Kras-

noé. Déjà même, dès la nuit précédente, celle du
15 au 16, il avait appris qu'Ojarowski, avec une
avant-garde d'infanterie russe, l'avait dépassé, et
qu'elle s'était établie à Maliewo, dans un village
en arrière de sa gauche.

Le malheur l'irritant au lieu de l'abattre, il avait
appelé Rapp, et s'était écrié : « Qu'il fallait partir
« sur-le-champ. » Puis, rappelant aussitôt son aide
de camp : « Mais non, avait-il repris. Que Roguet
« et sa division marchent seuls ! Toi, reste; je ne
« veux pas que tu sois tué ici ; j'aurai besoin de
« toi pour Dantzick ! »

Rapp, en allant porter cet ordre à Roguet, s'étonna
de ce que son chef, entouré de quatre-vingt mille
ennemis qu'il allait attaquer le lendemain avec
neuf mille hommes, doutât assez peu de son salut
pour songer à ce qu'il aurait à faire à Dantzick,
dans une ville dont l'hiver, deux autres armées
ennemies, la famine, et cent quatre-vingts lieues
le séparaient.

L'attaque nocturne de Chirkowa et Maliewo
réussit, Roguet jugea de la position des ennemis par
la direction de leurs feux : ils occupaient deux villages liés par un plateau que défendait un ravin. Ce
général dispose sa troupe en trois colonnes d'attaque : celles de droite et de gauche s'approche-
ront sans bruit, et le plus près possible de l'ennemi ;
puis, au signal de charge, que lui-même va leur
donner du centre, elles se précipiteront sur les
Russes sans tirer, et à coups de baïonnette.

Aussitôt les deux ailes de la jeune garde engagèrent le combat. Pendant que les Russes, surpris et
ne sachant où se défendre, flottaient de leur droite
à leur gauche, Roguet, avec sa colonne, se rua
brusquement sur leur centre et au milieu de leur
camp, où il entra pêle-mêle avec eux. Ceux-ci divisés et en désordre, n'eurent que le temps de jeter
la plupart de leurs grosses et petites armes dans un
lac voisin, et de mettre le feu à leurs abris ; mais ces
flammes au lieu de les préserver, ne firent qu'éclairer leur destruction.

Ce choc arrêta, pendant vingt-quatre heures, le
mouvement de l'armée russe ; il donna à l'Empereur la possibilité de séjourner à Krasnoé, et au
prince Eugène celle de l'y rejoindre pendant la
nuit suivante. Napoléon reçut ce prince avec une
joie vive ; mais bientôt il retomba dans une inquiétude d'autant plus grande pour Ney et Davout.

Autour de nous, le camp des Russes offrait un
spectacle semblable à ceux de Vinkowo, de Malo-
Iaroslavetz et de Viazma. Chaque soir, auprès de la
tente du général, les reliques des saints moscovites,
environnées d'un nombre infini de cierges, étaient
exposées à l'adoration des soldats. Pendant que,
suivant leur usage, chacun d'eux témoignait sa
dévotion par une suite de signes de croix et de génu-
flexions mille fois répétées, des prêtres fanatisaient
ces recrues par des exhortations qui paraîtraient
ridicules et barbares à nos peuples civilisés.

On assure que le rapport d'un espion avait dé-

peint à Kutusof Krasnoé rempli d'une masse
énorme de garde impériale, et que le vieux maréchal
craignit de compromettre contre elle sa réputation.
Mais le spectacle de notre détresse enhardit Beningsen : ce chef d'état-major décida Strogonof, Galit-
zin et Miloradowitch, plus de cinquante mille Russes avec cent pièces de canon, à oser à la pointe du
jour attaquer, malgré Kutusof, quatorze mille
Français et Italiens affamés, affaiblis, et à demi
gelés.

C'était là le danger dont Napoléon comprenait
toute l'imminence. Il pouvait s'y soustraire ; le
jour n'était point encore venu. Il était libre d'éviter
ce funeste combat, de gagner rapidement, avec
Eugène et sa garde, Orcha et Borizof ; là il se ral-
lierait aux trente mille Français de Victor et d'Oudinot, à Dombrowski, à Régnier, à Schwartzenberg,
à tous ses dépôts, et il pourrait encore, l'année suivante, reparaître redoutable.

Le 17, avant le jour, il envoie ses ordres ; il s'arme,
il sort, et lui-même, à pied, à la tête de sa vieille garde,
il la met en mouvement. Mais ce n'est point vers la
Pologne, son alliée, qu'il marche, ni vers cette France
où il se retrouverait encore le chef d'une dynastie
naissante et l'empereur de l'Occident. Il a dit, en
saisissant son épée : « J'ai assez fait l'empereur,
« il est temps que je fasse le général ! » Et c'est au
milieu de quatre-vingt mille ennemis qu'il retourne,
qu'il s'enfonce pour attirer sur lui tous leurs efforts,
pour les détourner de Davout et de Ney, et arracher

ces deux chefs du sein de cette Russie qui s'était
refermée sur eux.

Le jour parut alors, montrant d'un côté les bataillons et les batteries russes qui, de trois côtés,
devant, à droite, et derrière nous, bordaient l'horizon ; et de l'autre, Napoléon et ses six mille gardes
s'avançant d'un pas ferme, et s'allant placer au
milieu de cette terrible enceinte. En même temps
Mortier, à quelques pas devant son Empereur,
développe en face de toute la grande armée russe
les cinq mille hommes qui lui restent.

Leur but était de défendre le flanc droit de la
grande route, depuis Krasnoé jusqu'au grand ravin,
dans la direction de Stachowa. Un bataillon des
chasseurs de la vieille garde, placé en carré comme
un fort, auprès du grand chemin, servit d'appui
à la gauche de nos jeunes soldats. A leur droite,
dans les plaines de neige qui environnent Krasnoé,
les restes de la cavalerie de la garde, quelques canons, et les douze cents chevaux de Latour-Maubourg, car depuis Smolensk le froid lui en avait tué
ou dispersé cinq cents, tinrent la place des bataillons et des batteries qui manquaient à l'armée française.

L'artillerie du duc de Trévise fut renforcée par
une batterie commandée par Drouot, l'un de ces
hommes doués de toute la force de la vertu, qui
pensent que le devoir embrasse tout, et capables
de faire simplement et sans efforts les plus nobles
sacrifices !

Claparède resta dans Krasnoé : il y défendit, avec quelques soldats, les blessés, les bagages et la retraite. Le prince Eugène continua à se retirer vers Lyadi. Son combat de la veille et sa marche nocturne avaient achevé son corps d'armée : ses divisions avaient encore quelque ensemble, mais pour se traîner, pour mourir, et non pour combattre!

Cependant Roguet avait été rappelé de Maliewo sur le champ de bataille. L'ennemi poussait des colonnes au travers de ce village, et s'étendait de plus en plus au delà de notre droite pour nous environner. La bataille s'engage alors. Mais quelle bataille ! Il n'y avait plus là pour l'Empereur d'illuminations soudaines, d'inspirations subites, d'éclairs, ni rien de ces grands coups si imprévus par leur hardiesse, qui ravissent la fortune, arrachent la victoire, et dont il avait tant de fois décontenancé, étourdi, écrasé ses ennemis : tous leurs pas étaient libres, tous les nôtres enchaînés, et ce génie de l'attaque était réduit à se défendre !

Aussi est-ce là qu'on a bien vu que la renommée n'est point une ombre vaine ; que c'est une force réelle et doublement puissante, par l'inflexible fierté qu'elle porte à ses favoris et par les timides précautions qu'elle suggère à ceux qui osent l'attaquer. Les Russes n'avaient qu'à marcher en avant, sans manœuvres, sans feux même ; leur masse suffisait ; ils en eussent écrasé Napoléon et sa faible troupe ; mais ils n'osèrent l'aborder ! L'aspect du conquérant de l'Egypte et de l'Europe leur imposa !

Les Pyramides, Marengo, Austerlitz, Friedland, une armée de victoires, semblèrent s'élever entre lui et tous ces Russes : on eût pu croire que, pour ces peuples soumis et superstitieux, une renommée si extraordinaire avait quelque chose de surnaturel ; qu'ils la jugeaient hors de leur portée, et qu'ils croyaient ne devoir l'attaquer et ne pouvoir l'atteindre que de loin ; qu'enfin, contre cette vieille garde, contre cette forteresse vivante, contre cette *colonne de granit*, comme son chef l'avait appelée, les hommes étaient impuissants, et que des canons pouvaient seuls la démolir !

Ils firent des brèches larges et profondes dans les rangs de Roguet et de la jeune garde ; mais ils tuèrent sans vaincre. Ces soldats nouveaux, dont la moitié n'avait point encore combattu, reçurent la mort pendant trois heures sans reculer d'un pas, sans faire un mouvement pour l'éviter, et sans pouvoir la rendre, leurs canons ayant été brisés, et les Russes se tenant hors de portée de leurs fusils.

Mais chaque instant renforçait l'ennemi et affaiblissait Napoléon. Le bruit du canon et Claparède l'avertissaient qu'en arrière de lui et de Krasnoé Beningsen se rendait maître de la route de Lyadi et de sa retraite. L'est, le sud, l'ouest, étincelaient de feux ennemis ; on ne respirait que d'un seul côté qui restait encore libre, celui du nord et du Dnieper, vers une éminence, au pied de laquelle étaient le grand chemin et l'Empereur. On crut alors s'apercevoir qu'elle se couvrait de canons. Ils étaient

là sur la tête de Napoléon ; ils l'auraient écrasé à
bout portant. On l'en avertit ; il y jeta un moment
les yeux, et dit ces seuls mots : « Eh bien, qu'un
« bataillon de mes chasseurs s'en empare ! » Puis
aussitôt, sans s'en occuper davantage, ses regards
et son attention se retournèrent vers le péril de
Mortier.

Alors enfin parut Davout au travers d'un nuage
de cosaques, qu'il dissipait en marchant précipitamment. A la vue de Krasnoé, les troupes de ce maréchal se débandèrent, et coururent, à travers champs,
pour dépasser la droite de la ligne ennemie, par
derrière laquelle elles arrivaient. Davout et ses
généraux ne purent les rallier qu'à Krasnoé.

Le premier corps était sauvé, mais on apprenait
en même temps que notre arrière-garde ne pouvait
plus se défendre dans Krasnoé ; que Ney était peut-
être encore dans Smolensk, et qu'il fallait renoncer
à l'attendre. Pourtant Napoléon hésitait : il ne
pouvait se résoudre à ce grand sacrifice.

Mais enfin, comme tout allait périr, il se décide ;
il appelle Mortier, et, lui serrant la main avec douceur, il lui dit : « Qu'il n'a plus un instant à perdre ;
l'ennemi le déborde de toutes parts ; déjà Kutusof
peut atteindre Lyadi, Orcha même, et le dernier
pli du Borysthène avant lui ; il va donc s'y porter
rapidement avec sa vieille garde, pour occuper ce
passage. Davout relèvera Mortier ; mais tous deux
doivent s'efforcer de tenir dans Krasnoé jusqu'à la
nuit ; après quoi ils viendront le rejoindre. » Alors,

le cœur plein du malheur de Ney et du désespoir de l'abandonner, il s'éloigne lentement du champ de bataille, traverse Krasnoé, où il s'arrête encore, et se fait ensuite jour jusqu'à Lyadi.

Mortier voulut obéir, mais les Hollandais de la garde perdaient en ce moment, avec un tiers des leurs, un poste important qu'ils défendaient, et l'ennemi avait couvert aussitôt d'artillerie cette position qu'il venait de nous enlever. Roguet, se sentant écrasé de ses feux, crut pouvoir les éteindre. Un régiment qu'il poussa contre la batterie russe fut repoussé. Un second, le 1er de voltigeurs, parvint jusqu'au milieu des Russes. Deux charges de cavalerie ne l'ébranlèrent point. Il s'avançait encore, lorsque, tout déchiré par la mitraille, une troisième charge l'acheva : Roguet n'en put sauver que cinquante soldats et onze officiers !

Ce général avait perdu la moitié des siens ; il était deux heures, et pourtant il étonnait encore les Russes par une contenance inébranlable, lorsqu'enfin, s'enhardissant du départ de l'Empereur, ceux-ci devinrent si pressants, que la jeune garde, serrée de trop près, ne put bientôt plus ni tenir ni reculer.

Heureusement quelques pelotons, que rallia Davout, et l'apparition d'une autre troupe de ses traîneurs, attirèrent l'attention des Russes. Mortier en profite. Il ordonne aux trois mille hommes qui lui restent de se retirer, pas à pas, devant ces cinquante mille ennemis. « L'entendez-vous, sol-« dats ! s'écrie le général Laborde, le maréchal

« ordonne le pas ordinaire ! Au pas ordinaire,
« soldats ! » Et cette brave et malheureuse troupe,
entraînant quelques-uns de ses blessés sous une
grêle de balles et de mitraille, se retire lentement
sur ce champ de carnage, comme sur un champ de
manœuvre !

Quand Mortier eut mis Krasnoé entre lui et
Beningsen il fut sauvé. L'ennemi ne coupait l'intervalle de cette ville à Lyadi que par le feu de ses
batteries, qui bordaient le côté gauche de la grande
route. Colbert et Latour-Maubourg, les continrent
sur leurs hauteurs. Au milieu de cette marche, un
accident bizarre fut remarqué : un obus entra dans
le corps d'un cheval, y éclata, et le mit en pièces
sans blesser son cavalier, qui tomba debout et
continua.

Les lendemain on marcha avec hésitation. Les
traîneurs impatients prirent les devants ; tous dépassèrent Napoléon ; ils le virent à pied, un bâton
à la main, s'avançant péniblement, avec répugnance,
et s'arrêtant à chaque quart d'heure, comme s'il
ne pouvait s'arracher à cette vieille Russie, dont
alors il dépassait la frontière, et où il laissait son
malheureux compagnon d'armes.

Le soir on atteignit Dombrowna, ville de bois,
et peuplée comme Lyadi ; spectacle nouveau pour
cette armée, qui depuis trois mois ne voyait que
des ruines. On était enfin hors de la vieille Russie,
hors de ces déserts de neige et de cendres ; on entrait dans un pays habité, ami, et dont on enten-

dait le langage. En même temps le ciel s'adoucit,
le dégel commença, on reçut quelques vivres.

Ainsi l'hiver, l'ennemi, la solitude, et même, pour
quelques-uns, les bivouacs et la famine, tout cessait
à la fois ; mais il était trop tard. L'Empereur
voyait son armée détruite ; à tout moment le nom
de Ney s'échappait de sa bouche avec des exclamations de douleur ! Cette nuit surtout on l'entendit gémir et s'écrier, « que la misère de ses pauvres
« soldats lui déchirait le cœur ! et pourtant qu'il
« ne pouvait les secourir sans se fixer en quelque
« lieu ; mais où pouvoir se reposer, sans munitions
« de guerre ni de bouche, et sans canons ? Il n'était
« plus assez fort pour s'arrêter ; il fallait donc ga-
« gner Minsk le plus vite possible. »

Il parlait ainsi, quand un officier polonais accourut avec la nouvelle que cette Minsk, son magasin,
sa retraite, son unique espoir, venait de tomber au
pouvoir des Russes ! Tchitchakof y était entré le
16. Napoléon resta d'abord muet et comme frappé
par ce dernier coup. Puis, s'élevant en proportion
de son danger, il reprit froidement : « Eh bien ! il
« ne nous reste plus qu'à nous faire jour avec nos
« baïonnettes ! »

Mais pour joindre ce nouvel ennemi, qui avait
échappé à Schwartzenberg, ou que Schwartzenberg
avait peut-être laissé passer, car on ignorait tout,
et pour échapper à Kutusof et à Wittgenstein il
fallait traverser la Bérézina à Borizof. C'est pourquoi Napoléon envoie sur-le-champ (le 19 novembre,

de Dombrowna), à Dombrowski l'ordre de ne plus
songer à combattre Hœrtel, et d'occuper promptement ce passage. Il écrit au duc de Reggio de marcher rapidement sur ce point, et de courir reprendre
Minsk ; le duc de Bellune couvrira sa marche. Ces
ordres donnés, son agitation s'apaise, et son esprit,
fatigué de souffrir, s'affaisse.

Le jour était encore loin de paraître, lorsqu'un
bruit singulier le tira de son assoupissement. Quelques-uns disent qu'on entendit d'abord quelques
coups de feu, mais qu'ils étaient tirés par les nôtres
pour faire sortir des maisons ceux qui s'y étaient
abrités, et pour prendre leur place ; d'autres pré-
tendent que, par un désordre trop fréquent dans
nos bivouacs où l'on s'appelait à grands cris, le
nom de *Hausanne*, d'un grenadier, ayant été tout
à coup fortement prononcé au milieu d'un profond
silence, on crut entendre le cri d'alerte *aux armes !*
qui annonce une surprise et l'ennemi.

Quoi qu'il en soit, tous aussitôt virent et crurent voir les cosaques, et un grand bruit de guerre
et d'épouvante environna Napoléon. Lui, sans
s'émouvoir, dit à Rapp : « Allez voir ; ce sont sans
doute quelques misérables cosaques qui en veulent
à notre sommeil ! » Mais bientôt ce fut un tumulte
complet d'hommes qui couraient pour combattre
ou fuir, et qui, se rencontrant dans les ténèbres,
se prenaient pour ennemis.

Napoléon crut un instant à une attaque sérieuse.
Un cours d'eau encaissé traversait la ville ; il de-

mande si l'artillerie qui lui reste a été placée derrière ce ravin. On lui répond que ce soin a été négligé ; alors il court au pont, et lui-même fait passer promptement ses canons au delà de ce défilé.

Puis il revint à sa vieille garde, et s'arrêtant devant chaque bataillon : « Grenadiers, leur dit-il, « nous nous retirons sans avoir été vaincus par « l'ennemi, ne le soyons pas par nous-mêmes ! « Donnons l'exemple à l'armée ! Parmi vous plu- « sieurs ont déjà abandonné leurs aigles, et même « leurs armes ! Ce n'est point aux lois militaires « que je m'adresserai pour arrêter ce désordre, « mais à vous seuls ! Faites-vous justice entre vous ! « C'est à votre honneur que je confie votre disci- « pline ! »

Il fit haranguer de même ses autres troupes. Ce peu de mots suffirent à ces vieux grenadiers, qui peut-être n'en avaient pas besoin. Le reste les reçut avec acclamation ; mais une heure après, quand on se remit en marche, ils étaient oubliés. Quant à son arrière-garde, s'en prenant surtout à elle d'une si chaude alarme, il envoya porter à Davout des paroles de colère.

A Orcha on trouva des établissements de vivres assez abondants, un équipage de pont de soixante bateaux, avec tous ses agrès qui furent tous brûlés et trente-six canons attelés, qui furent distribués entre Davout, Eugène et Maubourg.

On revit là, pour la première fois, des officiers et des gendarmes chargés d'arrêter, sur les deux ponts du Dnieper, la foule des traîneurs, pour leur faire rejoindre leurs drapeaux. Mais ces aigles, qui jadis promettaient tout, on les fuyait comme de sinistres augures !

Déjà le désordre avait son organisation : il s'y trouvait des hommes qui s'y étaient rendus habiles. Une foule immense s'amassa, et bientôt des misérables crièrent : « Voilà les cosaques ! » Leur but était de précipiter la marche de ceux qui les précédaient, et d'augmenter le tumulte. Ils en profitaient pour enlever les vivres et les manteaux des hommes qui n'étaient pas sur leurs gardes.

Les gendarmes, qui revoyaient cette armée pour la première fois depuis son désastre, étonnés de l'aspect de tant de misère, effrayés d'une si grande confusion, se découragèrent. On pénétra en tumulte sur cette rive alliée. Elle eût été livrée au pillage sans la garde et quelques centaines d'hommes qui restaient au prince Eugène.

Napoléon entra dans Orcha avec six mille gardes, restes de trente-cinq mille ! Eugène, avec dix-huit cents soldats, restes de quarante-deux mille ! Davout, avec quatre mille combattants, restes de soixante-dix mille !

Ce maréchal lui-même avait tout perdu : il était sans linge et exténué de faim. Il se jeta sur un pain, qu'un de ses compagnons d'armes lui offrit, et le dévora. On lui donna un mouchoir pour qu'il pût essuyer sa figure couverte de frimas. Il s'écriait : « Que des hommes de fer pouvaient seuls suppor-

« ter de pareilles épreuves ; qu'il y avait impossi-
« bilité matérielle d'y résister ; que les forces hu-
« maines avaient des bornes, qu'elles étaient toutes
« dépassées ! »

C'était lui qui, le premier, avait soutenu la retraite jusqu'à Viazma. On le voyait encore, suivant
son habitude, s'arrêter à tous les défilés, et y rester
le dernier de son corps d'armée, renvoyant chacun
à son rang, et luttant toujours contre le désordre. Il
poussait ses soldats à insulter et à dépouiller de
leur butin ceux de leurs compagnons qui jetaient
leurs armes ; seul moyen de retenir les uns et de
punir les autres. Néanmoins on a accusé son génie
méthodique et sévère, si déplacé au milieu de cette
confusion universelle, d'en avoir été trop étonné.

L'Empereur tenta vainement d'arrêter ce découragement. Seul, on l'entendait gémir sur les
souffrances de ses soldats ; mais, au dehors, sur cela
même, il voulait paraître inflexible. Il fit donc proclamer : « Que chacun eût à rentrer dans ses rangs ;
que sinon il ferait arracher aux chefs leurs grades,
et aux soldats leur vie ! »

Cette menace ne produisit ni bon ni mauvais effet
sur des hommes devenus insensibles ou désespérés,
fuyant, non le danger, mais la souffrance, et craignant moins la mort dont on les menaçait que la vie
telle qu'on la leur offrait.

Mais l'assurance de Napoléon croissait avec le
péril. A ses yeux, et au milieu de ces déserts de boue
et de glace, cette poignée d'hommes était toujours

la Grande Armée, et lui, le conquérant de l'Europe !
et il n'y avait pas d'illusion dans cette apparente
fermeté : on en fut certain, quand, dans cette ville
même, on le vit brûler de ses propres mains tous
ceux de ses vêtements qui pouvaient servir de trophées à l'ennemi, s'il succombait.

Là furent malheureusement consumés tous les
papiers qu'il avait rassemblés pour écrire l'histoire
de sa vie, car tel avait été son projet, quand il partit pour cette funeste guerre. Il était alors déterminé à s'arrêter vainqueur et menaçant sur cette
Düna et ce Borysthène, qu'aujourd'hui il revoyait
fuyant et désarmé ! Alors, l'ennui de six mois d'hiver qui l'auraient retenu sur ces fleuves, lui paraissait son plus grand ennemi ; et, pour le combattre,
cet autre César y eût dicté ses commentaires !

Cependant tout était changé : deux armées ennemies lui coupaient la retraite. Il s'agissait de
savoir au travers de laquelle il tenterait de se faire
jour ; et, comme ces forêts lithuaniennes, où il
allait s'enfoncer, lui étaient inconnues, il appela
ceux des siens qui les avaient traversées pour arriver
jusqu'à lui.

L'Empereur commença par leur dire « que le
« trop d'habitude des grands succès préparait sou-
« vent de grands revers ; mais qu'il n'était pas
« question de récriminer. » Puis il parla de la prise
de Minsk ; et, convenant de l'habileté des manœuvres persévérantes de Kutusof sur son flanc droit,
il déclara « qu'il voulait abandonner sa ligne d'opé-

« ration sur Minsk, se joindre aux ducs de Bellune
« et de Reggio, passer sur le ventre à Wittgens-
« tein, et regagner Vilna en tournant la Bérézina
« par ses sources. »

Jomini combattit ce projet. Ce général suisse allégua la position de Wittgenstein dans de longs défilés. Sa résistance y pourrait être ou opiniâtre ou
flexible, mais assez longue pour consommer notre
perte. Il ajouta que, dans cette saison et dans un si
grand désordre, un changement de route achèverait de perdre l'armée ; qu'elle s'égarerait dans ces
chemins de traverse, au milieu de forêts stériles
et marécageuses ; il soutint que la grande route pouvait seule lui conserver quelque ensemble. Boryzof
et son pont sur la Bérézina étaient encore libres ;
il suffirait de l'atteindre.

C'est alors qu'il affirma connaître l'existence d'un
chemin qui, à la droite de cette ville, s'élève sur
des ponts de bois, au travers des marais lithuaniens.
Selon lui c'était le seul chemin qui pouvait conduire
l'armée à Vilna par Zembin et Molodetchno, en
laissant, à gauche, et Minsk, et sa route plus longue d'une journée, et les cinquante ponts brisés
qui la rendent impraticable, et Tchitchakof qui
l'occupe. Ainsi l'on passerait entre les deux armées
ennemies, en les évitant toutes deux.

L'Empereur fut ébranlé ; mais comme il répugnait à sa fierté d'éviter un combat, et qu'il ne
voulait sortir de la Russie que par une victoire,
il appelle le général du génie Dode. Du plus loin

qu'il le voit il lui crie « qu'il s'agit de fuir par Zem-
« bin, ou d'aller vaincre Wittgenstein vers Smo-
« liany ; » et, sachant que Dode arrivait de cette
position, il lui demande si elle est attaquable.

Celui-ci répondit que Wittgenstein y occupait
une hauteur qui commandait à toute cette contrée
bourbeuse ; qu'il faudrait louvoyer à sa vue et à sa
portée, en suivant les plis et replis que faisait la
route, pour s'élever jusqu'au camp des Russes ;
qu'ainsi notre colonne d'attaque prêterait longuement à leurs feux d'abord son flanc gauche, puis
son flanc droit ; que cette position était donc
inabordable de front, et que pour la tourner, il faudrait rétrograder vers Vitepsk, et prendre un trop
long circuit.

Alors Napoléon, vaincu dans cette dernière espérance de gloire, se décida pour Borizof. Il ordonna
au général Eblé d'aller, avec huit compagnies de
sapeurs et de pontonniers, assurer son passage sur
la Bérézina, et à Jomini de lui servir de guide.

Toutes ses illusions étaient détruites. A Smolensk,
où il était arrivé et d'où il était parti le premier, il
avait plutôt encore appris que vu son désastre.
A Krasnoé, où nos misères s'étaient déroulées successivement sous ses yeux, le péril avait été une
distraction ; mais à Orcha, il put contempler à la
fois et à loisir toute son infortune !

A Smolensk, trente mille combattants, cent cinquante canons, le trésor, l'espoir de vivre et de respirer derrière la Bérézina, restaient encore. Ici

c'étaient à peine dix mille soldats, presque sans vêtements, sans chaussures, embarrassés dans une
foule de mourants, quelques canons et un trésor
pillé !

En cinq jours tout s'était aggravé : la destruction
et la désorganisation avaient fait des progrès
effrayants ! Minsk était pris. Ce n'était plus le
repos, l'abondance qu'il retrouverait au delà de
la Bérézina, mais de nouveaux combats contre une
armée nouvelle. Enfin la défection de l'Autriche
semblait être déclarée, et peut-être était-elle un
signal d nné à toute l'Europe !

Napoléon ignorait même s'il pourrait atteindre
à Borizof le nouveau danger que les hésitations de
Schwartzenberg paraissaient lui avoir préparé. On
a vu qu'une troisième armée russe, celle de Wittgenstein, menaçait à sa droite l'intervalle qui le
séparait de cette ville ; qu'il lui avait opposé le duc
de Bellune, et avait ordonné à ce maréchal de retrouver l'occasion manquée le 1er novembre, et de
reprendre l'offensive.

Victor avait obéi ; et le 14, le même jour où Napoléon était sorti de Smolensk, ce maréchal et le duc
de Reggio avaient fait replier les premiers postes
de Wittgenstein vers Smoliany, préparant par ce
combat une bataille qu'ils étaient convenus de
livrer le lendemain.

Les Français étaient trente mille contre quarante
mille. Là, comme à Viazma, c'était assez de soldats,
s'ils n'avaient pas eu trop de chefs.

Leurs maréchaux s'entendirent mal. Victor voulait manœuvrer sur l'aile gauche ennemie, déborder Wittgenstein avec les deux corps français en marchant par Botscheïkowo sur Kamen, et de Kamen, par Pouichma, sur Bérisino. Oudinot désapprouva ce projet avec aigreur, disant que ce serait se séparer de la Grande Armée, qui nous appelait à son secours.

Ainsi l'un des chefs voulant manœuvrer, et l'autre attaquer de front, on ne fit ni l'un ni l'autre. Oudinot se retira pendant la nuit à Czéréia ; et Victor, s'apercevant au point du jour de cette retraite, fut obligé de la suivre.

Il ne s'arrêta qu'à une journée de la Lukolm, vers Senno, où Wittgenstein l'inquiéta peu. Mais enfin le duc de Reggio allait recevoir l'ordre, daté de Dombrowna, qui le dirigeait sur Minsk, et Victor allait rester seul devant le général russe. Il se pouvait qu'alors celui-ci reconnût sa supériorité ; et l'Empereur, dans Orcha, où il voit, le 20 novembre, son arrière-garde perdue, son flanc gauche menacé par Kutusof, et sa tête de colonne arrêtée à la Bérézina par l'armée de Volhinie, apprend que Wittgenstein et quarante mille autres ennemis, bien loin d'être battus et repoussés, sont prêts à fondre sur sa droite, et qu'il faut qu'il se hâte.

Mais Napoléon se décide lentement à quitter le Borysthène. Il lui semble que ce serait abandonner encore une fois le malheureux Ney, et renoncer pour toujours à cet intrépide compagnon d'armes. Là comme à Liady et à Dombrowna, à chaque instant

du jour et de la nuit il appelle, il envoie demander
si l'on n'a rien appris de ce maréchal ; mais rien de
son existence ne transpire au travers de l'armée
russe : voilà quatre jours que dure ce silence de mort ;
et pourtant l'Empereur espère toujours !

Enfin, forcé le 20 novembre de quitter Orcha,
il y laisse encore Eugène, Mortier et Davout, et
s'arrête à deux lieues de là, demandant Ney, l'attendant encore. C'était une même douleur dans
toute l'armée, dont alors Orcha contenait les restes.
Dès que les soins les plus pressants laissèrent un
instant de repos, toutes les pensées, tous les regards se tournèrent vers la rive russe. On écoutait
si quelque bruit de guerre n'annoncerait pas l'arrivée de Ney, ou plutôt ses derniers soupirs ; mais l'on
ne voyait que des ennemis, qui déjà menaçaient
les ponts du Borysthène ! L'un des trois chefs
voulut alors les détruire ; les autres s'y opposèrent :
c'eût été se séparer encore plus de leur compagnon
d'armes, convenir qu'ils désespéraient de le sauver,
et, consternés d'une si grande infortune, ils ne pouvaient s'y résigner.

Mais enfin avec cette quatrième journée finit
l'espoir. La nuit n'amena qu'un repos fatigant. On
s'accusait du malheur de Ney, comme s'il eût été
possible d'attendre plus longtemps le troisième
corps dans les plaines de Krasnoé, où il eût fallu
combattre vingt-huit heures de plus, quand il ne
restait de forces et de munitions que pour une heure.

Déjà, comme dans toutes les pertes cruelles, on

s'attachait aux souvenirs. Davout avait quitté le
dernier l'infortuné maréchal, et Mortier et le vice-
roi lui demandaient quelles avaient été ses dernières paroles. Dès les premiers coups de canon tirés
le 15 sur Napoléon, Ney avait voulu que sur-le-champ
on évacuât Smolensk à la suite du vice-roi ; Davout
s'y était refusé, objectant les ordres de l'Empereur et l'obligation de détruire les remparts de la
ville. Ces deux chefs s'étaient irrités, et, Davout,
persévérant à demeurer jusqu'au lendemain, Ney,
chargé de fermer la marche, avait été forcé de l'attendre.

Il est vrai que, le 16, Davout l'avait fait prévenir
de son danger ; mais alors Ney, soit qu'il eût changé
d'avis, soit irritation contre Davout, lui avait fait
répondre « que tous les cosaques de l'univers ne
« l'empêcheraient pas d'exécuter ses instruc-
« tions ! »

Ces souvenirs et toutes les conjectures épuisées,
on retombait dans un plus triste silence, quand soudain l'on entendit le pas de quelques chevaux,
puis ce cri de joie : « Le maréchal Ney est sauvé,
« il reparaît, voici des cavaliers polonais qui l'an-
« noncent ! » En effet un de ses officiers accourait :
il nous apprit que le maréchal s'avançait par la rive
droite du Borysthène, et qu'il demandait du secours.

La nuit commençait ; Davout, Eugène, et le duc
de Trévise n'avaient que sa courte durée pour ranimer et réchauffer leurs soldats, jusque-là toujours au

bivouac. Pour la première fois, depuis Moscou, ces malheureux avaient reçu des vivres suffisants ; ils allaient les préparer et se reposer chaudement et à couvert ; comment leur faire reprendre leurs armes et les arracher à leurs asiles pendant cette nuit de repos, dont ils commencent à goûter la douceur inexprimable ? Qui leur persuadera de l'interrompre pour retourner sur leurs pas, et rentrer dans les ténèbres et les glaces russes ?

Eugène et Mortier se disputèrent ce dévouement. Le premier ne l'emporta qu'en se réclamant de son rang suprême. Les abris et les distributions avaient produit ce que les menaces n'avaient pu faire ; les traîneurs s'étaient ralliés. Eugène retrouva quatre mille hommes ; au nom du danger de Ney tous marchèrent, mais ce fut leur dernier effort !

Ils s'avancèrent dans l'obscurité, par des chemins inconnus, et firent au hasard deux lieues, s'arrêtant à chaque moment pour écouter. Déjà l'anxiété augmentait. S'était-on égaré ? Etait-il trop tard ? Leurs malheureux compagnons avaient-ils succombé ? Etait-ce l'armée russe triomphante qu'on allait rencontrer ? Dans cette incertitude, le prince Eugène fit tirer quelques coups de canon. On crut alors entendre sur cette mer de neige des signaux de détresse : c'étaient ceux du troisième corps qui, n'ayant plus d'artillerie, répondaient au canon du quatrième par des feux de pelotons.

Les deux corps se dirigèrent aussitôt l'un sur l'autre. Les premiers qui s'aperçurent furent Ney et

Eugène ; il accoururent, Eugène plus précipitamment, et se jetèrent dans les bras l'un de l'autre ! Eugène pleurait, Ney laissait échapper des accès de colère ! L'un, heureux, attendri, exalté de l'héroïsme guerrier que son héroïsme chevaleresque venait recueillir ; l'autre encore tout échauffé du combat, irrité des dangers que l'honneur de l'armée avait courus dans sa personne, et s'en prenant à Davout, qu'il accusait à tort de l'avoir abandonné.

Quelques heures après, quand celui-ci voulut s'en excuser, il n'en put tirer qu'un regard rude et ces mots : « Moi, monsieur le maréchal, je ne vous re- « proche rien ; Dieu nous voit et nous juge ! »

Cependant, dès que les deux corps s'étaient reconnus, ils n'avaient plus gardé de rangs. Soldats, officiers, généraux, tous avaient couru les uns vers les autres. Ceux d'Eugène, serraient les mains à ceux de Ney ; ils les touchaient avec une joie mêlée d'étonnement et de curiosité, et les pressaient contre leur sein avec une tendre pitié ! Les vivres, l'eau-de-vie qu'ils viennent de recevoir, ils les leur prodiguent ; ils les accablent de questions. Puis, tous ensemble, ils marchent vers Orcha, tous impatients, ceux d'Eugène d'entendre, ceux de Ney de raconter !

Ils dirent comment, le 17 novembre ils étaient sortis de Smolensk avec douze canons, six mille baïonnettes et trois cents chevaux, en y abandonnant cinq mille malades à la discrétion de l'ennemi ; et que, sans le bruit du canon de Platof et l'explo-

sion des mines, leur maréchal n'eût jamais pu arracher aux décombres de cette ville sept mille traîneurs, sans armes, qui s'y étaient abrités. Ils racontent quels furent les soins de leur chef pour les blessés, pour les femmes, pour les enfants, et que cette
fois encore le plus brave a été le plus humain !

Aux portes de la ville une action infâme les a
frappés d'une horreur qui dure encore. Une mère
a abandonné son fils âgé de cinq ans : malgré ses
cris et ses pleurs, elle l'a repoussé de son traîneau trop
chargé ! Elle-même criait d'un air égaré « qu'il
« n'avait jamais vu la France ! qu'il ne la regret-
« terait pas ! qu'elle, elle connaissait la France !
« qu'elle voulait revoir la France ! » Deux fois
Ney a fait replacer l'infortuné dans les bras de sa
mère, deux fois elle l'a rejeté sur la neige glacée !

Mais ils n'ont point laissé sans punition ce crime
solitaire au milieu de mille dévouements d'une ten-
dresse sublime : cette femme dénaturée a été abandonnée sur cette même neige, d'où l'on a relevé sa
victime pour la confier à une autre mère ; et ils
montraient dans leurs rangs cet orphelin, que depuis
on revit encore à la Bérézina, puis à Vilna, même à
Kowno, et enfin qui échappa à toutes les horreurs
de la retraite.

Cependant les officiers d'Eugène pressent ceux de
Ney de leurs questions ; ceux-ci poursuivent : ils
se montrent avec leur maréchal, s'avançant vers
Krasnoé, tout au travers de nos immenses débris,
traînant après eux une foule désolée, et précédés

par une autre foule dont la faim hâte les pas.

Ils racontent comment ils ont trouvé le fond de
chaque ravin rempli de casques, de schakos, de
coffres enfoncés, d'habillements épars, de voitures et de canons, les uns renversés, les autres encore
attelés de chevaux abattus, expirants et à demi
dévorés ; comment vers Korithnya, à la fin de leur
première journée, une violente détonation, et, sur
leurs têtes, le sifflement de plusieurs boulets leur
ont fait croire au commencement d'un combat.
Cette décharge partait devant et tout près d'eux,
sur la route même, et pourtant ils n'apercevaient
point d'ennemis. Ricard et sa division se sont avancés pour les découvrir ; mais ils n'ont trouvé, dans
un pli de la route, que deux batteries françaises,
abandonnées avec leurs munitions et, dans les
champs voisins, une bande de misérables cosaques
fuyant, effrayés de l'audace qu'ils avaient eue d'y
mettre le feu, et du bruit qu'ils avaient fait.

Alors ceux de Ney s'interrompent pour demander
à leur tour ce qui s'est passé, quel est donc ce découragement universel, et pourquoi l'on a abandonné
à l'ennemi des armes tout entières. N'avait-on pas
eu le temps d'enclouer les pièces, ou du moins de
gâter leurs approvisionnements ?

Jusque-là cependant ils n'avaient, disaient-ils,
rencontré que les traces d'une marche désastreuse.
Mais le lendemain tout a changé, et ils conviennent
de leurs sinistres pressentiments, quand ils sont
arrivés à cette neige rouge de sang, parsemée d'ar-

mes en pièces et de cadavres mutilés. Les morts
marquaient encore les rangs, les places de bataille ;
ils se les sont montrés réciproquement. Là avait été
la 14ᵉ division : voilà encore, sur les plaques de ses
schakos brisés, les numéros de ses régiments. Là
fut la garde italienne : voilà ses morts, ils en ont
reconnu les uniformes ! Mais où sont ses restes
vivants ? Et ce terrain sanglant, toutes ces formes
inanimées, ce silence immobile et glacé du désert
et de la mort, ils les ont interrogés vainement :
ils n'ont pu pénétrer ni dans le sort de leurs compagnons, ni dans celui qui les attendait eux-mêmes.

Ney les a entraînés rapidement par-dessus toutes
ces ruines, et ils se sont avancés, sans obstacle, jusqu'à cet endroit où la route plonge dans un profond
ravin, d'où elle s'élève ensuite sur un large plateau.
C'était celui de Katova, et ce même champ de bataille, où, trois mois plus tôt, dans leur marche triom-
phale, ils avaient vaincu Newerowskoï, et salué
Napoléon avec les canons conquis la veille sur les
ennemis. Ils ont, disent-ils, reconnu ce terrain, malgré la neige qui le défigurait.

Alors ceux de Mortier s'écrient « que c'était
« donc aussi cette même position où l'Empereur
« et eux les avaient attendus le 17, en combat-
« tant ! » Eh bien, reprennent ceux de Ney, Kutusof, ou plutôt Miloradowitch, avait pris la place de
Napoléon, car le vieillard russe n'avait point encore
quitté Dobroé.

Déjà leurs hommes débandés rétrogradaient en

leur montrant ces plaines de neige toutes noires
d'ennemis, quand un Russe, se détachant des siens,
a descendu la colline : il s'est présenté seul devant
leur maréchal, et, soit affectation de civilisation,
soit respect pour le malheur de leur chef, ou crainte
de son désespoir, il a enveloppé de termes adulateurs
l'injonction de se rendre !

« C'est Kutusof qui l'a envoyé. Ce feld-maréchal
« n'oserait faire une si cruelle proposition à un si
« grand général, à un guerrier si renommé, s'il lui
« restait une seule chance de salut. Mais quatre-
« vingt mille Russes sont devant et autour de lui,
« et, s'il en doute, Kutusof lui offre d'envoyer par-
« courir ses rangs, et compter ses forces. »

Le Russe n'avait point achevé, que tout à coup
quarante décharges de mitraille, partant de la droite
de son armée, viennent, en déchirant l'air et nos
rangs, l'interdire et lui couper la parole. En même
temps un officier français s'élance sur lui, comme
sur un traître, pour le tuer, et tout à la fois Ney,
qui retient ce transport, se livrant au sien, lui crie :
« Un maréchal ne se rend point ; on ne parlemente
« pas sous le feu ; vous êtes mon prisonnier ! »
Et le malheureux officier désarmé est resté exposé
aux coups des siens. Il n'a été relâché qu'à Kowno,
après vingt-six jours, ayant partagé toutes nos douleurs, libre d'y échapper, mais enchaîné par sa
parole.

En même temps l'ennemi redouble ses feux, et ils
disent qu'alors toutes ces collines, il n'y a qu'un ins-

tant froides et silencieuses, sont devenues des volcans en éruption ; mais que Ney s'en est exalté ! Puis, s'enthousiasmant chaque fois que le nom de leur maréchal revient dans leurs discours, ils ajoutent qu'au milieu de tous ces feux, cet homme de feu semblait être dans l'élément qui lui était propre !

Kutusof ne l'a point trompé. On voit, d'un côté, quatre-vingt mille hommes, des rangs entiers, pleins, profonds, bien nourris, des lignes redoublées, de nombreux escadrons, une artillerie immense sur une position formidable, enfin tout, et la Fortune, qui à elle seule tient lieu de tout ; de l'autre côté, cinq mille soldats, une colonne traînante, morcelée, une marche incertaine, languissante, des armes incomplètes, sales, la plupart muettes et chancelantes dans des mains affaiblies !

Et cependant le général français n'a songé ni à se rendre, ni même à mourir, mais à percer, à se faire jour, et cela sans penser qu'il tente un effort sublime ! Seul, et ne s'appuyant sur rien, quand tout s'appuyait sur lui, il a suivi l'impulsion de sa nature forte, et cet orgueil d'un vainqueur à qui l'habitude des succès invraisemblables a fait croire tout possible !

Ce qui les étonnait le plus, c'est qu'ils eussent été si dociles, car tous ont été dignes de lui ; et ils ajoutent que c'est là qu'ils ont bien vu que ce ne sont pas seulement les grandes opiniâtretés, les grands desseins, les grandes témérités qui font le grand homme, mais surtout cette puissance d'y entraîner les autres !

Ricard et ses quinze cents soldats étaient en tête ; Ney les lance contre l'armée ennemie, et dispose le reste pour les suivre. Cette division plonge avec la route dans le ravin, en ressort avec elle, et y retombe écrasée par la première ligne russe.

Le maréchal, sans s'étonner ni permettre qu'on s'étonne, en rassemble les restes, les forme en réserve et s'avance à leur place ; Ledru, Razout et Marchand le secondent. Il ordonne à quatre cents Illyriens de prendre en flanc gauche l'armée ennemie ; et lui-même, avec trois mille hommes, il monte de front à cet assaut ! Il n'a point harangué ; il marche, donnant l'exemple, qui, dans un héros, est de tous les mouvements oratoires le plus éloquent, et de tous les ordres le plus impérieux ! Tous l'ont suivi. Ils ont abordé, enfoncé, renversé la première ligne russe, et, sans s'arrêter, ils se précipitaient sur la seconde, mais, avant de l'atteindre, une pluie de fer et de plomb est venue les assaillir. En un instant Ney a vu tous ses généraux blessés, la plupart de ses soldats morts ; leurs rangs sont vides, leur colonne déformée tourbillonne ; elle chancelle, recule et l'entraîne.

Ney reconnaît qu'il a tenté l'impossible, et il attend que la fuite des siens ait mis entre eux et l'ennemi le ravin, qui désormais est sa seule ressource. Là, sans espoir et sans crainte, il les arrête et les reforme. Il range deux mille hommes contre

quatre-vingt mille ; il répond au feu de deux cents
bouches avec six canons, et fait honte à la Fortune
d'avoir pu trahir un si grand courage !

Mais alors ce fut elle sans doute qui frappa Kutusof d'inertie. A leur extrême surprise, ils ont vu ce
Fabius russe, outré comme l'imitation, s'obstinant
dans ce qu'il appelait son humanité, sa prudence,
rester sur ses hauteurs avec ses vertus pompeuses,
sans se laisser, sans oser vaincre, et comme étonné
de sa supériorité. Il voyait Napoléon vaincu par sa
témérité, et il fuyait ce défaut jusqu'au vice contraire !

Il ne fallait pourtant qu'un emportement d'indignation d'un seul des corps russes pour en finir ;
mais tous ont craint de faire un mouvement décisif :
ils sont restés attachés à leur glèbe avec une immobilité d'esclaves, comme s'ils n'avaient eu d'audace
que dans leur consigne, et d'énergie que leur obéissance.

Ils avaient été longtemps incertains, ignorant
quel ennemi ils combattaient ; car ils avaient cru
que de Smolensk Ney avait fui par la rive droite du
Dnieper, et ils se trompaient, comme il arrive souvent, parce qu'ils supposaient que leur ennemi
avait fait ce qu'il aurait dû faire.

En même temps les Illyriens étaient revenus tout
en désordre ; ils avaient eu un étrange moment.
Ces quatre cents hommes, en s'avançant sur le
flanc gauche de la position ennemie, avaient rencontré cinq mille Russes qui revenaient d'un com-

bat partiel avec une aigle française et plusieurs de nos soldats prisonniers.

Ces deux troupes ennemies, l'une retournant à sa position, l'autre allant l'attaquer, s'avançaient dans la même direction et se côtoyaient en se mesurant des yeux, sans qu'aucune d'elles osât commencer le combat. Elles marchaient si près l'une de l'autre, que du milieu des rangs russes, les Français prisonniers tendaient les mains aux leurs en les conjurant de venir les délivrer. Ceux-ci leur criaient de venir à eux, qu'ils les recevraient et les défendraient ; mais personne ne fit le premier pas. Ce fut alors que Ney, culbuté, entraîna tout.

Cependant Kutusof, plus confiant dans ses canons que dans ses soldats, ne cherchait à vaincre que de loin. Ses feux couvraient tellement tout le terrain occupé par les Français, que le même boulet qui renversait un homme du premier rang, allait tuer sur les dernières voitures les femmes fugitives de Moscou.

Sous cette grêle meurtrière, les soldats de Ney, étonnés, immobiles, regardaient leur chef, attendant sa décision pour se croire perdus, espérant sans savoir pourquoi, ou plutôt, suivant la remarque d'un de leurs officiers, parce qu'au milieu de ce péril extrême ils voyaient son âme tranquille et calme comme une chose à sa place. Sa figure était devenue silencieuse et recueillie : il observait l'armée ennemie, qui, défiante depuis la ruse du prince Eugène, s'étendait au loin sur ses flancs pour lui fermer toute voie de salut.

La nuit commençait à confondre les objets : l'hiver, en cela seulement favorable à notre retraite, l'amenait alors promptement. Ney l'avait attendue ; mais il ne profite de ce sursis que pour donner l'ordre aux siens de retourner vers Smolensk. Tous disent qu'à ces mots ils sont demeurés glacés d'étonnement. Son aide de camp lui-même n'en a pu croire ses oreilles : il est resté muet, ne comprenant pas, et fixant son chef d'un air interdit. Mais le maréchal a répété le même ordre ; à son accent bref et impérieux, ils ont reconnu une résolution prise, une ressource trouvée, cette confiance en soi qui en inspire aux autres, et, quelque critique que soit sa position, un esprit qui la domine. Alors ils ont obéi, et, sans hésiter, ils ont tourné le dos à leur armée, à Napoléon, à la France ! ils sont rentrés dans cette funeste Russie. Leur marche rétrograde a duré une heure ; ils ont revu le champ de bataille marqué par les restes de l'armée d'Italie ; là ils se sont arrêtés, et leur maréchal, resté seul à l'arrière-garde, les a rejoints.

Ils suivaient des yeux tous ses mouvements. Qu'allait-il faire ? Et, quel que soit son dessein, où dirigera-t-il ses pas, sans guide, dans un pays inconnu ? Mais lui, avec cet instinct guerrier, s'est arrêté au bord d'un ravin assez considérable pour qu'un ruisseau en dût marquer le fond. Il en fait écarter la neige et briser la glace. Alors, consultant son cours, il s'écrie : « Que c'est un affluent du « Dnieper ! que voilà notre guide ! qu'il faut le

« suivre ! qu'il va nous mener au fleuve, nous le
« franchirons ! notre salut est sur son autre rive ! »
Il marche aussitôt dans cette direction.

Toutefois, à peu de distance du grand chemin
qu'il vient d'abandonner, il s'arrête encore dans un
village ; son nom, ils l'ignorent : ils croient que ce
fut Fomina, ou plutôt Danikowa. Là il a rallié ses
troupes et fait allumer des feux comme pour s'y
établir. Des cosaques, qui le suivaient, l'en ont cru
sur parole, et sans doute qu'ils ont envoyé avertir
Kutusof du lieu où le lendemain un maréchal français lui rendrait ses armes, car bientôt leur canon
s'est fait entendre.

Ney a écouté : « Est-ce enfin Davout, s'est-il
écrié, qui se souvient de moi ? » Et il écoute
encore. Mais des intervalles égaux séparaient les
coups : c'était une salve. Alors persuadé que dans
le camp des Russes on triomphe d'avance de sa
captivité, il jure de faire mentir leur joie, et se
remet en marche.

En même temps ses Polonais fouillaient tout le
pays. Un paysan boiteux fut le seul habitant qu'ils
purent découvrir ; ce fut un bonheur inespéré. Il
annonça que le Dnieper n'était qu'à une lieue, mais
qu'il n'était point guéable, et ne devait pas être
gelé. « Il le sera ! » répond le maréchal ; et sur ce
qu'on lui objectait le dégel qui commençait, il
ajouta : « Qu'il n'importait, qu'on passerait, parce
« qu'il n'y avait que cette ressource ! »

Enfin, vers huit heures, on traversa un village,

le ravin finit, et le moujik boiteux, qui marchait en tête, s'arrêta en montrant le fleuve. Ils supposent que ce fut entre Syrokorénie et Gusinoé. Ney et les premiers qui le suivaient accoururent. Le fleuve était pris, il portait : le cours des glaçons, que jusque-là il charriait, contrarié par un brusque contour de ses rives, s'était suspendu ; l'hiver avait achevé de le glacer, et c'était sur ce point seulement ; au-dessus et au-dessous sa surface était mobile encore !

Cette observation fit succéder au premier mouvement de bonheur, de l'inquiétude. Le fleuve ennemi pouvait n'offrir qu'une perfide apparence. Un officier se dévoua : on le vit arriver difficilement à l'autre bord. Il revint annoncer que les hommes, et peut-être quelques chevaux, passeraient, qu'il faudrait abandonner le reste, et se presser, la glace commençant à se dissoudre par le dégel.

Mais, dans ce mouvement nocturne, silencieux, à travers champs, d'une colonne composée d'hommes affaiblis, de blessés et de femmes avec leurs enfants, on n'avait pu marcher assez serré pour ne pas se distendre, se désunir, et perdre, dans l'obscurité, la trace les uns des autres. Ney s'aperçut qu'il n'avait avec lui qu'une partie des siens : néanmoins il pouvait toujours passer l'obstacle, assurer par là son salut, attendre à l'autre rive. L'idée ne lui en vint pas ; quelqu'un l'eut pour lui, il la repoussa ! Il donna trois heures au ralliement ; et, sans se laisser agiter par l'impatience et le péril

de l'attente, on le vit s'envelopper dans son manteau, et ces trois heures si dangereuses, les passer
à dormir profondément sur le bord du fleuve :
tant il avait ce tempérament des grands hommes,
une âme forte dans un corps robuste, et cette santé
vigoureuse sans laquelle il n'y a guère de héros !

Enfin, vers minuit, le passage a commencé, mais
les premiers qui s'éloignent du bord avertissent
que la glace plie sous eux, qu'elle s'enfonce, qu'ils
marchent dans l'eau jusqu'au genoux ; et bientôt
on entend ce frêle appui se fendre avec des craque-
ments effroyables, qui se prolongent au loin comme
dans une débâcle. Tous s'arrêtent consternés !

Ney ordonne de ne passer qu'un à un ; et l'on
s'avance avec précaution, ne sachant quelquefois,
dans l'obscurité, si l'on va poser le pied sur les
glaçons ou dans quelque intervalle ; car il y eut des
endroits où il fallut franchir de larges crevasses,
sauter d'une glace à l'autre, au risque de tomber
entre deux et de disparaître pour jamais. Les premiers hésitèrent, mais on leur cria par derrière de se
hâter.

Lorsqu'enfin, après plusieurs de ces cruelles douleurs, on atteignit l'autre bord et qu'on se crut sauvé,
un escarpement à pic, tout couvert de verglas,
s'opposa à ce qu'on prît terre. Beaucoup furent
rejetés sur la glace qu'ils brisèrent en tombant, ou
dont ils furent brisés. A les entendre, ce fleuve et
cette rive russes semblaient ne s'être prêtés qu'à
regret, par surprise, et comme forcément, à leur salut !

Mais ce qu'ils redisaient avec horreur, c'était le trouble et l'égarement des femmes et des malades, quand il fallut abandonner dans les bagages les restes de leur fortune, leurs vivres, enfin toutes leurs ressources contre le présent et l'avenir ! Ils les ont vus se pillant eux-mêmes, choisir, rejeter, reprendre, et tomber d'épuisement et de douleur sur la rive glacée du fleuve. Ils frémissaient encore au souvenir du cruel spectacle de tant d'hommes épars sur cet abîme, du retentissement continuel des chutes, des cris de ceux qui s'enfonçaient, et surtout des pleurs et du désespoir des blessés qui, de leurs chariots, qu'on n'osait risquer sur ce frêle appui, tendaient les mains à leurs compagnons, en les suppliant de ne pas les abandonner.

Leur chef voulut alors tenter le passage de quelques voitures chargées de ces malheureux ; mais, au milieu du fleuve, la glace s'affaissa et s'entr'ouvrit. On entendit de l'autre bord sortir du gouffre d'abord des cris d'angoisse déchirants et prolongés, puis des gémissements entrecoupés et affaiblis, puis un affreux silence : tout avait disparu !

Ney fixait l'abîme d'un regard consterné, quand, au travers des ombres, il crut voir un objet remuer encore : c'était un de ces infortunés, un officier, nommé Briqueville, qu'une profonde blessure à l'aine empêchait de se relever. Un plateau de glace l'avait soulevé. Bientôt on l'aperçut distinctement, qui, de glaçons en glaçons, se traînait sur les genoux et sur les mains et se rapprochait. Ney lui-même le recueillit et le sauva !

Depuis la veille, quatre mille traîneurs et trois mille soldats étaient ou morts ou égarés ; les canons et tous les bagages perdus ; à peine restait-il à Ney trois mille combattants et autant d'hommes débandés. Enfin, quand tous ces sacrifices ont été consommés, et tout ce qui avait pu passer réuni, ils ont marché, et le fleuve dompté est devenu leur allié et leur guide.

On s'avançait au hasard et avec incertitude, lorsque l'un d'eux, en tombant, reconnut une route frayée. Elle ne l'était que trop, car ceux qui étaient en tête, se baissant, et ajoutant à leurs regards leurs mains, s'arrêtèrent effrayés, s'écriant « qu'ils « voyaient des traces toutes fraîches d'une grande « quantité de canons et de chevaux ! » Ils n'avaient donc évité une armée ennemie que pour tomber au milieu d'une autre ! Lorsqu'à peine ils peuvent marcher, il faudra donc encore combattre ! La guerre est donc partout ! Mais Ney les poussa en avant, et, sans s'émouvoir, il se livra à ces traces menaçantes.

Elles le conduisirent à un village, celui de Gusinoé, où ils entrèrent brusquement ; tout y fut saisi : on y trouva tout ce qui manquait, depuis Moscou, habitants, vivres, repos, demeures chaudes, et une centaine de cosaques qui se réveillèrent prisonniers. Leurs rapports et la nécessité de se refaire pour continuer, y arrêtèrent Ney quelques instants.

Vers dix heures on avait atteint deux autres villages et l'on s'y reposait, quand soudain l'on vit les forêts environnantes se remplir de mouvements. Pendant qu'on s'appelle, qu'on se regarde, et qu'on se concentre dans celui de ces deux hameaux qui était le plus près du Borysthène, des milliers de cosaques sortent d'entre tous les arbres, et entourent la malheureuse troupe de leurs lances et de leurs canons.

C'était Platof et toutes ses hordes, qui suivaient la rive du Dnieper. Ils pouvaient brûler ce village, mettre la faiblesse de Ney à découvert et l'achever; mais ils sont restés trois heures immobiles, sans même tirer; on ignore pourquoi. Ils ont dit qu'ils n'avaient point eu d'ordre; qu'en ce moment leur chef était hors d'état d'en donner, et qu'en Russie on n'ose rien prendre sur soi.

La contenance de Ney les contint : lui et quelques soldats suffirent; il ordonna même au reste des siens de continuer leur repas jusqu'à la nuit. Alors il a fait circuler l'ordre de décamper sans bruit, de s'avertir mutuellement et à voix basse, et de marcher serrés. Puis tous ensemble se sont mis en mouvement; mais leur premier pas a été comme un signal pour l'ennemi : toutes ses pièces ont fait feu, tous ses escadrons se sont ébranlés à la fois.

A ce bruit, les traîneurs désarmés, encore au nombre de trois ou quatre mille, prirent l'épouvante. Ce troupeau d'hommes errait çà et là; leur foule flottait égarée, incertaine, se ruant dans les rangs des soldats, qui les repoussaient. Ney sut les maintenir entre lui et les Russes, dont ces hommes inutiles absorbèrent les feux. Ainsi, les plus découragés serviront à préserver les plus braves !

En même temps que sur son flanc droit le maréchal se fait un rempart de ces malheureux, il a regagné les bords du Dnieper, dont il couvre son flanc gauche et il marche entre deux, s'avançant ainsi, de bois en bois, de plis de terrain en plis de terrain, profitant de toutes les sinuosités, des moindres accidents du sol. Mais souvent il est obligé de s'éloigner du fleuve ; alors Platof l'environne de toutes parts.

C'est ainsi que pendant deux jours et vingt lieues, six mille cosaques ont voltigé sans cesse sur les flancs de leur colonne réduite à quinze cents hommes armés.

La nuit apporta quelque soulagement, et d'abord on s'enfonça dans les ténèbres avec quelque joie ; mais alors, si l'on s'arrêtait un instant aux derniers adieux de ceux qui tombaient faibles ou blessés, on perdait la trace les uns des autres. Il y eut là beaucoup de cruels moments, bien des instants de désespoir ; cependant l'ennemi lâcha prise.

La malheureuse colonne, plus tranquille, s'avançait, comme à tâtons, dans un bois épais, quand tout à coup, à quelques pas devant elle, une vive lueur et plusieurs coups de canon éclatent dans la figure des hommes du premier rang. Saisis de frayeur ils croient que c'en est fait, qu'ils sont coupés, que voilà leur terme, et ils tombent terrifiés ; le reste derrière eux, se mêle et se culbute. Ney, qui voit tout perdu, se précipite ; il fait battre la charge, et comme s'il eût prévu cette attaque il s'écrie : « Compagnons, voilà l'instant, en avant ! Ils sont « à nous ! » A ces paroles, ses soldats consternés, et qui se croyaient surpris, croient surprendre ; de vaincus qu'ils étaient, ils se relèvent vainqueurs ; ils courent sur l'ennemi, qu'ils ne trouvent déjà plus, et dont ils entendent, au travers des forêts, la fuite précipitée !

On s'écoula vite ; mais, vers dix heures du soir, on rencontra une petite rivière encaissée dans un profond ravin ; il fallut la passer un à un, comme le Dnieper. Les Cosaques, acharnés sur ces infortunés, les épiaient encore. Ils profitèrent de ce moment ; mais Ney et quelques coups de feu les repoussèrent. On franchit péniblement cet obstacle, et une heure après, la faim et l'épuisement arrêtèrent pendant deux heures dans un grand village.

Le lendemain, 19 novembre, depuis minuit jusqu'à dix heures du matin, on marcha sans rencontrer d'autre ennemi qu'un terrain montueux ; mais alors les colonnes de Platof ont reparu, et Ney leur a fait face en se servant de la lisière d'une forêt. Tant qu'à duré le jour, il a fallu que ses soldats se résignassent à voir les boulets ennemis renverser les arbres qui les abritaient et sillonner leurs bivouacs ; car on n'avait plus que de petites armes qui ne pouvaient maintenir l'artillerie des Cosaques à une distance suffisante.

La nuit revenue, le maréchal a donné le signal et l'on s'est remis en marche vers Orcha. Déjà, pendant le jour précédent, Pchébendowski et cinquante chevaux y avaient été envoyés pour demander du secours ; ils devaient y être arrivés, si toutefois l'ennemi n'occupait pas encore cette ville.

Les officiers de Ney finirent en disant que quant au reste de leur route, et quoiqu'ils eussent encore rencontré des obstacles cruels, ils n'étaient pas dignes d'être racontés. Toutefois ils s'exaltaient toujours au nom de leur maréchal, et faisaient partager leur admiration, car ses égaux eux-mêmes ne songèrent pas à être jaloux. On l'avait trop regretté, on avait trop besoin de douces émotions pour se livrer à l'envie ; Ney s'était d'ailleurs mis hors de sa portée. Pour lui, dans tout cet héroïsme, il était si peu sorti de son naturel, que, sans l'éclat de sa gloire dans les yeux, dans les gestes et dans les acclamations de tous, il ne se serait point aperçu qu'il avait fait une action sublime !

Et ce n'était pas un enthousiasme de surprise. Chacun de ces derniers jours avait eu ses hommes remarquables, entre autres : celui du 16, Eugène ; celui du 17, Mortier ; mais dès lors tous proclamèrent Ney le héros de la retraite !

Cinq marches séparent à peine Orcha de Smolensk. Dans ce court trajet, que de gloire recueillie ! Qu'il faut peu d'espace et de temps pour une renommée immortelle ! Et de quelle nature sont donc ces grandes inspirations, ce germe, invisible, impalpable, des grands dévouements, produits de quelques instants, issus d'un seul cœur, et qui doivent remplir les temps et l'immensité ?

Quand, à deux lieues de là, Napoléon apprit que Ney venait de reparaître, il bondit de joie, il en poussa des cris, il s'écria : « J'ai donc sauvé mes « aigles ! J'aurais donné trois cents millions de « mon trésor pour racheter la perte d'un tel « homme ! »

Ainsi l'armée avait repassé, pour la troisième et dernière fois, le Dnieper, fleuve à demi russe et à demi lithuanien, mais d'origine moscovite. Il coule de l'est à l'ouest jusqu'à Orcha, où il se présente pour pénétrer en Pologne ; mais là des hauteurs lithuaniennes, s'opposant à cette invasion, le forcent de se détourner brusquement vers le sud et de servir de frontière aux deux pays.

Les quatre-vingt mille Russes de Kutusof s'arrêtèrent devant ce faible obstacle. Jusque-là ils avaient été plutôt spectateurs qu'auteurs de notre désastre. Nous ne les revîmes plus : l'armée fut délivrée du supplice de leur joie.

Dans cette guerre, et comme il arrive toujours, le caractère de Kutusof le servit plus que ses talents. Tant qu'il fallut tromper et temporiser, son esprit astucieux, sa paresse, son grand âge, agirent d'eux-mêmes : il se trouva l'homme de la circonstance, ce qu'il ne fut plus ensuite dès qu'il fallut marcher rapidement, poursuivre, prévenir, attaquer.

Mais depuis Smolensk, Platof avait passé le flanc droit de la route, comme pour se joindre à Wittgenstein. Toute la guerre se porta de ce côté.

Le 22 on marcha péniblement d'Orcha vers Borizof, sur un large chemin bordé d'un double rang de grands bouleaux, dans une neige fondue, et au travers d'une boue profonde et liquide. Les plus faibles s'y noyèrent ; elle retint et livra aux cosaques tous ceux des blessés qui, croyant la gelée établie pour toujours, avaient, à Smolensk, changé leurs voitures contre des traîneaux.

Au milieu de ce dépérissement il se passa une action d'une énergie antique. Deux marins de la garde venaient d'être coupés de leur colonne par une bande de Tartares qui s'acharnaient sur eux. L'un perdit courage et voulut se rendre ; l'autre, tout en combattant, lui cria que s'il commettait cette lâcheté il le tuerait ; et en effet, voyant son compagnon jeter son fusil et tendre les bras à l'ennemi, il l'abattit d'un coup de feu entre les mains des cosaques ! Puis, profitant de leur étonnement, il rechargea promptement son arme, dont il menaça les plus hardis. Ainsi il les contint, et d'arbre en arbre il recula, gagna du terrain, et parvint à rejoindre sa troupe.

Ce fut dans ces premiers jours de marche, vers Borizof, que le bruit de la prise de Minsk se répandit dans l'armée. Alors les chefs eux-mêmes portèrent autour d'eux des regards consternés : leur imagination, blessée par une si longue suite de spectacles affreux, entrevit un avenir plus sinistre encore. Dans leurs entretiens particuliers plusieurs s'écriaient « que, comme Charles XII, dans l'Ukraine, « Napoléon avait mené son armée se perdre dans « Moscou ! »

VIII

LA BÉRÉZINA

A Vilna, on paraissait être resté sans défiance,
et quand, de la Bérézina à la Vistule, les garnisons,
les dépôts, les bataillons de marche, et les divisions
Durutte, Loison et Dombrowski, pouvaient, sans
le secours des Autrichiens, former à Minsk une armée de trente mille hommes, un général peu connu
et trois mille soldats avaient été les seules forces
qui s'y étaient trouvées pour arrêter Tchitchakof.
On savait même que cette poignée de jeunes soldats avait été exposée devant une rivière, où
l'amiral les avait précipités, tandis que cet obstacle
les aurait défendus quelques instants, s'ils eussent
été placés derrière.

Car, ainsi qu'il arrive souvent, les fautes d'ensemble avaient entraîné les fautes de détail. Le
gouverneur de Minsk avait été choisi négligemment ;
c'était, dit-on, un de ces hommes qui se chargent
de tout, qui répondent de tout, et qui manquent

à tout. Le 16 novembre, il avait perdu cette capitale et avec elle quatre mille sept cents malades, des munitions de guerre et deux millions de rations de vivres. Il y avait cinq jours que le bruit en était venu à Drombrowna, et l'on allait apprendre un plus grand malheur.

Ce même gouverneur s'était retiré sur Borizof. Là il ne sut ni avertir Oudinot, qui était à deux marches, de venir à son secours ; ni soutenir Dombrowski, qui accourait de Bobruisk et d'Igumen. Dombrowski n'arriva, dans la nuit du 20 au 21, à la tête du pont qu'après l'ennemi ; pourtant il en chassa l'avant-garde de Tchitchakof, il s'y établit, et s'y défendit vaillamment jusqu'au soir du 21 ; mais alors, écrasé par l'artillerie russe, qui le prit en flanc, il fut attaqué par des forces doubles des siennes, et culbuté au delà de la rivière de la ville jusque sur le chemin de Moscou.

Napoléon ne s'attendait pas à ce désastre : il croyait l'avoir prévenu par ses instructions adressées de Moscou à Victor, le 6 octobre : « Elles sup-« posaient une vive attaque de Wittgenstein ou « de Tchitchakof ; elles recommandaient à Victor « de se tenir à portée de Polotsk et de Minsk : « d'avoir un officier sage, discret et intelligent près « de Schwartzenberg ; d'entretenir une correspon-« dance réglée avec Minsk, et d'envoyer d'autres « agents sur plusieurs directions. »

Mais, Wittgenstein ayant attaqué avant Tchitchakof, le danger le plus proche et le plus pressant

avait attiré toute l'attention ; les sages instructions
du 6 octobre n'avaient point été renouvelées par
Napoléon ; elles parurent oubliées par son lieutenant. Enfin, lorsqu'à Dombrowna l'Empereur
apprit la perte de Minsk, lui-même ne jugea pas
Borizof dans un aussi pressant danger, puisqu'en
passant le lendemain à Orcha, il fit brûler tous ses
équipages de pont.

D'ailleurs sa correspondance du 20 novembre
avec Victor prouve sa confiance : elle supposait
qu'Oudinot serait près d'arriver le 25 dans Borizof,
tandis que, dès le 21, cette ville devait tomber au
pouvoir de Tchitchakof.

Ce fut le lendemain de cette fatale journée, à
trois heures de marches de Borizof et sur la grande
route, qu'un officier vint annoncer à Napoléon
cette nouvelle désastreuse. L'Empereur, frappant la
terre de son bâton, lança au ciel un regard furieux
avec ces mots: « Il est donc écrit là-haut que nous
« ne ferons plus que des fautes ! »

Cependant le maréchal Oudinot, déjà en marche
pour Minsk, et ne se doutant de rien, s'était arrêté
le 21, entre Bobr et Kroupki, lorsqu'au milieu de
la nuit le général Brownikowski accourut pour lui
annoncer sa défaite, celle de Dombrowski, la prise
de Borizof et que les Russes le suivaient de près.

Le 22, le maréchal marcha à leur rencontre et
rallia les restes de Dombrowski.

Le 23, il se heurta, à trois lieues en avant de
Borizof, contre l'avant-garde russe, qu'il renversa,

à laquelle il prit neuf cents hommes, quinze cents voitures, et qu'il ramena à grands coups de canon, de sabre et de baïonnette, jusque sur la Bérésina ; mais les débris de Lambert, en repassant Borizof et cette rivière en détruisirent le pont.

Napoléon était alors dans Toloczine ; il se faisait décrire la position de Borizof. On lui confirme que, sur ce point, la Bérézina n'est pas seulement une rivière, mais un lac de glaçons mouvants ; que son pont a trois cents toises de longueur ; que sa destruction est irréparable, et le passage désormais impossible.

Un général du génie arrivait en ce moment ; il revenait du corps du duc de Bellune. Napoléon l'interpelle : le général déclare « qu'il ne voit plus « de salut qu'au travers de l'armée de Witt- « genstein. » L'Empereur répond « qu'il lui faut « une direction dans laquelle il tourne le dos à « tout le monde, à Kutusof, à Wittgenstein, à « Tchitchakof ; » et il montre du doigt sur sa carte le cours de la Bérézina au-dessous de Borizof : c'est là qu'il veut traverser cette rivière. Mais le général lui objecte la présence de Tchitchakof sur la rive droite ; et l'Empereur désigne un autre point de passage au-dessous du premier, puis un troisième plus près encore du Dnieper. Alors, sentant qu'il s'approche du pays des Cosaques, il s'arrête et s'écrie : « Ah, oui ! Pultawa !... C'est comme « Charles XII ! »

En effet, tout ce que Napoléon pouvait prévoir

de malheurs était arrivé : aussi la triste conformité
de sa situation avec celle du conquérant suédois
le jeta-t-elle dans une si grande contention d'esprit,
que sa santé en fut ébranlée plus encore qu'à Malo-
Iaroslavetz. Dans les paroles qu'alors il laissa entendre, on remarqua ces mots : « Voilà donc ce qui
« arrive quand on entasse fautes sur fautes ! »

Néanmoins ces premiers mouvements furent les
seuls qui lui échappèrent, et le valet de chambre
qui le secourut fut le seul qui s'aperçut de son agitation. Duroc, Daru, Berthier, ont dit qu'ils l'igno-
rèrent, qu'ils le virent inébranlable ; ce qui était
vrai, humainement parlant, puisqu'il restait assez
maître de lui pour contenir son anxiété, et que la
force de l'homme ne consiste le plus souvent qu'à
cacher sa faiblesse.

Au reste, un entretien digne de remarque, qu'on
entendit cette même nuit, montrera tout ce qu'avait
de critique sa position, et comment il la supportait.
La nuit s'avançait ; Napoléon était couché ; Duroc
et Daru, encore dans sa chambre, se livraient, à
voix basse, aux plus sinistres conjectures, croyant
leur chef endormi ; mais lui les écoutait, et, le mot
de *prisonnier d'Etat* venant à frapper son oreille :
« Comment ! s'écria-t-il, vous croyez qu'ils l'ose-
« raient ? »

Daru, d'abord surpris, répondit bientôt « que si
« l'on était forcé de se rendre, il faudrait s'attendre
« à tout ; qu'il ne se fiait pas à la générosité d'un
« ennemi ; qu'on savait assez que la grande poli-

« tique se croyait elle-même la morale, et ne sui-
« vait aucune loi. — Mais la France ! reprit l'Em-
« pereur ; et que dirait la France ? — Oh, pour la
« France, continua Daru, on peut faire sur elle
« mille conjectures plus ou moins fâcheuses, mais
« nul de nous ne peut savoir ce qui s'y passerait ! »
Et alors il ajoute « que pour les premiers officiers
« de l'Empereur, comme pour l'Empereur lui-même,
« le plus heureux serait, que par les airs ou autre-
« ment, puisque la terre était fermée, il pût ga-
« gner la France, d'où il les sauverait plus sûre-
« ment qu'en restant au milieu d'eux ! — Ainsi
« donc je vous embarrasse ? reprit l'Empereur en
« souriant. — Oui, Sire. — Et vous ne voulez pas
« être prisonnier d'Etat ? » — Daru répondit sur
le même ton, « qu'il lui suffirait d'être prisonnier
« de guerre. » Sur quoi l'Empereur resta quelque
temps dans un profond silence ; puis, d'un air plus
sérieux : « Tous les rapports de mes ministres
« sont-ils brûlés ? — Sire, jusques ici vous ne l'avez
« pas voulu permettre. — Eh bien, allez les dé-
« truire ; car, il faut en convenir, nous sommes
« dans une triste position ! » Ce fut là le seul aveu
qu'elle lui arracha, et sur cette pensée il s'endormit,
sachant, quand il le fallait, tout remettre au lendemain.

On vit dans ses ordres la même fermeté. Oudinot
vient de lui annoncer sa résolution de culbuter
Lambert ; il l'approuve, et il le presse de se rendre
maître d'un passage, soit au-dessus soit au-dessous

de Borizof. Il veut que le 24, le choix de ce passage
soit fait, les préparatifs commencés, et qu'il en soit
averti pour y conformer sa marche. Loin de penser
à s'échapper du milieu de ces armées ennemies, il
ne songe plus qu'à vaincre Tchitchakof, et à reprendre Minsk.

Il est vrai que huit heures après, dans une seconde lettre au duc de Reggio, il se résigne à franchir la Bérézina vers Veselowo, et à se retirer directement sur Vilna par Viléika en évitant l'amiral
russe.

Mais, le 24, il apprend qu'il ne pourra tenter ce
passage que vers Studzianska ; qu'en cet endroit le
fleuve a cinquante-quatre toises de largeur, six
pieds de profondeur ; qu'on abordera sur l'autre
rive, dans un marais, sous le feu d'une position domi-
nante fortement occupée par l'ennemi.

L'espoir de passer entre les armées russes était
donc perdu : poussé par celles de Kutusof et de Wittgenstein contre la Bérézina, il fallait traverser cette
rivière, en dépit de l'armée de Tchitchakof qui la
bordait.

Dès le 23, Napoléon s'y prépara comme pour une
action désespérée. Et d'abord il se fit apporter les
aigles de tous les corps et les brûla. Il rallia, en deux
bataillons, dix-huit cents cavaliers démontés de sa
garde, dont onze cent cinquante-quatre seulement
étaient armés de fusils et de carabines.

La cavalerie de l'armée de Moscou était tellement détruite, qu'il ne restait plus à Latour-Mau-

bourg que cent cinquante hommes à cheval. L'Empereur rassembla autour de lui tous les officiers de cette arme encore montés : il appela cette troupe, d'environ cinq cents maîtres, *son escadron sacré ;* Grouchy et Sebastiani en eurent le commandement; des généraux de division y servirent comme capitaines.

Napoléon ordonne encore que toutes les voitures inutiles soient brûlées ; qu'aucun officier n'en conserve plus d'une ; qu'on brûle la moitié des fourgons et des voitures de tous les corps, et qu'on en donne les chevaux à l'artillerie de la garde. Les officiers de cette arme ont l'ordre de s'emparer de toutes les bêtes de trait qu'ils trouveront à leur portée, même des chevaux de l'Empereur, plutôt que d'abandonner un canon ou un caisson.

En même temps il s'enfonçait précipitamment dans cette obscure et immense forêt de Minsk, où quelques bourgs et de misérables habitations ont fait à peine quelques éclaircies. Le bruit du canon de Wittgenstein la remplissait de ses éclats. Ce Russe accourait sur le flanc droit de notre colonne mourante, descendant du nord, et nous rapportant l'hiver qui nous avait quittés avec Kutusof ; ce bruit menaçant hâtait nos pas. Quarante à cinquante mille hommes, femmes et enfants, s'écoulaient au travers de ces bois, aussi précipitamment que le permettaient leur faiblesse et le verglas qui se reformait.

Ces marches forcées, commencées avant le jour,

et qui ne finissaient pas avec lui, dispersèrent tout ce qui était resté ensemble. On se perdit dans les ténèbres de ces grandes forêts et de ces longues nuits. Le soir on s'arrêtait ; le matin on se remettait en route dans l'obscurité, au hasard et sans entendre le signal ; les restes des corps achevèrent alors de se dissoudre ; tout se mêla et se confondit !

Dans ce dernier degré de faiblesse et de confusion, et comme on approchait de Borizof, on entendit devant soi de grands cris. C'était l'armée de Victor, que Wittgenstein avait poussée mollement jusque sur le côté droit de notre route. Elle y attendait le passage de Napoléon. Tout entière encore, et toute vive, elle revoyait son Empereur, qu'elle recevait avec ces acclamations d'usage depuis longtemps oubliées.

Elle ignorait nos désastres : on les avait cachés soigneusement, même à ses chefs. Aussi, quand, au lieu de cette grande colonne conquérante de Moscou, elle n'aperçut derrière Napoléon qu'une traînée de spectres couverts de lambeaux, de pelisses de femme, de morceaux de tapis, ou de sales manteaux roussis et troués par les feux, et dont les pieds étaient enveloppés de haillons de toute espèce, elle demeura consternée ! Elle regardait avec effroi défiler ces malheureux soldats décharnés, le visage terreux et hérissé d'une barbe hideuse, sans armes, sans honte, marchant confusément, la tête basse, les yeux fixés vers la terre, et en silence, comme un troupeau de captifs !

Ce qui l'étonnait le plus, c'était la vue de cette quantité de colonels et de généraux épars, isolés, qui ne s'occupaient plus que d'eux-mêmes, ne songeant qu'à sauver ou leurs débris ou leur personne ; ils marchaient pêle-mêle avec les soldats, qui ne les apercevaient pas, auxquels ils n'avaient plus rien à commander, de qui ils ne pouvaient plus rien attendre, tous les liens étant rompus, tous les rangs effacés par la misère.

Les soldats de Victor et d'Oudinot n'en pouvaient croire leurs regards. Leurs officiers, émus de pitié, les larmes aux yeux, retenaient ceux de leurs compagnons que dans cette foule ils reconnaissaient. Ils les secouraient de leurs vivres et de leurs vêtements ; puis ils leur demandaient où étaient donc leurs corps d'armée ! Et quand ceux-ci les leur montraient, n'apercevant, au lieu de tant de milliers d'hommes, qu'un faible peloton d'officiers et de sous-officiers autour d'un chef, ils les cherchaient encore !

L'aspect d'un si grand désastre ébranla, dès le premier jour, les deuxième et neuvième corps. Le désordre, de tous les maux le plus contagieux, les gagna ; car il semble que l'ordre soit un effort contre la nature.

Et cependant les désarmés, les mourants mêmes, quoiqu'ils n'ignorassent plus qu'il fallait se faire jour au travers d'une rivière et d'un nouvel ennemi, ne doutèrent pas de la victoire.

Ce n'était plus que l'ombre d'une armée, mais

c'était l'ombre de la Grande Armée! Elle ne se sentait vaincue que par la nature. La vue de son Empereur la rassurait. Depuis longtemps elle était ac-
coutumée à ne plus compter sur lui pour vivre, mais
pour vaincre. C'était la première campagne malheureuse, et il y en avait eu tant d'heureuses ! Il ne
fallait que pouvoir le suivre ; lui seul, qui avait pu
élever si haut ses soldats et les précipiter ainsi,
pourrait seul les sauver ! Il était donc encore au
milieu de son armée comme l'espérance au milieu
du cœur de l'homme !

Aussi, parmi tant d'êtres qui pouvaient lui reprocher leur malheur, marchait-il sans crainte, parlant
aux uns et aux autres sans affectation, sûr d'être
respecté tant qu'on respecterait la gloire, sachant
bien qu'il nous appartenait autant que nous lui
appartenions, sa renommée étant comme une pro-
priété nationale. On aurait plutôt tourné ses armes
contre soi-même, ce qui arriva à plusieurs, et c'était
un moindre suicide !

Quelques-uns venaient tomber et mourir à ses
pieds, et, quoique dans un délire effrayant, leur
douleur priait et ne reprochait pas. Et en effet,
ne partageait-il pas le danger commun ? Qui d'eux
tous risquait autant que lui ? Qui perdait plus à ce
désastre ?

On approchait ainsi du moment le plus critique :
Victor, en arrière, avec quinze mille hommes ; Oudinot, en avant, avec cinq mille, et déjà sur la Bérézina ; l'Empereur, entre eux, avec sept mille hom-

mes, quarante mille traîneurs et une masse énorme
de bagages et d'artillerie, dont la plus grande partie
appartenait aux deuxième et neuvième corps.

Le 15, comme il allait atteindre la Bérézina, on
aperçut de l'hésitation dans sa marche. Il s'arrêtait à chaque instant sur la grande route, attendant la nuit pour cacher son arrivée à l'ennemi,
et donner le temps au duc de Reggio d'évacuer
Borizof.

En entrant le 23 dans cette ville, ce maréchal
avait vu un pont, de trois cents toises de longueur,
détruit sur trois points, et que la présence de l'ennemi rendait impossible à rétablir. Il avait appris
qu'à sa gauche, et après avoir descendu le fleuve
pendant deux milles, on trouverait, près d'Ou-
koholda, un gué profond et peu sûr ; qu'à un mille
au-dessus de Borizof, Stadhof marquait un autre
gué, mais peu abordable. Il savait enfin, depuis deux
jours, que Studzianka, à deux lieues au-dessus de
Stadhof, était un troisième point de passage.

Il en devait la connaissance à la brigade Corbineau. C'était elle que de Wrede avait enlevée au
deuxième corps, vers Smoliani. Ce général bavarois
l'avait gardée jusqu'à Dokszitzi, d'où il l'avait
renvoyée au deuxième corps par Borizof. Mais
Corbineau trouva l'armée russe de Tchitchakof
maîtresse de cette ville. Forcé de rétrograder en re-
montant la Bérézina, de se cacher dans les forêts
qui la bordent, et ne sachant sur quel point passer
ce fleuve, il avait aperçu un paysan lithuanien,

dont le cheval, encore mouillé, paraissait en sortir. Il s'était saisi de cet homme, s'en était fait un guide, derrière lequel il avait traversé la rivière à un gué en face de Studzianka. Ce général avait ensuite rejoint Oudinot, en lui indiquant cette voie de salut.

L'intention de Napoléon étant de se retirer directement sur Vilna, le maréchal comprit facilement que ce passage était le plus direct et le moins dangereux. Il était d'ailleurs reconnu, et quand bien même l'infanterie et l'artillerie, trop pressées par Wittgenstein et Kutusof, n'auraient pas le temps de franchir le fleuve sur des ponts, du moins serait-on sûr, puisqu'il y avait un gué éprouvé, que l'Empereur et la cavalerie le passeraient ; qu'alors tout ne serait pas perdu, et la paix et la guerre, comme si Napoléon lui-même restait au pouvoir de l'ennemi.

Aussi le maréchal n'avait-il pas hésité. Dès la nuit du 23 au 24, le général d'artillerie, une compagnie de pontonniers, un régiment d'infanterie et la brigade Corbineau avaient occupé Studzianka.

En même temps les deux autres passages avaient été reconnus ; tous avaient été trouvés fortement observés. Il s'agissait donc de tromper et de déplacer l'ennemi. La force n'y pouvait rien, on essaya la ruse. C'est pourquoi, dès le 24, trois cents hommes et quelques centaines de traîneurs furent envoyés vers Uukoholda, avec l'instruction d'y ramasser, à grand bruit, tous les matériaux nécessaires à la construction d'un pont ; on fit encore défiler pom-

peusement de ce côté, et en vue de l'ennemi, toute
la division des cuirassiers.

On fit plus : le général chef d'état-major Lorencé
se fit amener plusieurs juifs ; il les interrogea avec
affectation sur ce gué et sur les chemins qui de là
conduisaient à Minsk. Puis, montrant une grande
satisfaction de leurs réponses, et feignant d'être
convaincu qu'il n'y avait point de meilleur passage,
il retint comme guides quelques-uns de ces traîtres,
et fit conduire les autres au delà de nos avant-postes.
Mais pour être plus sûr que ceux-ci lui manqueraient
de foi, il leur fit jurer qu'ils reviendraient au-devant
de nous, dans la direction de Bérézino inférieur,
pour nous informer des mouvements de l'ennemi.

Pendant qu'on s'efforçait ainsi d'attirer à gauche
toute l'attention de Tchitchakof, on préparait se-
crètement à Studzianka des moyens de passage.
Ce ne fut que le 25, à cinq heures du soir, qu'Eblé
y arriva, suivi seulement de deux voitures de char-
bon, de six caissons d'outils et de clous, et de quelques compagnies de pontonniers. A Smolensk il
avait fait prendre à chaque ouvrier un outil et
quelques clameaux.

Mais les chevalets qu'on construisait depuis la
veille, avec les poutres des cabanes polonaises, se
trouvèrent trop faibles : il fallut tout recommencer.
Il était désormais impossible d'achever le pont
pendant la nuit : on ne pouvait l'établir que le lendemain 26, pendant le jour, et sous le feu de l'ennemi ; mais il n'y avait plus à hésiter.

Dès les premières ombres de cette nuit décisive, Oudinot cède à Napoléon l'occupation de Borizof, et va prendre position avec le reste de son corps à Studzianka. On marcha dans une profonde obscurité, sans bruit, et se recommandant mutuellement le plus profond silence.

A huit heures du soir, Oudinot et Dombrowski s'établirent sur les hauteurs dominantes du passage, en même temps qu'Eblé en descendait. Ce général se plaça sur les bords du fleuve, avec ses pontonniers et un caisson rempli de fers de roues abandonnées, dont, à tout hasard, il avait fait forger des crampons. Il avait tout sacrifié pour conserver cette faible ressource ; elle sauva l'armée.

A la fin de cette nuit du 25 au 26, il fit enfoncer un premier chevalet dans le lit fangeux de la rivière. Mais, pour comble de malheur, la crue des eaux avait fait disparaître le gué. Il fallut des efforts inouïs, et que nos malheureux pontonniers, plongés dans les flots jusqu'à bouche, combattissent les glaces que charriait le fleuve. Plusieurs périrent de froid, ou submergés par ces glaçons que poussait un vent violent.

Ils eurent tout à vaincre, excepté l'ennemi. La rigueur de l'atmosphère était au juste degré qu'il fallait pour rendre le passage du fleuve plus difficile, sans suspendre son cours, et sans consolider assez le terrain mouvant sur lequel nous allions aborder. Dans cette circonstance, l'hiver se montra plus notre ennemi que les Russes eux-mêmes.

Ceux-ci manquèrent à leur saison qui ne leur manquait pas.

Les Français travaillèrent toute la nuit à la lueur des feux ennemis qui étincelaient sur la hauteur de la rive opposée, à la portée du canon et des fusils de la division Tchaplitz. Celui-ci ne pouvant plus douter de notre dessein en envoya prévenir son général en chef.

La présence d'une division ennemie ôtait l'espoir d'avoir trompé l'amiral russe. On s'attendait à chaque moment à entendre éclater toute son artillerie sur nos travailleurs ; et quand même le jour seul découvrirait nos efforts, le travail ne devait pas être alors assez avancé, et la rive opposée, basse et marécageuse, était trop soumise aux positions de Tchaplitz, pour qu'un passage de vive force fût possible.

Aussi Napoléon, en sortant de Borizof, à dix heures du soir, crut-il partir pour un choc désespéré. Il s'établit avec les six mille quatre cents gardes qui lui restaient, à Staroï-Borizof, dans un château appartenant au prince Radziwil, situé sur la droite du chemin de Borizof à Studziaka, et à une égale distance de ces deux points.

Il passa le reste de cette nuit décisive debout, sortant à tout moment, ou pour écouter, ou pour se rendre au passage où son sort s'accomplissait ; car la foule de ses anxiétés remplissait tellement ses heures, qu'à chacune d'elles il croyait la nuit achevée. Plusieurs fois ceux qui l'entouraient l'avertirent de son erreur.

L'obscurité était à peine dissipée lorsqu'il se
réunit à Oudinot. La présence du danger le calma,
comme il arrivait toujours. Mais à la vue des feux
russes et de leur position, ses généraux les plus dé-
terminés, tels que Rapp, Mortier et Ney, s'écriè-
rent « que si l'Empereur sortait de ce péril, il fau-
« drait décidément croire à son étoile ! » Murat
lui-même pensa qu'il était temps de ne plus songer
qu'à sauver Napoléon. Des Polonais le lui proposèrent.

L'Empereur attendait le jour dans l'une des maisons qui bordaient la rivière, sur un escarpement
que couronnait l'artillerie d'Oudinot. Murat y
pénètre ; il déclare à son beau-frère « qu'il regarde
« le passage comme impraticable; il le presse de
« sauver sa personne pendant qu'il en est encore
« temps. Il lui annonce qu'il peut, sans danger,
« traverser la Bérézina à quelques lieues au-dessus
« de Studzianka ; que dans cinq jours il sera dans
« Vilna ; que des Polonais, braves et dévoués, qui
« connaissent tous les chemins, s'offrent pour le
« conduire, et qu'ils répondent de son salut ! »

Mais Napoléon repoussa cette proposition comme
une voie honteuse, comme une lâche fuite, s'indi-
gnant qu'on eût osé croire qu'il quitterait son armée
tant qu'elle serait en péril. Toutefois il n'en voulut
point à Murat, peut-être parce que ce prince lui
avait donné lieu de montrer sa fermeté, ou plutôt
parce qu'il ne vit dans son offre qu'une marque de
dévouement, et que la première qualité aux yeux

des souverains est l'attachement à leur personne.

En ce moment le jour faisait pâlir et disparaître les feux moscovites. Nos troupes prenaient les armes, les artilleurs se plaçaient à leurs pièces, les généraux observaient, tous enfin tenaient leurs regards fixés sur la rive opposée, dans ce silence des grandes attentes et précurseur des grands dangers !

Depuis la veille, chacun des coups de nos pontonniers, retentissant sur ces hauteurs boisées, avait dû attirer toute l'attention de l'ennemi. Les premières lueurs du 26 allaient donc nous montrer ses bataillons et son artillerie rangés devant le frêle échafaudage qu'Eblé devait encore mettre huit heures à construire. Sans doute ils n'avaient attendu le jour que pour mieux diriger leurs coups. Il parut : nous vîmes des feux abandonnés, une rive déserte, et, sur les hauteurs, trente pièces d'artillerie en retraite ! Un seul de leurs boulets eût suffi pour anéantir l'unique planche de salut qu'on allait jeter pour rejoindre les deux rives; mais cette artillerie se reployait à mesure que la nôtre se mettait en batterie.

Plus loin on apercevait la queue d'une longue colonne qui s'écoulait vers Borizof sans regarder derrière elle. Cependant un régiment d'infanterie et douze canons restaient en présence, mais sans prendre position, et l'on voyait une horde de cosaques errer sur la lisière des bois : c'était l'arrière-garde de la division Tchaplitz, qui forte de six mille hommes, s'éloignait ainsi comme pour nous livrer passage.

Les Français n'en osaient pas croire leurs regards. Enfin, saisis de joie, ils battent des mains, ils en poussent des cris ! Rapp et Oudinot entrent précipitamment chez l'Empereur. « Sire, lui dirent-ils, « l'ennemi vient de lever son camp et de quitter sa « position ! — Cela n'est pas possible ! » répond l'Empereur ; mais Ney et Murat accourent et confirment ce rapport. Alors Napoléon s'élance hors de son quartier général ; il regarde, il voit encore les dernières files de la colonne de Tchaplitz s'éloigner et disparaître dans les bois ; et, transporté, il s'écrie : « J'ai trompé l'amiral ! »

Dans ce premier mouvement, deux pièces ennemies reparurent et firent feu. L'ordre de les éloigner à coups de canon fut donné. Une première salve suffit ; c'était une imprudence, qu'on fit cesser promptement de peur qu'elle ne rappelât Tchaplitz ; car le pont était à peine commencé ; il était huit heures, on enfonçait encore ses premiers chevalets.

Mais l'Empereur, impatient de prendre possession de l'autre rive, la montre aux plus braves. Jacqueminot, aide de camp du duc de Reggio, et le comte lithuanien Predzieczki, se jetèrent les premiers dans le fleuve, et, malgré les glaçons qui coupaient et ensanglantaient le poitrail et les flancs de leurs chevaux, ils parvinrent au bord opposé. Sourd, chef d'escadron, et cinquante chasseurs du 7e, portant en croupe des voltigeurs, les suivirent ainsi que deux faibles radeaux qui transportèrent quatre cents hommes en vingt voyages.

L'Empereur voulait un prisonnier qu'il pût
questionner; Jacqueminot avait entendu l'expression de ce désir : à peine a-t-il franchi le fleuve, qu'il
court sur l'un des soldats de Tchaplitz, l'attaque,
le désarme, s'en saisit, et, le plaçant sur l'arçon
de sa selle, l'amène au travers des glaces et du
fleuve, à Napoléon !

Vers une heure le rivage était nettoyé de cosaques, et le pont pour l'infanterie achevé ; la division Legrand le traversait rapidement, avec ses
canons, aux cris de « *Vive l'Empereur !* » et devant
ce souverain, qui aidait lui-même au passage de
l'artillerie, en encourageant ces braves soldats de
sa voix et de son exemple !

Il s'écria, en les voyant enfin maîtres du bord
opposé ! « Voilà donc encore mon étoile ! » car il
croyait à la fatalité, comme tous les conquérants,
ceux des hommes qui, ayant eu le plus à compter
avec la Fortune, savent bien tout ce qu'ils lui doivent, et qui d'ailleurs, sans puissance intermédiaire
entre eux et le ciel, se sentent plus immédiatement
sous sa main.

En ce moment un seigneur lithuanien, déguisé
en paysan, arriva de Vilna, avec la nouvelle de la
victoire de Schwartzenberg sur Sacken. Napoléon
se plut à publier à haute voix ce succès, y ajoutant,
« que Schwartzenberg s'était aussitôt retourné sur
« la trace de Tchitchakof, et qu'il venait à notre
« secours : » conjecture que la disparition de
Tchaplitz rendait vraisemblable.

Cependant ce premier pont qu'on venait d'achever n'avait été fait que pour l'infanterie. On en commença aussitôt un second, à cent toises plus haut, pour l'artillerie et les bagages. Il ne fut achevé qu'à quatre heures du soir. En même temps, le reste du deuxième corps et la division Dombrowski suivaient le général Legrand et le duc de Reggio : c'étaient environ sept mille hommes.

Le premier soin du maréchal fut de s'assurer de la route de Zembin, par un détachement qui en chassa quelques cosaques ; de pousser l'ennemi vers Borizof, et de le contenir le plus loin possible du passage de Studzianka.

Tchaplitz persévéra dans son obéissance pour l'amiral jusqu'à Stakhowa, village voisin de Borizof. Alors il se retourna, et fit tête aux premières troupes d'Oudinot, que commandait Albert. On s'arrêta des deux côtés; Les Français, se trouvant assez loin, ne voulaient que gagner du temps, et le général russe attendait des ordres.

Tchitchakof s'était trouvé dans une de ces circonstances difficiles où, la préoccupation devant flotter incertaine sur plusieurs points à la fois, il suffit qu'elle se soit d'abord décidée et fixée sur un côté pour qu'aussitôt elle se déplace et verse de l'autre.

Sa marche de Minsk sur Borizof en trois colonnes, non seulement par la grande route, mais par les routes d'Antonopolie, de Logoïsk et de Zembin, montrait que toute son attention s'était d'abord dirigée sur la partie de la Bérézina supérieure à Borizof. Dès lors, fort sur sa gauche, il ne sentit plus que sa faiblesse sur sa droite, et toutes ses inquiétudes se transportèrent de ce côté.

L'erreur qui l'entraîna dans cette fausse direction eut encore d'autres fondements. Les instructions de Kutusof y appelèrent sa responsabilité. Hœrtel, qui commandait douze mille hommes vers Bobruisk, refusa de sortir de ses cantonnements, de suivre Dombrowski, et de venir défendre cette partie du fleuve ; il allégua le danger d'une épizootie, prétexte inouï, invraisemblable, mais vrai, et que Tchitchakof lui-même a confirmé.

Cet amiral ajoute qu'un avis donné par Wittgenstein attira encore son anxiété vers Bérézino inférieur, ainsi que la supposition, assez naturelle, que la présence de ce général sur le flanc droit de la Grande Armée, et au-dessus de Borizof, pousserait Napoléon au-dessous de cette ville.

Le souvenir des passages de Charles XII et de Davout à Bérézino put aussi être un de ses motifs. En suivant cette direction, Napoléon non seulement éviterait Wittgenstein, mais il reprendrait Minsk, et se joindrait à Schwartzenberg. Ceci dut encore être une considération pour Tchitchakof, dont Minsk était la conquête, et Schwartzenberg le premier adversaire. Enfin, et, surtout, les fausses démonstrations d'Oudinot vers Ucholoda, et vraisemblablement le rapport des juifs le déterminèrent.

L'amiral, complètement trompé, s'était donc

résolu, le 25 au soir, à descendre la Bérézina, dans
l'instant même où Napoléon s'était décidé à le remonter. On eût dit que l'Empereur français avait
dicté au général ennemi sa résolution, l'heure où
il devait la prendre, l'instant précis et tous les détails de son exécution. Tous deux étaient partis,
en même temps, de Borizof : Napoléon pour Studzianka, Tchitchakof pour Szabaszawiczy, se tournant ainsi le dos comme de concert, et l'amiral
rappelant à lui tout ce qu'il avait de troupes au-
dessus de Borizof, à l'exception d'un faible corps
d'éclaireurs, et sans même faire rompre les chemins.

Toutefois à Szabaszawiczy, il n'était qu'à cinq
ou six lieues du passage qui s'opérait. Dès le matin
du 26 il devait en être instruit. Le pont de Borizof
n'était pas à trois heures de marche du point d'attaque. Il avait laissé quinze mille hommes devant
ce pont ; il pouvait donc revenir de sa personne
sur ce point, rejoindre Tchaplitz à Stachowa, et ce
jour-là même attaquer, ou du moins se préparer,
et le lendemain 27, culbuter, avec dix-huit mille
hommes, les sept mille soldats d'Oudinot et de
Dombrowski, enfin reprendre, devant l'Empereur
et devant Studzianka, la position que Tchaplitz
avait quittée la veille.

Mais les grandes fautes se réparent rarement avec
tant de promptitude, soit qu'on se plaise d'abord à
en douter et qu'on ne se résigne à en convenir
qu'après une entière certitude ; soit qu'elles troublent, et que dans la défiance où l'on tombe de soi-

même, on hésite et que l'on ait besoin de s'appuyer des autres.

Aussi l'amiral perdit-il le reste du 26 et tout le 27 en consultations, en tâtonnements et en préparatifs. La présence de Napoléon et de sa Grande Armée, dont il lui était difficile de se figurer la la faiblesse, l'éblouit. Il vit l'Empereur partout : devant sa droite, à cause des simulacres de passage ; en face de son centre, à Borizof, parce qu'en effet toute notre armée, arrivant successivement dans cette ville, la remplissait de mouvement ; enfin à Studzianka, devant sa gauche, où l'Empereur était réellement.

Le 27, il était si peu revenu de son erreur, qu'il fit reconnaître et attaquer Borizof par des chasseurs, qui passèrent sur les poutres du pont brûlé, et qui furent repoussés par les soldats de la division Partouneaux.

Le même jour, et pendant ces tâtonnements, Napoléon, avec environ six mille gardes et le corps de Ney réduit à six cents hommes, passait la Bérézina vers deux heures de l'après-midi ; il se plaçait en réserve d'Oudinot, et assurait contre les efforts à venir de Tchitchakof le débouché des ponts.

Une foule de bagages et de traîneurs l'avaient précédé. Beaucoup traversèrent encore le fleuve après lui tant que le jour dura. En même temps l'armée de Victor remplaçait la garde sur les hauteurs de Studzianka.

Jusque-là tout allait bien. Mais Victor, en passant

dans Borizof, y avait laissé Partouneaux et sa division. Ce général devait arrêter l'ennemi en arrière de cette ville, chasser devant lui les nombreux traîneurs qui s'y étaient abrités, et rejoindre Victor avant la fin du jour. Partouneaux voyait pour la première fois le désordre de la Grande Armée. Il voulut, comme Davout au commencement de la retraite, en cacher la trace aux yeux des cosaques de Kutusof, qui le suivaient. Cette vaine tentative, les attaques de Platof par le grand chemin d'Orcha, et celles de Tchitchakof par le pont brûlé de Borizof, le retinrent dans cette ville jusqu'à la fin du jour.

Il se préparait à en sortir quand l'ordre lui vint d'y passer la nuit. Ce fut l'Empereur qui le lui envoya. Napoléon crut sans doute par là fixer toute l'attention des trois généraux russes sur Borizof, et que Partouneaux, les retenant sur ce point, lui donnerait le temps d'effectuer tout son passage.

Mais Wittgenstein avait laissé Platof suivre l'armée française sur le grand chemin ; lui s'était dirigé plus à droite. Il déboucha le même soir des hauteurs qui bordent la Bérézina entre Borizof et Studzianka, coupa la route qui joint ces deux points, et s'empara de tout ce qui s'y trouvait. Une foule de traîneurs, en refluant sur Partouneaux, lui apprirent qu'il était séparé du reste de l'armée.

Partouneaux n'hésita point. Quoiqu'il n'eût avec lui que trois canons et trois mille cinq cents combattants, il se décida sur-le-champ à se faire jour, fit ses dispositions, et se mit en marche. Il eut d'abord à s'avancer sur une route glissante, encombrée de bagages et de fuyards, contre un vent violent soufflant en face, et au travers d'une nuit obscure et glaciale. Bientôt le feu de plusieurs milliers d'ennemis, qui bordaient les hauteurs à sa droite, vint s'ajouter à ces obstacles. Tant qu'il ne fut attaqué que de côté, il poursuivit ; mais bientôt ce fut en face, par des troupes nombreuses, bien postées et dont les boulets traversaient de tête en queue sa colonne.

Cette malheureuse division se trouvait alors engagée dans un bas-fond ; une longue file de cinq à six cents voitures embarrassait tous ses mouvements ; sept mille traîneurs effarés, et hurlant de terreur et de désespoir, se ruaient dans ses faibles lignes. Ils les brisaient, faisaient flotter ses pelotons, et entraînaient à chaque instant dans leur désordre de nouveaux soldats qui se décourageaient. Il fallut rétrograder pour se rallier et reprendre une meilleure position ; mais en reculant on rencontra la cavalerie de Platof.

Déjà la moitié de nos combattants avait succombé, et les quinze cents soldats qui restaient se sentaient entourés par trois armées et un fleuve.

Dans cette situation, un parlementaire vint, au nom de Wittgenstein et de cinquante mille hommes, ordonner aux Français de se rendre. Partouneaux repousse cette sommation ! Il appelle dans ses rangs ses traîneurs encore armés : il veut tenter un dernier effort, et s'ouvrir, vers les ponts de Stud-

zianka, une route sanglante ; mais ces hommes,
naguère si braves, alors dégradés par la misère, ne
surent plus faire usage de leurs armes. En même
temps le général de son avant-garde lui annonce
que les ponts de Studzianka sont en feu : un aide
de camp, nommé Rochez, en avait fait le rapport ;
il prétendait les avoir vus brûler. Partouneaux
crut à cette fausse nouvelle ; car, en fait de malheurs,
l'infortune est crédule.

Il se jugea abandonné, livré ; et comme la nuit,
l'encombrement et la nécessité de faire face de trois
côtés séparaient ses faibles brigades, il fait dire à
chacune d'elles de tenter de s'écouler, à la faveur des
ombres, le long des flancs de l'ennemi. Pour lui,
avec une de ces brigades réduite à quatre cents
hommes, il s'élève sur les hauteurs boisées et à pic
qui sont à sa droite, espérant traverser dans l'obscurité l'armée de Wittgenstein, lui échapper, rejoindre Victor, ou tourner la Bérézina par ses sources.

Mais partout où il se présente, il rencontre des
feux ennemis, et il se détourne encore ; il erre au
hasard pendant plusieurs heures, dans des plaines
de neige, au travers d'un ouragan impétueux. Il
voit, à chaque pas, ses soldats saisis de froid, exténués de faim et de fatigue, tomber à demi morts
dans les mains de la cavalerie russe, qui le poursuit
sans relâche.

Cet infortuné général luttait encore contre le
ciel, contre les hommes et contre son propre désespoir, quand il sentit la terre même manquer sous ses

pieds. En effet, trompé par la neige, il s'était engagé sur la glace, encore trop faible, d'un lac prêt à l'engloutir ; alors seulement il cède et rend ses armes !

Pendant que cette catastrophe s'accomplissait, ses trois autres brigades, de plus en plus resserrées sur la route, y perdaient l'usage de leurs mouvements. Elles retardèrent leur perte jusqu'au lendemain, d'abord en combattant, puis en parlementant ; mais alors elles succombèrent à leur tour : une même infortune les réunit à leur général.

De toute cette division, un seul bataillon échappa : il avait été laissé le dernier dans Borizof. Il en sortit au travers des Russes de Platof et de Tchitchakof qui opéraient dans cette ville, et dans cet instant même, la jonction des armées de Moscou et de Moldavie. Ce bataillon semblait devoir succomber le premier, étant seul et séparé de sa division ; ce fut ce qui le sauva. De longues files d'équipages et de soldats débandés fuyaient vers Studzianka sur plusieurs directions ; entraîné par l'une de ces foules, se trompant de route, et laissant à sa droite le chemin que suivait l'armée, le chef de ce bataillon se glisse jusque sur les bords du fleuve, se plie à tous ses contours, et, protégé par le combat de ses compagnons moins heureux, par l'obscurité, par les difficultés mêmes du terrain, il s'écoule en silence, échappe à l'ennemi, et vient confirmer à Victor la perte de Partouneaux.

Quand Napoléon apprit cette nouvelle, saisi de

douleur, il s'écria : « Faut-il donc, lorsque tout
« semblait sauvé comme par miracle, que cette dé-
« fection vienne tout gâter ! » L'expression était
injuste, mais la douleur la lui arracha, soit qu'il
prévît que Victor affaibli ne pourrait résister assez
longtemps le lendemain, soit qu'il tînt à honneur de
n'avoir laissé dans toute sa retraite, entre les mains
de l'ennemi, que des traîneurs et point de corps
armé et organisé. En effet, cette division fut la première et la seule qui mit bas les armes !

Ce succès encouragea Wittgenstein. En même
temps deux jours de tâtonnements, le rapport d'un
prisonnier, et surtout la reprise de Borizof par Platof, avaient éclairé Tchitchakof. Dès lors les trois
armées russes, du nord, de l'est et du midi se senti-
rent réunies ; les chefs communiquèrent entre eux.
Wittgenstein et Tchitchakof étaient jaloux l'un
de l'autre, mais ils nous détestaient encore plus ;
la haine fut leur lien et non l'amitié. Ces généraux
se trouvèrent donc prêts à attaquer à la fois les
ponts de Studzianka par les deux rives du fleuve.

C'était le 28 novembre. La Grande Armée avait
eu deux jours et deux nuits pour s'écouler ; il devait
être trop tard pour les Russes. Mais le désordre régnait chez les Français et les matériaux avaient
manqué aux deux ponts : deux fois, dans la nuit du
26 au 27, celui des voitures s'était rompu, et le passage en avait été retardé de sept heures ; il se brisa
une troisième fois, le 27, vers quatre heures du
soir. D'un autre côté, les traîneurs dispersés dans

les bois et dans les villages environnants, n'avaient pas profité de la première nuit ; et le 27, quand le jour avait reparu, tous s'étaient présentés à la fois pour passer les ponts.

Ce fut surtout quand la garde, sur laquelle ils se réglaient, s'ébranla. Son départ fut comme un signal : ils accoururent de toutes parts ; ils s'amoncelèrent sur la rive. On vit en un instant une masse profonde, large et confuse d'hommes, de chevaux et de chariots, assiéger l'étroite entrée des ponts, qu'elle débordait. Les premiers, poussés par ceux qui les suivaient, ou arrêtés par le fleuve, étaient écrasés, foulés aux pieds, ou précipités dans les glaces que charriait la Bérézina. Il s'élevait de cette immense et horrible cohue, tantôt un bourdonnement sourd, tantôt une grande clameur, mêlée de gémissements et d'affreuses imprécations.

Les efforts de Napoléon et de ses premiers lieutenants pour sauver ces hommes éperdus, en rétablissant l'ordre parmi eux, furent longtemps inutiles. Le désordre avait été si grand que, vers deux heures, quand l'Empereur s'était présenté à son tour, il avait fallu employer la force pour lui ouvrir un passage. Un corps de grenadiers de la garde et Latour-Maubourg, renoncèrent, par pitié, à se faire jour au travers de ces malheureux.

Le hameau de *Zaniwki*, situé au milieu des bois et à une lieue de Studzianka, reçut le quartier impérial. Eblé venait alors de faire le dénombrement des bagages dont la rive était couverte. Il prévint l'Empereur que six jours ne suffiraient pas pour que tant de voitures pussent s'écouler. Ney était présent ; il s'écria « qu'il les fallait donc brûler « sur-le-champ ! » Mais Berthier, poussé par le mauvais génie qui habite les cours, s'y opposa. Il assura qu'on était loin d'être réduit à cette extrémité. L'Empereur se plut à le croire par entraînement pour l'avis qui le flattait le plus, et par ménagement pour tant d'hommes, dont il se reprochait le malheur, et dont ces voitures renfermaient les vivres et la fortune.

Dans la nuit du 27 au 28 le désordre cessa par un désordre contraire. Les ponts furent abandonnés, le village de Studzianka attira tous ces traîneurs : en un instant il fut dépecé, il disparut, et fut converti en une infinité de bivouacs. Le froid et la faim y fixèrent tous ces malheureux. Il fut impossible de les en arracher. Toute cette nuit fut encore perdue pour leur passage.

Cependant Victor, avec six mille hommes, les défendait contre Wittgenstein. Mais dès les premières lueurs du 28, quand ils virent ce maréchal se préparer à un combat, lorsqu'ils entendirent le canon de Wittgenstein tonner sur leur tête, et celui de Tchitchakof gronder en même temps sur l'autre rive, alors ils se levèrent tous à la fois, ils descendirent, il se précipitèrent en tumulte, et revinrent assiéger les ponts.

Leur terreur était fondée : le dernier jour de beaucoup de ces malheureux était venu. Wittgenstein et Platof, avec quarante mille Russes de l'armée du nord et de l'est, attaquaient les hauteurs de la rive gauche, que Victor, réduit à six mille hommes, défendait. En même temps, sur la rive droite, Tchitchakof, avec ses vingt-sept mille Russes de l'armée du midi, débouchait de Stachowa contre Oudinot, Ney et Dombrowski. Ceux-ci comptaient à peine dans leurs rangs huit mille hommes, que soutenaient l'*escadron sacré* ainsi que la vieille et la jeune garde, alors composées de trois mille huit cents baïonnettes, et neuf cents sabres.

Les deux armées russes prétendaient se saisir à la fois des deux issues des ponts, et de tout ce qui n'aurait pas pu se jeter au delà des marais de Zembin. Plus de soixante mille hommes, bien vêtus, bien nourris et complètement armés, en assaillaient dix-huit mille à demi nus, mourant de faim, séparés par une rivière, environnés de marais, enfin embarrassés par plus de cinquante mille traîneurs, malades ou blessés, et par une énorme masse de bagages. Depuis deux jours le froid et la misère étaient tels que la vieille garde avait perdu le tiers de ses combattants, et la jeune garde la moitié.

Ce fait et le malheur de la division Partouneaux expliquent l'effrayante réduction du corps de Victor ; et cependant, ce maréchal contint Wittgenstein, pendant toute cette journée du 28. Pour Tchitchakof, il fut battu. Le maréchal Ney et ses huit mille Français, Suisses, et Polonais, suffirent contre vingt-sept mille Russes !

L'attaque de l'amiral fut lente et molle. Son canon balaya la route, mais il n'osa point suivre ses boulets, et pénétrer par la trouée qu'ils firent dans nos rangs. Pourtant, devant sa droite, la légion de la Vistule plia sous l'effort d'une forte colonne. Oudinot, Dombrowski et Albert furent alors blessés ; bientôt Claparède et Kosikowski éprouvèrent le même sort ; on devint inquiet. Mais Ney accourut ; il lança, tout au travers des bois et sur le flanc de cette colonne russe, Doumerc et sa cavalerie, qui la défoncèrent, lui prirent deux mille hommes, sabrèrent le reste, et décidèrent, par cette charge vigoureuse, du combat qui traînait indécis.

Tchitchakof, vaincu par Ney, fut repoussé dans Stachowa. La plupart des généraux du deuxième corps furent atteints ; car moins ils avaient de troupes, plus il fallait qu'ils payassent de leur personne. On vit beaucoup d'officiers prendre les fusils et la place de leurs soldats blessés.

Parmi les pertes de ce jour, celle du jeune Noailles, aide de camp de Berthier, fut remarquée. Une balle le tua roide. C'était un de ces officiers de mérite, mais trop ardents, qui se prodiguent, et qu'on croit avoir assez récompensés en les employant.

Pendant ce combat, Napoléon, à la tête de sa garde, resta en réserve à Brilowa, couvrant l'issue des ponts, entre les deux batailles, mais plus près de celle de Victor. Ce maréchal, attaqué dans une position très périlleuse, et par une force quadruple de la sienne, perdait peu de terrain. Son corps d'ar-

mée, mutilé par la prise de la division Partouneaux,
avait sa droite appuyée au fleuve. Une batterie de
l'Empereur, placée sur l'autre rive, la soutenait. Un
ravin protégeait son front ; sa gauche était en l'air,
sans appui, et comme perdue dans la plaine haute
de Studzianka.

La première attaque de Wittgenstein ne se fit
qu'à dix heures du matin, le 28, en travers de la
route de Borizof et le long de la Bérézina, qu'il
s'efforçait de remonter jusqu'au passage : mais l'aile
droite française l'arrêta, et le contint longtemps hors
de portée des ponts. Alors Wittgenstein, se dé-
ployant, étendit le combat sur tout le front de Victor, mais sans succès. Une de ses colonnes d'attaque
voulut traverser le ravin : elle fut assaillie et détruite.

Enfin, vers le milieu du jour, le Russe s'aperçut
de sa supériorité ; il déborda l'aile gauche française.
Tout alors eût été perdu sans un effort mémorable
de Fournier et le dévouement de Latour-Maubourg.
Ce général passait les ponts avec sa cavalerie. Il
aperçut le danger, et revint aussitôt sur ses pas. De
son côté Fournier s'élance à la tête de deux régiments hessois et badois ; l'aile droite russe, déjà
victorieuse, s'arrête ; elle attaquait, il la force à se
défendre, et trois fois les rangs ennemis sont enfoncés par trois charges sanglantes.

La nuit vint avant que les quarante mille Russes
de Wittgenstein eussent pu entamer les six mille
hommes du duc de Bellune ! Ce maréchal resta maî-

tre des hauteurs de Studzianka, préservant encore
les ponts des baïonnettes russes, mais ne pouvant
les cacher à l'artillerie de leur aile gauche.

Pendant toute cette journée la position du neuvième corps fut d'autant plus critique, qu'un pont
frêle et étroit était sa seule retraite ; encore les bagages et les traîneurs obstruaient-ils ses avenues.
A mesure que le combat s'était échauffé, la terreur
de ces infortunés avait augmenté leur désordre.
D'abord les premiers bruits d'un engagement sérieux causèrent leur épouvante, puis la vue des
blessés qui en revenaient, et enfin les batteries de la
gauche des Russes, dont les boulets vinrent frapper leur masse confuse.

Déjà tous s'étaient précipités les uns sur les
autres, et cette multitude immense, entassée sur la
rive, pêle-mêle avec les chevaux et les chariots, y
formait un épouvantable encombrement. Ce fut
vers le milieu du jour que les premiers boulets ennemis tombèrent au milieu de ce chaos : ils furent le
signal d'un désespoir universel !

Alors, comme dans toutes les circonstances extrêmes, les cœurs se montrèrent à nu, et l'on vit des
actions infâmes et des actions sublimes ! Suivant
leurs différents caractères, les uns, décidés et furieux, s'ouvrirent le sabre à la main un horrible
passage. Plusieurs frayèrent à leurs voitures un
chemin plus cruel encore ; ils les faisaient rouler
impitoyablement au travers de cette foule d'infortunés qu'elles écrasaient. Dans leur odieuse avarice,

ils sacrifiaient leurs compagnons de malheur au
salut de leurs bagages. D'autres, saisis d'une dégoûtante frayeur, pleurent, supplient et succom-
bent, l'épouvante achevant d'épuiser leurs forces.
On en vit, et c'étaient surtout les malades et les
blessés renoncer à la vie, s'écarter et s'asseoir
résignés, regardant d'un œil fixe cette neige qui
allait devenir leur tombeau !

Beaucoup de ceux qui s'étaient lancés les premiers dans cette foule de désespérés, ayant manqué
le pont, voulurent l'escalader par ses côtés ; mais
la plupart furent repoussés dans le fleuve. Ce fut là
qu'on aperçut des femmes au milieu des glaçons,
avec leurs enfants dans leurs bras, les élevant à
mesure qu'elles s'enfonçaient ; déjà submergées,
leurs bras roidis les tenaient encore au-dessus
d'elles !

Au milieu de cet horrible désordre, le pont de
l'artillerie creva et se rompit ! La colonne engagée
sur cet étroit passage voulut en vain rétrograder :
le flot d'hommes qui venait derrière, ignorant ce
malheur, n'écoutant pas les cris des premiers, poussèrent devant eux, et les jetèrent dans le gouffre
où ils furent précipités à leur tour.

Tout alors se dirigea vers l'autre pont. Une multitude de gros caissons, de lourdes voitures et de
pièces d'artillerie y affluèrent de toutes parts. Diri-
gées par leurs conducteurs et rapidement emportées sur une pente roide et inégale, au milieu de cet
amas d'hommes, elles broyèrent les malheureux

qui se trouvèrent surpris entre elles, puis, s'entre-choquant, la plupart, violemment renversées, assommèrent dans leur chute ceux qui les entouraient. Alors des rangs entiers d'hommes éperdus, poussés sur ces obstacles, s'y embarrassent, culbutent, et sont écrasés par des masses d'autres infortunés qui se succèdent sans interruption !

Ces flots de misérables roulaient ainsi les uns sur les autres ; on n'entendait que des cris de douleur et de rage ! Dans cette affreuse mêlée, les hommes foulés et étouffés se débattaient sous les pieds de leurs compagnons, auxquels ils s'attachaient avec leurs ongles et leurs dents. Ceux-ci les repoussaient sans pitié, comme des ennemis.

Parmi eux, des femmes, des mères, appelèrent en vain d'une voix déchirante leurs maris, leurs enfants, dont un instant les avait séparées sans retour ; elles leur tendirent les bras, elles supplièrent qu'on s'écartât pour qu'elles pussent s'en rapprocher ; mais emportées çà et là par la foule, battues par ces flots d'hommes, elles succombèrent sans avoir été seulement remarquées. Dans cet épouvantable fracas, d'un ouragan furieux, de coups de canon, du sifflement de la tempête, de celui des explosions des obus, de vociférations, de gémissements, de juremens effroyables, cette foule désordonnée n'entendait pas les plaintes des victimes qu'elle engloutissait !

Les plus heureux gagnèrent le pont, mais en surmontant des monceaux de blessés, de femmes,

d'enfants renversés, à demi étouffés, et que dans
leurs efforts ils piétinaient encore. Arrivés enfin sur
l'étroit défilé, ils se crurent sauvés ; mais à chaque
moment, un cheval abattu, une planche brisée ou
déplacée arrêtait tout.

Il y avait aussi, à l'issue du pont, sur l'autre rive,
un marais où beaucoup de chevaux et de voitures
s'étaient enfoncés, ce qui embarrassait encore et re-
tardait l'écoulement. Alors, dans cette colonne de
désespérés, qui s'entassaient sur cette unique planche de salut, il s'élevait une lutte infernale où les
plus fabiles et les plus mal placés furent précipités
dans le fleuve par les plus forts. Ceux-ci, sans détourner la tête, emportés par l'instinct de la conservation, poussaient vers leur but avec fureur, indifférents aux imprécations de rage et de désespoir de
leurs compagnons ou de leurs chefs, qu'ils s'étaient
sacrifiés !

Mais d'un autre côté que de nobles dévouements ! et pourquoi la place et le temps manquent-
ils pour les décrire ? C'est là qu'on vit des soldats,
des officiers même, s'atteler à des traîneaux pour
arracher à cette rive funeste leurs compagnons malades ou blessés ! Plus loin, hors de la foule, quelques
soldats sont immobiles : ils veillent sur les corps
mourants de leurs officiers, qui se sont confiés à
leurs soins ; ceux-ci les conjurent en vain de ne plus
songer qu'à leur propre salut ; ils s'y refusent, et,
plutôt que d'abandonner leurs chefs, ils attendent
la mort ou l'esclavage !

Au-dessus du premier passage, pendant que le jeune Lauriston se jette dans le fleuve pour exécuter plus promptement les ordres de son souverain, un frêle batelet de bouleau, chargé d'une mère et de ses deux enfants, sombra sous les glaces ; un artilleur, qui luttait comme les autres sur le pont pour s'ouvrir un passage, s'en aperçut ; tout d'un coup, s'oubliant lui-même, il se précipite, s'efforce, et parvient enfin à sauver l'une de ces trois victimes. C'était le plus jeune des deux enfants ; l'infortuné appelait sa mère avec des cris de désespoir, et l'on entendait le brave canonnier lui dire, en l'emportant dans ses bras, « qu'il ne pleurât point, qu'il ne « l'avait pas sauvé de l'eau pour l'abandonner sur « le rivage, qu'il ne le laisserait manquer de rien, « qu'il serait son père et sa famille ! »

La nuit du 28 au 29 vint augmenter toutes ces calamités. Son obscurité ne déroba pas aux canons des Russes leurs victimes. Sur la neige, qui couvrait tout le cours du fleuve, cette masse toute noire d'hommes, de chevaux, de voitures, et de clameurs qui en sortaient, servirent aux artilleurs ennemis à diriger leurs coups.

Vers neuf heures du soir il y eut un surcroît de désolation, quand Victor commença sa retraite, et que ses divisions se présentèrent et s'ouvrirent une horrible tranchée au milieu de ces malheureux, que jusque-là elles avaient défendus. Cependant, une arrière-garde ayant été laissée à Studzianka, la multitude, engourdie par le froid ou trop attachée

La retraite de Napoléon de Moscou.
(*D'après le tableau de Meissonier.*)

à ses bagages, se refusa à profiter de cette dernière nuit pour passer sur la rive opposée. On mit inutilement le feu aux voitures pour en arracher ces infortunés. Le jour seul put les ramener tous à la fois, et trop tard, à l'entrée du pont, qu'ils assiégèrent de nouveau. Il était huit heures et demie du matin, lorsqu'enfin Eblé, voyant les Russes s'approcher, y mit le feu.

Le désastre était arrivé à son dernier terme. Une multitude de voitures, trois canons, plusieurs milliers d'hommes, des femmes et quelques enfants furent abandonnés sur la rive ennemie. On les vit errer par troupes désolées sur les bords du fleuve. Les uns s'y jetèrent à la nage, d'autres se risquèrent sur les pièces de glace qu'il charriait ; il y en eut qui s'élancèrent, tête baissée, au milieu des flammes du pont, qui croula sous eux : brûlés et gelés tout à la fois, ils périrent par deux supplices contraires ! Bientôt on aperçut les corps des uns et des autres s'amonceler et battre avec les glaçons contre les chevalets ; le reste attendit les Russes. Wittgenstein ne parut sur les hauteurs qu'une heure après le départ d'Eblé, et, sans avoir remporté la victoire, il en recueillit les fruits.

Pendant que cette catastrophe s'accomplissait, les restes de la Grande Armée ne formaient plus, sur l'autre rive, qu'une masse informe, qui se déroulait confusément, en s'écoulant vers Zembin. Tout ce pays est un plateau boisé d'une grande étendue, où les eaux, flottant incertaines entre plusieurs pentes,

forment un vaste marécage. L'armée le traversa
sur trois ponts consécutifs de trois cents toises de
longueur, avec un étonnement mêlé de frayeur et
de joie.

Ces ponts magnifiques, faits de sapin résineux,
commençaient à quelques verstes du passage. Tchaplitz les avait occupés pendant plusieurs jours. Un
abatis et des tas de bourrées, d'un bois combustible
et déjà sec, étaient couchés à leur entrée, comme
pour lui indiquer ce qu'il avait à en faire. Il n'aurait
d'ailleurs fallu que le feu de la pipe de l'un de ses
cosaques pour incendier ces ponts. Dès lors tous
nos efforts et le passage de la Bérézina eussent été
inutiles. Pris entre ces marais et le fleuve, dans un
espace étroit, sans vivres, sans abri, au milieu d'un
ouragan insupportable, la Grande Armée et son
Empereur eussent été forcés de se rendre sans combat !

Dans cette position désespérée, où la France
entière semblait devoir être prise en Russie, où tout
était contre nous et pour les Russes, ceux-ci ne
firent rien qu'à demi. Kutusof n'arriva sur le Dnieper, à Kopis, que le jour où Napoléon abordait la
Bérézina ; Wittgenstein se laissa contenir pendant
le temps nécessaire ; Tchitchakof fut défait ; et
sur quatre-vingt mille hommes, Napoléon réussit
à en sauver soixante mille.

Il était resté jusqu'au dernier moment sur ces
tristes bords, près des ruines de Brilowa, sans abri,
et à la tête de sa garde, dont la tourmente avait

détruit le tiers. Le jour, elle prenait les armes et restait rangée en bataille ; la nuit, elle bivouaquait en carré autour de son chef ; là, ces vieux grenadiers attisaient sans cesse leurs feux. On les voyait assis sur leurs sacs, les coudes appuyés sur les genoux et la tête sur leurs mains, sommeillant ainsi repliés sur eux-mêmes, pour que leurs membres s'échauffassent l'un l'autre, et pour moins sentir le vide de leurs estomacs.

Pendant ces trois jours et ces trois nuits, Napoléon au milieu d'eux, le regard et la pensée errant de trois côtés à la fois, soutint le deuxième corps de ses ordres et de sa présence, protégea le neuvième corps et le passage avec son artillerie, et s'unit aux efforts d'Eblé pour sauver de ce naufrage le plus de débris possible. Lui-même enfin dirigea ces restes vers Zembin, où le prince Eugène l'avait précédé.

On remarqua que l'Empereur commandait encore à ses maréchaux, demeurés sans soldats, de prendre des positions sur cette route, comme s'ils eussent encore eu des armées sous leurs ordres. L'un d'eux lui en fit l'observation avec amertume : il commençait le détail de ses pertes ; mais Napoléon, décidé à repousser tous les rapports, de peur qu'ils ne dégénérassent en plaintes, l'interrompit vivement par ces mots : « Pourquoi donc voulez-vous m'ôter mon « calme ? » Et comme ce maréchal persévérait, il lui ferma la bouche en répétant avec l'accent du reproche : « Je vous demande, Monsieur, pourquoi « vous voulez m'ôter mon calme ! » Mot qui, dans son malheur, explique l'attitude qu'il s'imposa et celle qu'il exigea des autres.

Autour de lui, pendant ces mortels jours, chaque bivouac fut marqué par une foule de morts. Là étaient réunis des hommes de tous les états, de tous les grades, de tous les âges, ministres, généraux, administrateurs. On y remarque surtout un ancien grand seigneur de ces temps, bien passés, où régnait souverainement une grâce légère et brillante. On voyait cet officier général de soixante ans, assis sur un tronc d'arbre couvert de neige, s'occuper avec une imperturbable gaieté, dès que le jour revenait, des détails de sa toilette : au milieu de cet ouragan, il faisait parer sa tête d'une frisure élégante et poudrée avec soin, se jouant ainsi de tous les malheurs et de tous les éléments déchaînés qui l'assiégeaient.

Près de lui, des officiers d'armes savantes dissertaient encore. Dans notre siècle, que quelques découvertes encouragent à tout expliquer, ceux-là, au milieu des souffrances aiguës que leur apportait le vent du nord, cherchaient la cause de sa constante direction.

Quelques autres de ces officiers remarquaient avec une curieuse attention la cristallisation régulière et hexagonale de chacune des parcelles de neige qui couvraient leurs vêtements.

Le phénomène des parélies ou des apparitions simultanées de plusieurs images du soleil, que des aiguilles de glace, suspendues dans l'atmosphère, réfléchirent à leurs yeux, fut encore le sujet de leurs

observations, et vint plusieurs fois les distraire de
leurs souffrances.

Le 29, l'Empereur quitta les bords de la Bérézina,
poussant devant lui la foule des hommes débandés,
et marchant avec le neuvième corps déjà désorganisé. La veille, le deuxième, le neuvième corps et la
division Dombrowski présentaient un ensemble
de quatorze mille hommes; et, à l'exception
d'environ six mille, le reste n'avait plus forme de
division, de brigade, ni de régiment.

La nuit, la faim, le froid, la chute d'une foule
d'officiers, la perte des bagages laissés de l'autre côté
du fleuve, l'exemple de tant de fuyards, celui, bien
plus rebutant, des blessés qu'on abandonnait sur
les deux rives, et qui se roulaient de désespoir sur
une neige ensanglantée, tout enfin les avait désor-
ganisés : ils s'étaient perdus dans la masse confuse
qui arrivait de Moscou.

C'était encore soixante mille hommes, mais sans
ensemble. Tous marchaient pêle-mêle, cavalerie,
fantassins, artilleurs, Français et Allemands ; il
n'y avait plus ni aile, ni centre. L'artillerie et les
voitures roulaient au travers de cette foule confuse,
sans autre instruction que celle d'avancer autant
que possible.

Sur cette chaussée, tantôt étroite, tantôt montueuse, on s'écrasait à tous les défilés, pour se disperser ensuite partout où l'on espérait trouver un
asile, ou quelques aliments. Ce fut ainsi que Napoléon arriva à Kamen ; il y coucha avec les prison-

niers du jour précédent, qu'on parqua. Ces malheureux, après avoir dévoré jusqu'à leurs morts, périrent presque tous de faim et de froid.

Le 30, il fut à Pleszczénitzy. Le duc de Reggio,
blessé, s'y était retiré la veille avec environ quarante officiers et soldats. Il s'y croyait en sûreté,
quand tout à coup le russe Landskoy, avec cent cinquante hussards, quatre cents cosaques, et deux
canons, pénétra dans ce bourg, et en remplit toutes
les rues.

La faible escorte d'Oudinot était dispersée. Le
maréchal se vit réduit à se défendre, lui dix-hui-
tième, dans une maison de bois ; mais ce fut avec
tant d'audace et de bonheur, que l'ennemi étonné
s'inquiéta, sortit de la ville, et s'établit sur une hauteur, d'où il ne l'attaqua plus qu'avec son canon.
La destinée trop persévérante de ce brave maréchal voulut que, dans cette échauffourée, il fût
encore blessé d'un éclat de bois.

Deux bataillons westphaliens, qui précédaient
l'Empereur, parurent enfin, et le dégagèrent, mais
tard, et après que ces Allemands et l'escorte du duc
de Reggio, qui ne se reconnurent pas d'abord, se
furent considérés avec une longue incertitude et une
vive anxiété.

Le 3 décembre Napoléon arriva dans la matinée
à Malodeczno. C'était le dernier point sur lequel
Tchitchakof aurait pu le prévenir. Quelques vivres
s'y trouvaient, le fourrage y était abondant, la
journée belle, le soleil brillant, le froid supportable.

Enfin les courriers, qui manquaient depuis longtemps, y arrivèrent tous à la fois. Les Polonais furent aussitôt dirigés sur Varsovie par Olita, et les
cavaliers à pied par Merecz sur le Niémen ; le reste
dut suivre la grande route qu'on venait de rejoindre.

Jusque-là Napoléon semblait n'avoir pas conçu
le projet de quitter son armée. Mais, vers le milieu
de ce jour, il annonça tout à coup à Daru et à Duroc sa résolution de partir incessamment pour la
France.

Daru n'en reconnut pas la nécessité. Il objecta
« que les communications étaient rouvertes et les
« grands dangers passés ; qu'à chaque pas rétro-
« grade, il allait rencontrer les renforts que lui
« envoyaient Paris et l'Allemagne. » Mais l'Empereur répliqua « qu'il ne se sentait plus assez fort
« pour laisser la Prusse entre lui et la France. Pour-
« quoi fallait-il qu'il restât à la tête d'une déroute ?
« Murat et Eugène suffiraient pour la diriger, et
« Ney pour la couvrir ;

« Qu'il était indispensable qu'il retournât en
« France pour la rassurer, pour l'armer, pour conte-
« nir de là tous les Allemands dans leur fidélité ;
« enfin pour revenir avec des forces nouvelles et
« suffisantes, au secours des restes de sa Grande
« Armée.

« Mais avant d'atteindre ce but, ne fallait-il pas
« qu'il traversât seul quatre cents lieues de terres
« alliées ; et, pour le faire sans danger, que sa réso-

« lution y fût imprévue, son passage ignoré, le bruit
« du désastre de sa retraite encore incertain ; qu'il
« en précédât la nouvelle, l'effet qu'elle y pourrait
« produire, et toutes les défections qui pourraient
« en résulter ? Il n'avait donc pas de temps à
« perdre, et le moment de son départ était venu ! »

Il n'hésita que sur le choix du chef qu'il laisserait à l'armée. C'était entre Murat et Eugène qu'il
balançait. Il aimait la sagesse et le dévouement de
celui-ci. Mais Murat avait plus d'éclat, et il
s'agissait d'imposer. Eugène resterait avec ce monarque ; son âge, son rang inférieur répondraient de
sa soumission, et son caractère de son zèle. Il en
donnerait l'exemple aux autres maréchaux.

Enfin Berthier, le canal tant accoutumé de tous
les ordres et de toutes les récompenses impériales,
demeurerait encore avec eux. Il n'y aurait donc rien
de changé dans la forme ni dans l'organisation ; et
cette disposition, en annonçant son prompt retour, contiendrait à la fois dans leur devoir les plus
impatients des siens, et dans une crainte salutaire
les plus ardents de ses ennemis.

Tels furent les motifs de Napoléon. Caulaincourt
reçut aussitôt l'ordre de préparer en secret ce départ. Le lieu qu'on lui assigna fut Smorgony, et
son époque la nuit du 5 au 6 décembre.

Quoique Daru ne dût point accompagner Napoléon, et qu'on lui laissât la lourde charge de l'administration de l'armée, il écouta en silence, n'ayant
rien à objecter contre des motifs si puissants ; mais

il n'en fut pas de même de Berthier. Ce vieillard
affaibli, et qui, depuis seize années n'avait pas quitté
Napoléon, se révolta à l'idée de cette séparation.

La scène secrète qui en résulta fut violente.
L'Empereur s'indigna de sa résistance. Dans son
emportement, il lui reprocha les bienfaits dont il
l'avait comblé : l'armée, lui dit-il, avait besoin de la
réputation qu'il lui avait faite, et qui n'était qu'un
reflet de la sienne. Au reste, il lui donnait vingt-
quatre heures pour se décider ; après quoi, s'il persévérait, il pourrait partir pour ses terres, où il lui
ordonnait de rester, en lui interdisant pour jamais
Paris et sa présence. Le lendemain, 4 décembre,
Berthier, s'excusant de son refus sur son âge et sur
sa santé affaiblie, lui apporta une triste résignation.

Mais, à l'instant même où Napoléon décidait son
départ, l'hiver devenait terrible, comme si le ciel
moscovite, le voyant près de lui échapper, eût redoublé de rigueur pour l'accabler et nous détruire !
Ce fut au travers de vingt-six degrés de froid que
nous atteignîmes, le 4 décembre, Bienitza.

L'Empereur avait laissé le comte de Lobau et
plusieurs centaines d'hommes de sa vieille garde
à Malodeczno. C'était là que la route de Zembin
rejoignait le grand chemin de Minsk à Vilna. Il
fallait garder cet embranchement jusqu'à l'arrivée
de Victor, qui le défendrait à son tour jusqu'à
celle de Ney ; car c'était encore à ce maréchal et au
deuxième corps commandé par Maison que l'arrière-garde avait été confiée.

Le soir du 29 novembre, jour où Napoléon quitta les bords de la Bérézina, Ney et les deuxième et troisième corps, réduits à trois mille soldats, avaient passé les longs ponts qui mènent à Zembin, en laissant, à leur entrée, Maison et quelques centaines d'hommes pour les défendre et les brûler.

Tchitchakof attaqua tard, mais vivement, et non seulement à coups de fusil mais à la baïonnette ; il fut repoussé. Maison faisait en même temps charger les longs ponts de ces bourrées dont Tchaplitz, quelques jours plus tôt, avait négligé l'emploi. Dès que tout fut prêt, l'ennemi entièrement dégoûté du combat, et la nuit et les bivouacs bien établis, il passa rapidement le défilé et y fit mettre le feu. En peu d'instants ces longues chaussées tombèrent en cendres dans leurs marais, que la gelée n'avait point encore rendus praticables.

Ces fondrières arrêtèrent l'ennemi et le forcèrent à se détourner. Aussi, pendant le jour suivant, la marche de Ney et de Maison fut-elle tranquille. Mais le surlendemain, 1er décembre, comme ils arrivaient en vue de Pleszczénitzy, voilà qu'ils aperçoivent toute la cavalerie ennemie qui accourt et qui pousse à leur droite Doumerc et ses cuirassiers. En un instant ils sont débordés et attaqués de toutes parts.

En même temps Maison voit le village par où il doit se retirer tout rempli de traîneurs. Il envoie leur crier de fuir promptement ; mais ces malheureux, affamés, n'écoutant, ne voyant rien, refusent de quitter leurs repas commencés, et bientôt Maison fut repoussé sur eux dans Pleszczénitzy. Alors seulement, à la vue de l'ennemi et au bruit des obus, tous ces infortunés s'ébranlent à la fois ; ils se précipitent, ils affluent de toutes parts dans la grande rue qu'ils encombrent.

Maison et sa troupe se trouvèrent tout à coup comme perdus au milieu de cette foule effarée qui les pressait, qui les étouffait, et leur ôtait jusqu'à l'usage de leurs armes. Ce général n'eut d'autre ressource que de recommander aux siens de rester serrés et immobiles, et d'attendre que le flot se fût écoulé. La cavalerie ennemie joignit alors cette masse et s'y embourba ; elle n'y put pénétrer que lentement et à force de tuer.

Enfin la cohue s'étant dissipée découvrit aux Russes Maison et ses soldats qui les attendaient de pied ferme. Mais, en fuyant, cette foule avait entraîné dans son désordre une partie de nos combattants. Maison dans une plaine rase, et avec sept à huit cents hommes devant des milliers d'ennemis, perdit tout espoir de salut : déjà même il ne cherchait plus qu'à gagner un bois pour y vendre plus chèrement sa vie, quand il en vit sortir dix-huit cents Polonais, troupe toute fraîche, que Ney avait rencontrée et qu'il amenait à son secours. Ce renfort arrêta l'ennemi et assura la retraite jusqu'à Malodeczno.

Le 4 décembre, vers quatre heures du soir, Ney et Maison aperçurent ce bourg, d'où Napoléon était parti le matin même. Tchaplitz les suivait de près.

Il ne restait plus à Ney que six cents hommes. La
faiblesse de cette arrière-garde, l'approche de la
nuit, et la vue d'un abri excitèrent l'ardeur du général russe : son attaque fut pressante. Ney et Maison,
sentant bien qu'ils mourraient de froid sur la grande
route, s'ils se laissaient pousser au delà de ce can-
tonnement, préférèrent périr en le défendant.

Ils s'arrêtèrent à son entrée, et, comme leurs
chevaux d'artillerie étaient mourants, ils ne songèrent plus à sauver leurs canons, mais à en écraser,
pour la dernière fois, l'ennemi : c'est pourquoi ils
mirent en batterie tout ce qui leur restait et firent
un feu terrible. La colonne d'attaque de Tchaplitz
en fut toute brisée ; elle s'arrêta. Mais ce général,
usant de sa supériorité, détourna une partie de ses
forces vers une autre entrée ; et déjà ses premières
troupes avaient franchi les enclos de Malodeczno,
quand tout à coup elles y rencontrèrent un autre
combat.

Le bonheur voulut que Victor, avec environ
quatre mille hommes, restes du neuvième corps,
occupât encore ce village. L'acharnement y fut
extrême : on s'enleva plusieurs fois, de part et
d'autre, les premières maisons. Des deux côtés on
combattit moins pour la gloire que pour se conserver ou s'arracher un refuge contre un froid meurtrier. Ce ne fut qu'à onze heures du soir que les
Russes y renoncèrent, et qu'à demi gelés ils allèrent en chercher un autre dans les villages environnants.

Le lendemain 5 décembre, Ney et Maison crurent que le duc de Bellune les remplacerait à l'arrière-garde ; mais ils s'aperçurent que ce maréchal
suivant ses instructions, s'était retiré, et qu'ils
étaient seuls dans Malodeczno avec soixante hommes ; tout le reste avait fui : leurs soldats, que jusqu'au dernier moment les Russes n'avaient pu
vaincre, l'atrocité du climat les avait vaincus ; les
armes leur tombaient des mains, et eux-mêmes tombaient à quelques pas de leurs armes !

Maison, en qui une grande force d'âme s'alliait,
dans une juste proportion, à une grande force de
corps, ne s'étonna point : il continua sa retraite
jusqu'à Bienitza, ralliant à chaque pas des hommes
qui lui échappaient sans cesse, mais enfin marquant
encore, avec quelques baïonnettes, l'arrière-garde,
Il n'en fallut pas davantage ; car les Russes, glacés
eux-mêmes, et forcés de se disperser avant la nuit
dans les habitations voisines, n'osaient en sortir
qu'au grand jour. Alors ils recommençaient à nous
suivre, mais sans attaquer ; car, à l'exception de
quelques efforts engourdis, la violence de la température ne permettait de s'arrêter, ni pour préparer une attaque, ni pour se défendre.

Cependant Ney, surpris du départ de Victor,
l'avait rejoint ; il s'était efforcé de l'arrêter ; mais
le duc de Bellune, ayant l'ordre de se retirer, s'y
était refusé. Ney lui avait alors demandé ses troupes, s'offrant de le remplacer dans son commandement ; mais Victor n'avait voulu ni céder ses soldats,

ni prendre sans ordre l'arrière-garde. Dans cette
altercation, le prince de la Moskowa s'emporta, dit-
on, avec une violence excessive, dont la froideur de
Victor ne s'émut guère. Enfin un ordre de l'Empereur intervint : Victor fut chargé de soutenir la
retraite, et Ney appelé à Smorgony.

Napoléon venait d'y arriver au milieu d'une foule
de mourants, dévoré de chagrin, mais ne laissant
percer aucune émotion à la vue des souffrances
de ces malheureux, qui, de leur côté, ne lui faisaient
entendre aucun murmure. Il est vrai qu'une sédi-
tion était impossible : c'eût été un effort de plus, et
toutes les forces de chacun étaient employées à
combattre la faim, le froid et la fatigue ; il eût d'ailleurs fallu de l'ensemble, s'accorder, s'entendre, et
la famine et tant de fléaux séparaient et isolaient,
en concentrant chacun tout entier en lui-même.
Bien loin de s'épuiser en provocations, en plaintes
même, on marchait silencieux, réservant tous ses
moyens contre une nature ennemie, distrait de
toute autre idée par une action, par une souffrance
continuelles. Les besoins physiques absorbaient
toutes les forces morales : on vivait ainsi machinalement dans ses sensations, restant soumis encore
par souvenir, par suite d'impressions reçues dans
un meilleur temps, et beaucoup par un honneur, par
un amour de la gloire, exalté par vingt ans de
triomphes, et dont la chaleur survivait et combat-
tait encore.

L'autorité des chefs était d'ailleurs restée entière

et respectée, parce qu'elle avait toujours été toute paternelle, et que les dangers, les triomphes, les maux, avaient toujours été en commun. C'était une famille malheureuse, dont le chef était peut-être le plus à plaindre. Ainsi l'Empereur et la Grande Armée gardaient l'un envers l'autre un triste et noble silence : on était à la fois trop fier pour se plaindre, et trop expérimenté pour n'en pas sentir l'inutilité.

Cependant Napoléon entre précipitamment dans son dernier quartier général ; il y achève ses dernières instructions, et le vingt-neuvième et dernier bulletin de son armée expirante. Des précautions furent prises dans son appartement intérieur pour que, jusqu'au lendemain, rien de ce qui allait s'y passer ne transpirât.

Mais le pressentiment d'un dernier malheur saisit ses officiers ; tous auraient voulu le suivre. Ils étaient affamés de revoir la France, de se retrouver au sein de leurs familles, et de fuir cet atroce climat ; mais aucun n'osait en témoigner le désir : le devoir et l'honneur les retenaient.

Pendant qu'ils feignaient un repos qu'ils étaient loin de goûter, la nuit et l'instant que l'Empereur avait désignés pour déclarer aux chefs de l'armée sa résolution, arrivèrent. Tous les maréchaux furent appelés. A mesure qu'ils entrèrent, il les prit chacun en particulier, et d'abord il les gagna à son projet par des épanchements de confiance.

C'est ainsi qu'en apercevant Davout, on le vit

aller au-devant de lui, et lui demander pourquoi il
ne le voyait plus, s'il l'avait abandonné ! Et sur ce
que Davout répond, qu'il croyait lui déplaire,
l'Empereur s'expliqua doucement, accueillit ses
réponses, lui confia jusqu'au chemin qu'il croyait
devoir prendre, et reçut ses conseils sur ce détail.

Il fut caressant pour tous ; puis, les ayant réunis
à sa table, il les loua de leurs belles actions pendant
cette campagne ! Pour lui, il ne convint de sa témérité que par ces seuls mots : « Si j'étais né sur le
« trône, si j'étais un Bourbon, il m'aurait été
« facile de ne point faire de fautes ! »

Quand le repas fut achevé, il leur fit lire par le
prince Eugène son vingt-neuvième bulletin ; après
quoi, déclarant hautement ce qu'il avait déjà
confié à chacun d'eux, il leur dit : « Que, cette nuit
« même, il allait partir, avec Duroc, Caulaincourt,
« et Lobau, pour Paris ; que sa présence y était
« indispensable pour la France, comme pour les
« restes de sa malheureuse armée. C'était de là
« seulement qu'il pourrait contenir les Autrichiens
« et les Prussiens. Sans doute ces peuples hésite-
« raient à lui déclarer la guerre, lorsqu'ils le sau-
« raient à la tête de la nation française et d'une
« nouvelle armée de douze cent mille hommes ! »

Il dit encore : « Qu'il envoyait d'avance Ney à
« Vilna pour y tout réorganiser ; que Rapp le
« seconderait et irait ensuite à Dantzick ; Lauriston
« à Varsovie ; Narbonne à Berlin ; que sa maison
« resterait à l'armée mais qu'il faudrait faire le

« coup de sabre à Vilna et y arrêter l'ennemi;
« qu'on y trouverait Loison, de Wrede des ren-
« forts, des vivres et des munitions de toute espèce;
« qu'ensuite on prendrait des quartiers d'hiver
« derrière le Niémen ; qu'il espérait que les Russes
« ne passeraient pas la Vistule avant son retour. »

« Je laisse, ajouta-t-il enfin, le commandement
« de l'armée au roi de Naples. J'espère que vous lui
« obéirez comme à moi, et que le plus grand accord
« règnera entre vous ! »

Alors il était dix heures du soir ; il se lève,
et, leur serrant affectueusement les mains, il les
embrassa tous et partit !

IX

L'ARMÉE SANS NAPOLÉON.

COMPAGNONS, je l'avouerai, mon esprit découragé refusait de se plonger plus avant dans le souvenir de tant d'horreurs ! J'avais atteint le départ de Napoléon, et je me persuadais qu'enfin ma tâche était remplie. Je m'étais annoncé comme l'historien de cette grande époque où, du faîte de la plus haute des gloires, nous fûmes précipités dans l'abîme de la plus profonde infortune ; mais à présent qu'il ne me reste plus à retracer que d'effroyables misères, pourquoi ne nous épargnerions-nous pas, vous la douleur de les lire, moi les tristes efforts d'une mémoire qui n'a plus à remuer que des cendres, à compter que des désastres, et qui ne peut plus écrire que sur des tombeaux !

Mais enfin, puisqu'il fut dans notre destinée de pousser le malheur comme le bonheur jusqu'à l'invraisemblance, j'essaierai de tenir jusqu'au bout la parole que je vous ai donnée. Aussi bien,

quand l'histoire des grands hommes rapporte
même leurs derniers moments, de quel droit tairais-
je le dernier soupir de la Grande Armée expirante ?
Tout d'elle appartient à la renommée, ce grand gémissement comme ses cris de victoire ! Tout en elle
fut grand ; notre sort sera d'étonner les siècles à
force d'éclat et de deuil ! Triste consolation, mais
la seule qui nous reste ; car, n'en doutez pas, compagnons, le bruit d'une si grande chute retentira
dans cet avenir, où les grandes infortunes immortali-
sent autant que les grandes gloires !

Napoléon venait de traverser la foule de ses officiers, rangés sur son passage, en leur laissant pour
adieux des sourires tristes et forcés ; il emporta leurs
vœux, également muets, que quelques gestes res-
pectueux exprimèrent. Lui et Caulaincourt s'enfer-
mèrent dans une voiture ; son mamelouk et Won-
sowitch, capitaine de sa garde, en occupaient le
siège ; Duroc et Lobau le suivirent dans un traîneau.

Des Polonais l'escortèrent d'abord. Ce furent ensuite les Napolitains de la garde royale. Ce corps
était de six cents hommes quand il vint de Vilna au-
devant de l'Empereur. Il périt tout entier dans ce
court trajet : l'hiver fut son seul ennemi. Cette nuit-
là même, les Russes surprirent et abandonnèrent
Ioupranouï, d'autres disent Osmiana, ville où l'escorte devait passer. Il s'en fallut d'une heure que
Napoléon ne tombât dans cette échauffourée.

Il rencontra le duc de Bassano à Miedn* . Ses

premières paroles furent : « Qu'il n'avait plus d'ar-
« mée ; qu'il marchait, depuis quelques jours, au
« milieu d'une troupe d'hommes débandés, errant
« çà et là pour trouver des vivres ; qu'on pourrait
« encore les rallier en leur donnant du pain, des
« souliers, des vêtements et des armes ; mais que
« son administration militaire n'avait rien prévu,
« et que ses ordres n'avaient point été exécutés ! »
Et sur ce que Maret lui répondit par l'état des immenses magasins renfermés dans Vilna, il s'écria :
« Qu'il lui rendait la vie ! qu'il le chargeait de
« transmettre à Murat et à Berthier l'ordre de
« s'arrêter huit jours dans cette capitale, d'y ral-
« lier l'armée, et de lui rendre assez de cœur et de
« forces pour continuer moins déplorablement la
« retraite. »

Le reste du voyage de Napoléon s'accomplit
sans obstacle. Il tourna Vilna par ses faubourgs,
traversa Wilkowiski, où il changea sa voiture contre
un traîneau, s'arrêta le 10 dans Varsovie, pour demander aux Polonais une levée de dix mille cosaques, pour leur accorder quelques subsides, et leur
promettre son retour prochain à la tête de trois
cent mille hommes. De là, après avoir rapidement
traversé la Silésie, il revit Dresde et son roi, puis
Hanau, Mayence et enfin Paris, où il apparut
soudainement le 19 décembre, deux jours après la
publication de son vingt-neuvième bulletin.

Depuis Malo-Iaroslavetz jusqu'à Smorgony, ce
maître de l'Europe n'avait plus été que le général

d'une armée mourante et désorganisée. Depuis
Smorgony jusqu'au Rhin, ce fut un inconnu, fugitif
au travers d'une terre ennemie. Au delà du Rhin,
il se retrouva tout à coup le maître et le vainqueur
de l'Europe : un dernier souffle du vent de la prospérité enflait encore cette voile.

Cependant, à Smorgony, ses généraux approu-
vaient son départ ; et, loin d'en être découragés,
ils y mettaient tout leur espoir. L'armée n'avait plus
qu'à fuir, la route était ouverte, la frontière russe
peu éloignée. On touchait à un secours de dix-huit
mille hommes de troupes fraîches, à une grande
ville, à un magasin immense ; Murat et Berthier,
réduits à eux-mêmes, crurent donc pouvoir régler
cette fuite. Mais, au milieu de ce désordre extrême,
il fallait un colosse pour point de ralliement, et il
venait de disparaître. Dans le grand vide qu'il laissa,
Murat fut à peine aperçu.

Ce fut alors qu'on vit trop bien qu'un grand
homme ne se remplace point, soit que l'orgueil des
siens ne puisse plus se plier à une autre obéissance,
soit qu'ayant toujours songé à tout, prévu et ordonné tout, il n'ait formé que de bons instruments,
d'habiles lieutenants, et point de chefs.

Dès la première nuit un général refusa d'obéir.
Le maréchal qui commandait l'arrière-garde revint
presque seul au quartier royal. Trois mille hommes
de vieille et jeune garde s'y trouvaient encore.
C'était là toute la Grande Armée, et de ce corps gigantesque il ne restait plus que la tête ! Mais, à la

nouvelle du départ de Napoléon, gâtés par l'habitude de n'être commandés que par le conquérant
de l'Europe, n'étant plus soutenus par l'honneur
de le servir et dédaignant d'en garder un autre, ces
vétérans s'ébranlèrent à leur tour, et tombèrent
eux-mêmes dans le désordre.

La plupart des colonels de l'armée, qu'on avait
admirés jusque-là, marchant encore, avec quatre à
cinq officiers ou soldats, autour de leur aigle, et à
leur place de bataille, ne prirent plus d'ordres que
d'eux-mêmes : chacun se crut chargé de son propre salut. On ne se fia plus du soin de sa conservation qu'à soi seul. Il y eut des hommes qui firent
deux cents lieues sans tourner la tête. Ce fut un
sauve-qui-peut presque général.

Au reste, la disparition de l'Empereur et l'insuffisance de Murat ne furent pas les seules causes de
cette dispersion : ce fut surtout la violence de
l'hiver, qui dans ce moment devint extrême. Il
aggrava tout, il semblait s'être mis tout entier entre
Vilna et l'armée.

Jusqu'à Malodeczno et au 4 décembre, jour où il
s'appesantit sur nous, la route, quoique difficile,
avait été marquée par un nombre de cadavres moins
considérable qu'avant la Bérézina. On dut ce répit
à la vigueur de Ney et de Maison qui continrent
l'ennemi, à la température alors plus supportable, à
quelques ressources qu'offrit un sol moins dévasté, et
enfin à ce que c'étaient les hommes les plus robustes
qui avaient échappé au passage de la Bérézina.

L'espèce d'organisation qui s'était introduite dans le désordre s'était soutenue. La masse des fuyards cheminait divisée en une multitude de petites associations de huit à dix hommes. Plusieurs de ces bandes possédaient encore un cheval chargé de leurs vivres, ou qui lui-même devait en servir. Des haillons, quelques ustensiles, un bissac et un bâton étaient l'accoutrement de ces malheureux, et leur armure. Ils n'avaient plus du soldat ni l'arme ni l'uniforme, ni la volonté de combattre d'autres ennemis que la faim et les frimas ; mais il leur restait la fermeté, l'habitude du danger et de la souffrance, et un esprit toujours prompt, souple et vif, pour tirer de leur situation tout le parti possible. Enfin, parmi les soldats encore armés, un sobriquet, dont eux-mêmes avaient ridiculisé leurs compagnons tombés dans le désordre, avait eu quelque influence.

Mais depuis Malodeczno et le départ de Napoléon, quand l'hiver tout entier, redoublant de rigueur, attaqua chacun de nous, toutes ces associations contre le malheur se rompirent : ce ne fut plus qu'une multitude de luttes isolées et individuelles. Les meilleurs ne se respectèrent plus eux-mêmes ; rien n'arrêta ; les regards ne retinrent plus ; le malheur fut sans espoir de secours ni même de regret ; le découragement n'eut plus de juges, pas même de témoins : tous étaient victimes !

Dès lors plus de fraternité d'armes, plus de société, aucun lien ; l'excès des maux avait abruti. La faim, la dévorante faim avait réduit ces malheureux à cet instinct brutal de la conservation, seul esprit des animaux les plus farouches, et qui est prêt à se tout sacrifier ; une nature âpre et barbare semblait leur avoir communiqué sa fureur. Tels que des sauvages, les plus forts dépouillaient les plus faibles : ils accouraient autour des mourants, souvent ils n'attendaient pas leurs derniers soupirs. Lorsqu'un cheval tombait, vous eussiez cru voir une meute affamée ; ils l'environnaient, ils le déchiraient par lambeaux, qu'ils se disputaient entre eux comme des chiens dévorants !

Toutefois le plus grand nombre conserva assez de force morale pour chercher son salut sans nuire ; mais c'était là le dernier effort de leur vertu. Chefs ou compagnons, si l'on tombait à côté d'eux ou sous les roues des canons, c'était vainement qu'on les appelait à son secours, qu'on prenait à témoin une patrie, une religion, une cause communes, on n'en obtenait pas même un regard. Toute la froide inflexibilité du climat était passée dans leurs cœurs ; sa rigidité avait contracté leurs sentiments comme leurs figures. Tous, à l'exception de quelques chefs, étaient absorbés par leurs souffrances, et la terreur ne laissait plus de place à la pitié !

Ainsi l'égoïsme qu'on reproche à l'excès de la prospérité, l'excès du malheur le produisit, mais plus excusable : l'un était volontaire, et celui-ci presque forcé ; l'un un crime du cœur, et celui-ci une impulsion de l'instinct, et toute physique ; et réellement il y allait de la vie de s'arrêter un instant ! Dans ce naufrage universel, tendre la main à son compagnon, à son chef mourant, était un acte admirable de générosité. Le moindre mouvement d'humanité devenait une action sublime.

Cependant quelques-uns tinrent bon contre le ciel et la terre : ils protégèrent, ils secoururent les plus faibles ; ceux-là furent rares.

Le 6 décembre, le jour même qui suivit le départ de Napoléon, le ciel se montra plus terrible encore. On vit flotter dans l'air des molécules glacées, les oiseaux tombèrent roidis et gelés ! L'atmosphère était immobile et muette : il semblait que tout ce qu'il y avait de mouvement et de vie dans la nature, que le vent même fut atteint, enchaîné et comme glacé par une mort universelle. Alors plus de paroles, aucun murmure, un morne silence, celui du désespoir et les larmes qui l'annoncent !

On s'écoulait dans cet empire de la mort comme des ombres malheureuses ! Le bruit sourd et monotone de nos pas, le craquement de la neige et les faibles gémissements des mourants, interrompaient seuls cette vaste et lugubre taciturnité. Alors plus de colère ni d'imprécations, rien de ce qui suppose un reste de chaleur ; à peine la force de prier restait-elle ; la plupart tombaient même sans se plaindre, soit faiblesse ou résignation, soit qu'on ne se plaigne que lorsqu'on espère attendrir et qu'on croit être plaint.

Ceux de nos soldats jusque-là les plus persévérants se rebutèrent. Tantôt la neige s'ouvrait sous leurs pieds ; plus souvent, sa surface miroitée ne leur offrait aucun appui, ils glissaient à chaque pas et marchaient de chute en chute : il semblait que ce sol ennemi refusât de les porter, qu'il s'échappât sous leurs efforts, qu'il leur tendît des embûches comme pour embarrasser, pour retarder leur marche, et les livrer aux Russes qui les poursuivaient, ou à leur terrible climat !

Et réellement, dès qu'épuisés ils s'arrêtaient un instant, l'hiver appesantissant sur eux sa main de glace, se saisissait de cette proie. C'était vainement qu'alors ces malheureux, se sentant engourdis, se relevaient, et que, déjà sans voix, insensibles, et plongés dans la stupeur ils faisaient quelques pas tels que des automates ; leur sang, se glaçant dans leurs veines, comme les eaux dans le cours des ruisseaux, alanguissait leur cœur ; puis il refluait vers leur tête ; alors ces moribonds chancelaient comme dans un état d'ivresse. De leurs yeux rougis et enflammés par la privation du sommeil, par la fumée des bivouacs, il sortait de véritables larmes de sang ; leur poitrine exhalait de profonds soupirs ; ils regardaient le ciel, nous, et la terre, d'un œil consterné, fixe, et hagard ; c'étaient leurs adieux à cette nature barbare qui les torturait, et leurs reproches peut-être ! Bientôt ils se laissaient aller sur les genoux, ensuite sur les mains ; leur tête vaguait encore quelques instants à droite et à gauche, et leur bouche béante laissait échapper quelques sons agonisants ; enfin elle tombait à son tour sur la

neige, qu'elle rougissait aussitôt d'un sang livide, et leurs souffrances avaient cessé !

Leurs compagnons les dépassaient sans se déranger d'un pas, de peur d'allonger leur chemin, sans détourner la tête, car leur barbe, leurs cheveux étaient hérissés de glaçons, et chaque mouvement était une douleur ! Ils ne les plaignaient même pas ; car enfin qu'avaient-ils perdu en succombant ? Que quittaient-ils ? On souffrait tant ! On était encore si loin de la France ! si dépaysé par les aspects, par le malheur, que tous les doux souvenirs étaient rompus, et l'espoir presque détruit, aussi le plus grand nombre était devenu indifférent sur la mort, par nécessité, par habitude de la voir, partout, l'insultant même quelquefois ; mais le plus souvent se contentant de penser, à la vue de ces infortunés, étendus et aussitôt roidis, qu'ils n'avaient plus de besoins, qu'ils se reposaient, qu'ils ne souffraient plus ! Et en effet la mort douce, stable, uniforme, peut être un événement toujours étrange, un contraste effrayant, une révolution terrible ; mais, dans ce tumulte, dans ce mouvement violent et continuel d'une vie toute d'action, de dangers et de douleurs, elle ne paraissait qu'une transition, un faible changement, un déplacement de plus, et qui étonnait peu !

Tels furent les derniers jours de la Grande Armée. Ses dernières nuits furent plus affreuses encore ; ceux qu'elles surprirent ensemble loin de toute habitation s'arrêtèrent sur la lisière des bois : là ils allu-

mèrent des feux devant lesquels ils restaient toute
la nuit, droits et immobiles comme des spectres. Ils
ne pouvaient se rassasier de cette chaleur ; ils
s'en tenaient si proche, que leurs vêtements brûlaient ainsi que les parties gelées de leur corps que
le feu décomposait. Alors une horrible douleur les
contraignait à s'étendre, et le lendemain ils s'efforçaient en vain de se relever.

Cependant ceux que l'hiver avait laissés presque
entiers, et qui conservaient un reste de courage,
préparaient leurs tristes repas. C'étaient, comme dès
Smolensk, quelques tranches de cheval grillées et
de la farine de seigle délayée en bouillie dans de
l'eau de neige, ou pétrie en galettes, et qu'ils assai-
sonnaient, à défaut de sel, avec la poudre de leurs
cartouches.

A la lueur de ces feux, accouraient toute la nuit
de nouveaux fantômes, que repoussaient les premiers
venus. Ces infortunés erraient d'un bivouac à
l'autre, jusqu'à ce que, saisis par le froid et le désespoir, ils s'abandonnassent. Alors se couchant sur
la neige, derrière le cercle de leurs compagnons plus
heureux, ils y expiraient. Quelques-uns, sans
moyens et sans forces pour abattre les hauts sapins
de la forêt, essayèrent vainement d'en enflammer
le pied ; mais bientôt la mort les surprit autour de
ces arbres dans toutes les attitudes.

On vit, sous les vastes hangars qui bordent quelques points de la route, de plus grandes horreurs.
Soldats et officiers tous s'y précipitaient, s'y entas-

saient en foule. Là comme des bestiaux, ils se serraient les uns contre les autres autour de quelques
feux ; les vivants ne pouvant écarter les morts du
foyer, se plaçaient sur eux pour y expirer à leur tour,
et servir de lit de mort à de nouvelles victimes !
Bientôt d'autres foules de traîneurs se présentaient
encore, et, ne pouvant pénétrer dans ces asiles de
douleur, ils les assiégeaient !

Il arriva souvent qu'ils en démolirent les murs de
bois sec pour en alimenter leurs feux ; d'autres fois,
repoussés, et découragés, ils se contentaient d'en
abriter leurs bivouacs. Bientôt les flammes se communiquaient à ces habitations, et les soldats
qu'elles renfermaient, à demi morts de froid, y
étaient achevés par le feu. Ceux de nous que ces
abris sauvèrent trouvèrent leurs compagnons glacés et par tas autour de leurs feux éteints. Pour
sortir de ces catacombes il fallut que, par un horrible
effort, ils gravissent par-dessus les monceaux de
ces infortunés, dont quelques-uns respiraient encore !

A Ioupranouï, dans ce même bourg où l'Empe-
pereur venait d'être manqué d'une heure par le
partisan russe Seslawin, des soldats brûlèrent des
maisons debout et tout entières pour se chauffer
quelques instants. La lueur de ces incendies attira
des malheureux, que l'intensité du froid et de la
douleur avait exaltés jusqu'au délire ; ils accoururent en furieux, et, avec des grincements de dents
et des rires infernaux, ils se précipitèrent dans ces

brasiers, où ils périrent dans d'horribles convul-
sions. Leurs compagnons affamés les regardaient
sans effroi; il y en eut même qui attirèrent à eux
ces corps défigurés et grillés par les flammes, et il
est trop vrai qu'ils osèrent porter à leur bouche
cette révoltante nourriture !

C'était là cette armée sortie de la nation la plus
civilisée de l'Europe, cette armée naguère si brillante, victorieuse des hommes jusqu'à son dernier
moment, et dont le nom régnait encore dans tant
de capitales conquises ! Ses plus mâles guerriers,
qui venaient de traverser fièrement tant de champs
de leurs victoires, avaient perdu leur noble contenance : couverts de lambeaux, les pieds nus et déchirés, appuyés sur des branches de pin, ils se
traînaient, et tout ce qu'ils avaient mis jusque-là
de force et de persévérance pour vaincre, ils l'em-
ployaient pour fuir !

L'armée était dans ce dernier état de détresse
physique et morale, quand ses premiers fuyards
atteignirent Vilna; Vilna ! leur magasin, leur dépôt,
la première ville riche et habitée que, depuis leur
entrée en Russie, ils eussent rencontrée ! Son nom
seul et sa proximité soutenaient encore quelques
courages.

Le 9 décembre le plus grand nombre de ces
malheureux aperçut enfin cette capitale ! Aussitôt
les uns se traînant, les autres se précipitant, tous
s'engouffrèrent dans son faubourg, tête baissée,
poussant obstinément devant eux, et s'y entas-

sant avec une telle opiniâtreté, que bientôt ils n'y
formèrent plus qu'une masse d'hommes, de chevaux et de chariots, immobile et incapable de mouvement.

Le dégorgement de cette foule par un étroit
passage devint presque impossible. Ceux qui suivaient, guidés par un stupide instinct, s'ajoutaient
à cet encombrement, sans songer à pénétrer dans
la ville par ses autres issues, car il en existait ;
mais tout était si désorganisé, que, dans toute cette
cruelle journée, pas un officier d'état-major ne
parut pour les indiquer.

Pendant dix heures, et par vingt-sept et même
vingt-huit degrés de froid, des milliers de soldats,
qui se croyaient sauvés, tombèrent ou gelés ou
étouffés, comme aux portes de Smolensk et devant
les ponts de la Bérézina. Soixante mille hommes
avaient traversé cette rivière, et depuis, vingt mille
recrues s'étaient jointes à eux ; sur ces quatre-
vingt mille hommes, la moitié venait de périr, et la
plupart dans ces quatre derniers jours, entre Malodeczno et Vilna.

La capitale de la Lithuanie ignorait encore nos
désastres, quand tout à coup quarante mille hommes
affamés la remplirent de cris et de gémissements !
A cet aspect inattendu, ses habitants s'effarouchè-
rent : ils fermèrent leurs portes. Ce fut alors un
spectacle déplorable de voir ces troupes de malheureux, errant dans les rues, les uns furieux, les autres
désespérés, menaçant ou suppliant, essayant d'en-

foncer les portes des maisons, celles des magasins,
ou se traînant aux hôpitaux ; et tout les repoussait !

Aux magasins c'étaient des formalités bien intem-
pestives, puisque, les corps étant dissous et les soldats mêlés, toute distribution régulière était impossible. Il y avait là quarante jours de farine et de
pain, et trente-six jours de viande pour cent mille
hommes. Aucun chef n'osa donner l'ordre de distribuer ces vivres à tous ceux qui se présenteraient.
Les administrateurs qui les avaient reçus craigni-
rent pour leur responsabilité ; les autres redoutè-
rent les excès auxquels se livrent les soldats affamés, quand ils ont tout à discrétion. Ces administrateurs ignoraient d'ailleurs combien notre position était désespérée, et, quand à peine le temps de
piller restait, on laissa plusieurs heures nos malheureux compagnons d'armes mourir de faim devant
ces grands amas de vivres, dont l'ennemi s'empara
le lendemain.

Aux casernes, aux hôpitaux, ils ne furent pas
moins rebutés, mais non par des vivants, car la
mort seule y régnait. Quelques moribonds y respiraient encore ; ils se plaignaient que depuis longtemps ils étaient sans lits, sans paille même et
presque abandonnés. Les cours, les corridors, et
jusqu'aux salles, étaient remplis de corps entassés :
c'étaient des charniers infects.

Enfin les soins de plusieurs chefs, tels qu'Eugène et Davout, la pitié des Lithuaniens et l'ava-

rice des juifs, ouvrirent quelques refuges. Ce fut
alors une chose remarquable que l'étonnement
de ces infortunés, en se retrouvant enfin dans des
maisons habitées. Combien un pain levé leur paraissait une nourriture délicieuse ! Quelle douceur
inexprimable ils trouvaient à le manger assis, et
comme ensuite la vue d'un faible bataillon encore
armé, en ordre, et vêtu uniformément, les frappait
d'admiration ! Il semblait qu'ils revinssent des extrémités du monde, tant la violence et la continuité
de leurs maux les avaient arrachés et jetés loin de
toutes leurs habitudes, tant l'abîme d'où ils sortaient avait été profond !

Mais à peine commençaient-ils à goûter cette
douceur, que le canon des Russes tonna sur eux
et sur la ville ! Ces bruits menaçants, les cris des officiers, les tambours qui rappelaient aux armes, les
clameurs d'une foule de malheureux qui arrivaient
encore, remplirent Vilna d'une nouvelle confusion.
C'était l'avant-garde de Kutusof et de Tchaplitz,
commandée par Orurk, Landskoy et Seslawin.
Ils attaquaient la division Loison, qui couvrait à
la fois la ville et la marche d'une colonne de cavaliers démontés, dirigés par Newtroky sur Olita.

On essaya d'abord de résister. De Wrede et ses
Bavarois venaient aussi de joindre l'armée par
Naroczwiransky et Niamentchin. Ils étaient suivis
par Wittgenstein, qui de Kamen et de Vileika mar-
chait sur notre flanc droit, en même temps que
Kutusof et Tchitchakof nous poursuivaient. Il ne

restait pas à de Wrede deux mille hommes. Quant
à Loison, à sa division et à la garnison de Vilna, qui
étaient venus nous tendre la main jusqu'à Smorgony, depuis trois jours, le froid les avait réduits
de quinze mille hommes, à trois mille.

De Wrede défendit Vilna du côté de Rukoni ; il
fut forcé de plier après un noble effort. De son côté,
Loison et sa division, plus rapprochés de Vilna,
continrent l'ennemi. On était parvenu à faire prendre les armes à une division napolitaine, on la fit
même sortir de la ville ; mais les fusils s'échappèrent des mains de ces hommes transplantés d'un
sol brûlant dans une région de glace. En moins d'une
heure tous rentrèrent désarmés, et la plupart es-
tropiés.

En même temps la générale battait inutilement
dans les rues : la vieille garde elle-même, réduite à
quelques pelotons, restait dispersée. Tous pensaient
bien plus à disputer leur vie à la famine et aux frimas qu'aux ennemis. Mais alors le cri « *Voilà les
cosaques !* » se fit entendre ; c'était depuis longtemps
le seul signal auquel le plus grand nombre obéis-
sait ; il retentit aussitôt dans toute la ville, et la
déroute recommença.

C'était de Wrede. Ce général venait de se présenter inopinément devant le roi. « L'ennemi mar-
« che, dit-il, sur ses traces ! Les Bavarois sont re-
« poussés jusque dans Vilna, qu'ils ne peuvent
« plus défendre ! » En même temps le bruit du
tumulte monte jusqu'aux oreilles du roi. Murat

s'étonne : ne se croyant plus maître de l'armée, il ne l'est plus assez de lui-même. On le voit sortir à pied de son palais et fendre la presse. Il semble craindre une échauffourée au milieu d'un encombrement semblable à celui de la veille. Cependant il s'arrête à la dernière maison du faubourg, d'où il envoie ses ordres, et où il attend le jour et l'armée, laissant à Ney le soin du reste.

On eût pu tenir vingt-quatre heures de plus à Vilna, et beaucoup d'hommes eussent été sauvés. Cette ville fatale en retint près de vingt mille, parmi lesquels trois cents officiers et sept généraux. La plupart étaient blessés par l'hiver, plus que par l'ennemi, qui en triompha. Quelques autres étaient encore entiers, du moins en apparence, mais leur force morale était à bout. Après avoir eu le courage de vaincre tant de difficultés, ils se rebutèrent près du port, et devant quatre journées de plus. Ils avaient enfin retrouvé une ville civilisée, et, plutôt que de se déterminer à rentrer dans le désert, il se livrèrent à leur fortune : elle fut cruelle.

A la vérité, les Lithuaniens, que nous abandonnions après les avoir tant compromis, en recueillirent et en secoururent quelques-uns ; mais les juifs, que nous avions protégés, repoussèrent les autres. Ils firent bien plus : la vue de tant de douleurs irrita leur cupidité. Toutefois, si leur infâme avarice, spéculant sur nos misères, se fût contentée de vendre au poids de l'or de faibles secours, l'histoire dédaignerait de salir ses pages de ce détail

dégoûtant ; mais qu'ils aient attiré nos malheureux
blessés dans leurs demeures pour les dépouiller, et
qu'ensuite, à la vue des Russes, ils aient précipité
par les portes et par les fenêtres de leurs maisons
ces victimes nues, mourantes ; que là ils les aient
laissées impitoyablement périr de froid ; que même
ces vils barbares se soient fait un mérite aux yeux
des Russes de les y torturer, des crimes si horribles
doivent être dénoncés aux siècles présents et à
venir ! Aujourd'hui que nos mains sont impuissantes, il se peut que notre indignation contre ces
monstres soit leur seule punition sur cette terre;
mais enfin les assassins rejoindront un jour leurs
victimes, et là sans doute, dans la justice du ciel,
nous trouverons notre vengeance !

Le 10 décembre, Ney, qui s'était encore volontairement chargé de l'arrière-garde, sortit de la
ville, et aussitôt les cosaques de Platof l'inondèrent,
en massacrant tous les malheureux que les juifs
jetèrent sur leur passage. Au milieu de cette bou-
cherie parut tout à coup un piquet de trente Français venant du pont de la Vilia, où ils avaient été
oubliés. A la vue de cette nouvelle proie, des milliers
de cavaliers russes accourent, se pressent, l'entourent avec de grands cris, et l'assaillent de toutes
parts.

Mais l'officier français avait déjà rangé ses soldats en cercle. Sans hésiter, il leur commande feu,
puis la baïonnette en avant, il marche au pas de
charge ! En un instant tout fuit devant lui, il reste

maître de la ville ; et, sans plus s'étonner de la lâcheté des cosaques que de leur attaque, il profite
du moment, tourne brusquement sur lui-même, et
parvient à rejoindre, sans perte, l'arrière-garde.

Elle était aux prises avec l'avant-garde de Kutusof, et s'efforçait de l'arrêter ; car une nouvelle catastrophe, qu'elle cherchait vainement à couvrir, la
retenait près de Vilna.

Dans cette ville, comme à Moscou, Napoléon
n'avait fait donner aucun ordre de retraite : il avait
voulu que notre déroute fût sans avant-coureur ;
qu'elle s'annonçât d'elle-même, qu'elle surprît nos
alliés et leurs ministres ; et qu'enfin profitant de
leur premier étonnement, elle pût traverser leurs
peuples avant qu'ils se fussent préparés à se joindre
aux Russes pour nous accabler.

C'est pourquoi Lithuaniens, étrangers, et tous
dans Vilna, jusqu'à son ministre lui-même, avaient
été trompés. Ils ne crurent à notre désastre qu'en le
voyant ; et en cela, cette foi, presque supersti-
tieuse, de l'Europe dans l'infaillibilité du génie de
Napoléon, le servit contre ses alliés. Mais cette même
confiance avait endormi les siens dans une profonde
sécurité : dans Vilna, comme dans Moscou, aucun
d'eux ne s'était préparé à un mouvement quelconque.

Cette ville renfermait une grande partie des
bagages de l'armée et de son trésor, ses vivres, une
foule d'énormes fourgons chargés des équipages de
l'Empereur, beaucoup d'artillerie, et une grande

quantité de blessés. Notre déroute était tombée sur eux comme un orage imprévu. A ce coup de foudre, l'effroi avait précipité les uns, la consternation avait enchaîné les autres : les ordres, les hommes, les chevaux, et les chariots s'étaient croisés et entre-choqués !

Au milieu de ce tumulte, plusieurs chefs avaient poussé hors de la ville, et vers Kowno, tout ce qu'ils avaient pu mettre en mouvement ; mais à une lieue sur cette route, cette colonne lourde et effa-rée venait de rencontrer la hauteur et le défilé de Ponari.

Dans notre marche conquérante, ce coteau boisé n'avait paru à nos hussards qu'un heureux accident de terrain, d'où ils pouvaient découvrir la plaine entière de Vilna, et juger de leurs ennemis. Du reste sa pente roide, mais courte, avait à peine été re-marquée. Dans une retraite régulière, elle eût offert une bonne position pour se retourner et arrêter l'ennemi ; mais dans une fuite déréglée, où tout ce qui pourrait servir nuit, où dans sa précipitation, dans son désordre, on tourne tout contre soi-même, cette colline et son défilé devinrent un obstacle insurmontable, un mur de glace contre lequel tous nos efforts se brisèrent. Il retint tout, bagages, trésor, blessés. Le mal fut assez grand pour que, dans cette longue suite de désastres, il fît époque.

Et en effet, argent, honneur, reste de discipline et de force, tout acheva de s'y perdre. Après quinze heures d'efforts inutiles, quand les conducteurs et les

soldats d'escorte virent le roi et toute la colonne des
fuyards les dépasser par les flancs de la montagne ;
lorsque, tournant les yeux vers le bruit du canon et
de la fusillade, qui se rapprochait d'eux à chaque
instant, ils aperçurent Ney lui-même se retirant
avec trois mille hommes, reste du corps de Wrede et
de la division Loison ; quand, enfin, reportant leurs
regards sur eux-mêmes, ils virent la montagne toute
couverte de chariots et de canons brisés ou culbutés,
d'hommes et de chevaux renversés, et expirant les
uns sur les autres, alors ils ne songèrent plus à rien
sauver, mais à prévenir l'avidité de leurs ennemis,
en se pillant eux-mêmes.

Un caisson du trésor qui s'ouvrit fut comme un
signal : chacun se précipita sur ces voitures ; on les
brisa, on en arracha les objets les plus précieux. Les
soldats de l'arrière-garde, qui passaient devant ce
désordre, jetèrent leurs armes pour se charger de
butin ; ils s'y acharnèrent si furieusement, qu'ils
n'entendirent plus le sifflement des balles et les hur-
lements des cosaques qui les poursuivaient.

On dit même que ces cosaques se mêlèrent à eux
sans être aperçus. Pendant quelques instants,
Français et Tartares, amis et ennemis furent confondus dans une même avidité. On vit des Russes
et des Français, oubliant la guerre, piller ensemble
le même caisson. Dix millions d'or et d'argent disparurent !

Mais, à côté de ces horreurs, on remarqua de
nobles dévouements. Il y eut des hommes qui aban-

donnèrent tout pour sauver, sur leurs épaules, de
malheureux blessés ; quelques autres, ne pouvant
arracher de cette mêlée leurs compagnons d'armes
à demi gelés, périrent en les défendant des atteintes
de leurs compatriotes et des coups des ennemis.

Sur la partie de la montagne la plus exposée, un
officier de l'Empereur, le colonel comte de Turenne,
contint les cosaques, et, malgré leurs cris de rage
et leurs coups de feu, il distribua sous leurs yeux
le trésor particulier de Napoléon aux gardes qu'il
trouva à sa portée. Ces braves hommes, se battant
d'une main et recueillant de l'autre les dépouilles
de leur chef, parvinrent à les sauver. Longtemps
après, et quand on fut hors de danger, chacun d'eux
rapporta le dépôt qui lui avait été confié : pas une
pièce d'or ne fut perdue.

Cette catastrophe de Ponari fut d'autant plus
honteuse qu'elle était facile à prévoir, et encore plus
facile à éviter ; car on pouvait tourner cette colline
par ses côtés. Nos débris servirent du moins à arrêter les cosaques. Tandis qu'ils ramassaient cette
proie, Ney, avec quelques centaines de Français et
de Bavarois, soutint la retraite jusqu'à Evé.
Comme ce fut son dernier effort, il faut indiquer sa
méthode de retraite, celle qu'il suivait depuis
Viazma, depuis le 3 novembre, depuis trente-sept
jours et trente-sept nuits !

Chaque jour, à cinq heures du soir, il prenait
position, arrêtait les Russes, laissait ses soldats manger, se reposer, et repartait à dix heures. Pendant

toute la nuit il poussait devant lui la foule des traîneurs à force de cris, de prières et de coups. Au point
du jour, vers sept heures, il s'arrêtait, reprenait
position, et se reposait sur les armes et en garde
jusqu'à dix heures du matin. Alors reparaissait
l'ennemi, et il fallait batailler jusqu'au soir, en
gagnant en arrière le plus ou le moins de terrain
possible : ce fut d'abord suivant l'ordre général
de la marche et plus tard suivant les circonstances ;
car depuis longtemps cette arrière-garde n'était que
de deux mille hommes, puis de mille, ensuite d'environ cinq cents, enfin de soixante hommes; et
cependant Berthier, soit calcul, soit routine, n'avait
rien changé à ses formes. C'était toujours à un corps
de trente-cinq mille hommes qu'il s'adressait :
il détaillait imperturbablement, dans ses instructions, toutes les différentes positions que devaient
prendre et garder jusqu'au lendemain des divisions
et des régiments qui n'existaient plus. Et chaque
nuit, quand sur les avis pressants de Ney, il fallait
qu'il allât réveiller le roi pour l'obliger à se remettre
en route, il marquait le même étonnement.

Ce fut ainsi que Ney soutint la retraite depuis
Viazma jusqu'à quelques verstes au delà d'Evé. Là,
suivant son usage, ce maréchal avait arrêté les Russes
et donnait au repos les premières heures de la nuit,
quand vers dix heures du soir, lui et de Wrede s'aperçurent qu'ils étaient restés seuls. Leurs soldats les
avaient quittés, ainsi que leurs armes, qu'on voyait
briller en faisceaux près de leurs feux abandonnés.

Heureusement la rigueur du froid, qui venait d'achever le découragement des nôtres, avait engourdi l'ennemi. Ney regagna avec peine sa colonne. Il n'y vit plus que des fuyards ; quelques cosaques les chassaient devant eux, sans chercher à les prendre ni à les tuer ; soit pitié, car on se fatigue de tout ; soit que l'énormité de nos misères eût épouvanté les Russes eux-mêmes, et qu'ils se crussent trop vengés, car beaucoup se montrèrent généreux ; soit enfin qu'ils fussent rassasiés et appesantis de butin. Peut-être encore, dans l'obscurité, ne s'aperçurent-ils pas qu'ils n'avaient affaire qu'à des hommes désarmés.

L'hiver, ce terrible allié des Moscovites, leur avait vendu cher son secours. Leur désordre poursuivait notre désordre. Nous revîmes des prisonniers qui, plusieurs fois, avaient échappé à leurs mains et à leurs regards glacés. Ils avaient d'abord marché au milieu de leur colonne traînante, sans en être remarqués. Il y en eut alors qui, saisissant un moment favorable, osèrent attaquer des soldats russes isolés, et leur arracher leurs vivres, leurs uniformes, et jusqu'à leurs armes, dont ils se couvrirent. Sous ce déguisement, ils se mêlèrent à leurs vainqueurs ; et telle était la désorganisation, la stupide insouciance, et l'engourdissement où cette armée était tombée, que ces prisonniers marchèrent un mois entier au milieu d'elle sans en être reconnus. Les cent vingt mille hommes de Kutusof étaient alors réduits à trente-cinq mille !

Des cinquante mille Russes de Wittgenstein, il en restait à peine quinze mille. Wilson assure que sur un renfort de dix mille hommes, partis de l'intérieur de la Russie avec toutes les précautions qu'ils savent prendre contre l'hiver, il n'en arriva à Vilna que dix-sept cents ! Mais une tête de colonne suffisait contre nos soldats désarmés. Ney chercha vainement à en rallier quelques-uns, et, lui, qui jusque-là avait commandé seul à la déroute fut obligé de la suivre.

Il arriva avec elle à Kowno. C'était la dernière ville de l'empire russe. Enfin, le 13 décembre, après avoir marché quarante-six heures sous un joug terrible, on revoyait une terre amie ! Aussitôt, sans s'arrêter, sans regarder derrière eux, la plupart s'enfoncèrent et se dispersèrent dans les forêts de la Prusse polonaise. Mais il y en eut qui, parvenus sur la rive alliée, se retournèrent. Là, jetant un dernier regard sur cette terre de douleur d'où ils s'échappaient, quand ils se virent à cette place d'où cinq mois plutôt, leurs innombrables aigles s'étaient élancées victorieuses, on dit que des larmes coulèrent de leurs yeux, et qu'il y eut des cris de douleur !

« C'était donc là cette rive qu'ils avaient héris-
« sée de leurs baïonnettes ! cette terre alliée, qui,
« disparaissant, il n'y avait que cinq mois, sous les
« pas de leur immense armée réunie, leur avait alors
« paru comme métamorphosée en vallées et en
« collines toutes mouvantes d'hommes et de che-
« vaux ! Voilà ces mêmes vallons d'où sortirent,

« aux rayons d'un soleil brûlant, ces trois longues
« colonnes de dragons et de cuirassiers, semblables
« à trois fleuves de fer et d'airain étincelants. Eh
« bien, hommes, armes, aigles, chevaux, le soleil
« même, et jusqu'à ce fleuve-frontière, qu'ils avaient
« traversé pleins d'ardeur et d'espoir, tout a dis-
« paru ! Le Niémen n'est plus qu'une longue masse
« de glaçons surpris et enchaînés les uns sur les
« autres par des redoublements de l'hiver. A la
« place de ces trois ponts français apportés de cinq
« cents lieues, et jetés avec une si audacieuse promp-
« titude, un pont russe est seul debout. Enfin, au
« lieu de ces innombrables guerriers, de leurs
« quatre cent mille compagnons, tant de fois vain-
« queurs avec eux, et qui s'étaient élancés avec
« tant de joie et d'orgueil sur la terre des Russes,
« ils ne voient sortir de ces déserts pâles et glacés
« qu'un millier de fantassins et de cavaliers encore
« armés, neuf canons, et vingt mille malheureux
« couverts de haillons, la tête basse, les yeux
« éteints, la figure terreuse et livide, la barbe lon-
« gue et hérissée de frimas ; les uns se disputant
« en silence l'étroit passage du pont, qui, malgré
« leur petit nombre, ne peut suffire à l'empresse-
« ment de leur déroute ; les autres fuyant disper-
« sés sur les aspérités du fleuve, s'efforçant, se
« traînant de pointes de glace en pointes de glace :
« et c'était là toute la Grande Armée ! Encore beau-
« coup de ces fuyards étaient-ils des recrues qui
« venaient de la rejoindre ! »

Deux rois, un prince, huit maréchaux suivis de quelques officiers, des généraux à pied, dispersés et sans aucune suite ; enfin quelques centaines d'hommes de la vieille garde encore armés, étaient ses restes : eux seuls la représentaient !...

Ou plutôt elle respirait encore tout entière dans le maréchal Ney. Compagnons ! Alliés ! Ennemis ! j'invoque ici votre témoignage : rendons à la mémoire d'un héros malheureux l'hommage qui lui est dû ; les faits suffiront. Tout fuyait, et Murat lui-même, traversant Kowno comme Vilna, donnait puis retirait l'ordre de se rallier à Tilsitt, et se décidait ensuite pour Gumbinnen. Ney entre alors dans Kowno, seul avec ses aides de camp, car tout a cédé ou succombé autour de lui. Depuis Viazma, c'est la quatrième arrière-garde qui s'use et qui se fond entre ses mains. Mais l'hiver et la famine, plus encore que les Russes, les ont détruites. Pour la quatrième fois il est resté seul devant l'ennemi, et, toujours inébranlable, il cherche une cinquième arrière-garde.

Ce maréchal trouve dans Kowno une compagnie d'artillerie, trois cents Allemands qui en formaient la garnison, et le général Marchand avec quatre cents hommes ; il en prend le commandement. Et d'abord il parcourt la ville pour reconnaître sa position et rallier encore quelques forces ; il n'y trouve que des blessés qui s'essaient, en pleurant, à suivre notre déroute. Pour la huitième fois, depuis Moscou, il a fallu les abandonner en masse dans leurs hôpitaux, comme on les a abandonnés en détail sur toute la route, sur tous nos champs de bataille, et à tous nos bivouacs.

Plusieurs milliers de soldats couvrent la place et les rues environnantes ; mais ils y sont étendus roides devant des magasins d'eau-de-vie qu'ils ont enfoncés, et où ils ont puisé la mort en croyant y trouver la vie. Voilà les seuls secours que lui a laissés Murat : Ney se voit seul en Russie avec sept cents recrues étrangères. A Kowno, comme après les désastres de Viazma, de Smolensk, de la Bérézina et de Vilna, c'est encore à lui qu'on a confié l'honneur de nos armes et tout le péril du dernier pas de notre retraite ; il l'accepte !

Le 14, au point du jour, l'attaque des Russes commence. Pendant qu'une de leurs colonnes se présente brusquement par la route de Vilna, une autre passe le Niémen sur la glace au-dessus de la ville, prend pied sur les terres prussiennes, et, toute fière d'avoir la première franchi sa frontière, elle marche au pont de Kowno, pour fermer à Ney cette issue et lui couper toute retraite.

Les premiers coups se firent entendre à la porte de Vilna ; Ney y court ; il veut éloigner le canon de Platof avec les siens, mais déjà il trouve ses pièces enclouées et ses artilleurs en fuite ! Furieux, il s'élance, l'épée haute, sur l'officier qui les commande et il l'eût tué, sans son aide de camp qui para le coup et protégea la fuite de ce malheureux.

Ney appelle alors son infanterie ; mais sur les

deux faibles bataillons qui la composaient, un seul avait pris les armes : c'étaient trois cents Allemands de la garnison. Il les place, les exhorte, et, l'ennemi s'approchant, il allait leur commander le feu, quand un boulet russe, écrêtant la palissade, vint casser la cuisse de leur chef. Cet officier tomba, et, sans hésiter, se sentant perdu, il prit froidement ses pistolets et se brûla la cervelle devant sa troupe. A ce coup de désespoir, ses soldats s'effraient, s'effarent, et tous à la fois ils jettent leurs armes, et fuient éperdus !

Ney, que tout abandonne, n'abandonne ni lui-même ni son poste. Après d'inutiles efforts pour retenir ces fuyards, il ramasse leurs armes encore toutes chargées, il redevient soldat, et, lui cinquième, il fait face à des milliers de Russes. Son audace les arrêta ; elle fit rougir quelques artilleurs qui imitèrent leur maréchal ; elle donna à l'aide de camp Heymès et à Gérard le temps de ramasser trente soldats, de faire avancer deux à trois pièces légères, et aux généraux Ledru et Marchand celui de réunir le seul bataillon qui restait.

Mais en ce moment éclate, au delà du Niémen et vers le pont de Kowno, la seconde attaque des Russes ; il était deux heures et demie. Ney envoie Ledru, Marchand, et leurs quatre cents hommes, pour reprendre et assurer ce passage. Pour lui, sans lâcher prise, sans s'inquiéter davantage de ce qui se prépare derrière lui, à la tête de trente hommes il se maintient jusqu'à la nuit à la porte qui ouvre vers

Vilna. Alors il traverse Kowno et le Niémen toujours en combattant, reculant, et ne fuyant pas, marchant après les autres, soutenant jusqu'au dernier moment l'honneur de nos armes, et, pour la centième fois, depuis quarante jours et quarante nuits, sacrifiant sa vie et sa liberté pour sauver quelques Français de plus ! Il sort enfin le dernier de la Grande Armée, de cette fatale Russie, montrant au monde l'impuissance de la Fortune contre les grands courages, et que pour les héros tout tourne en gloire, même les plus grands désastres !

Il était huit heures du soir quand il parvint sur la rive alliée. Alors, voyant la catastrophe accomplie, Marchand repoussé jusqu'à l'entrée du pont, et la route de Vilkowiski, que suivait Murat, toute couverte d'ennemis, il se jeta à droite, s'enfonça dans les bois, et disparut !

Quand Murat atteignit Gumbinnen, il fut bien surpris d'y trouver Ney, et d'apprendre que, depuis Kowno, l'armée marchait sans arrière-garde. Heureusement la poursuite des Russes, après qu'ils eurent reconquis leur territoire, s'était ralentie. Ils semblèrent hésiter sur la frontière prussienne, ne sachant s'ils entreraient en alliés ou en ennemis. Murat profita de cette incertitude pour s'arrêter plusieurs jours à Gumbinnen, et pour diriger les restes des corps sur les différentes villes qui bordent la Vistule.

Au moment de cette dislocation de l'armée il en réunit les chefs. Je ne sais quel mauvais génie l'ins-

pira dans ce conseil. On voudrait croire que ce fut
embarras, devant ces guerriers, de la précipitation
de sa fuite, et dépit contre l'Empereur qui lui avait
laissé cette responsabilité ; ou bien honte de reparaître vaincu au milieu des peuples les plus opprimés
par nos victoires. Mais, comme ses paroles eurent
un bien plus fâcheux caractère, et que ses actions
ne les ont point démenties, comme enfin elles furent le premier symptôme de sa défection, l'histoire ne peut les taire.

Ce guerrier, monté sur le trône par le seul droit
de la victoire, revenait vaincu ! Dès ses premiers
pas sur la terre conquise, il crut la sentir tout entière trembler sous lui, et sa couronne chanceler
sur sa tête. Mille fois, dans cette campagne, il
s'était exposé aux plus grands dangers ; mais lui
qui, roi, n'avait pas craint de mourir comme un
soldat d'avant-garde, ne put supporter l'appréhension de vivre sans couronne. Le voilà donc au milieu
des chefs dont son frère lui a confié la conduite,
accusant son ambition, qu'il a partagée, pour s'en
absoudre !

Il s'écrie : « Qu'il n'est plus possible de servir un
« insensé ; qu'il n'y a plus de salut dans sa cause ;
« qu'aucun prince de l'Europe ne croit plus ni à ses
« paroles ni à ses traités ! Il se désespère d'avoir
« rejeté les propositions des Anglais : sans cela,
« ajoute-t-il, il serait encore un grand roi, tel que
« l'empereur d'Autriche et le roi de Prusse ! »

Un cri de Davout l'interrompit : « Le roi de

« Prusse, l'Empereur d'Autriche, lui repart-il
« brusquement, sont princes par la grâce de Dieu,
« du temps, et de l'habitude des peuples ; mais vous,
« vous n'êtes roi que par la grâce de Napoléon et
« du sang français ! Vous ne pouvez l'être que par
« Napoléon et en restant uni à la France ; c'est une
« noire ingratitude qui vous aveugle ! » Et aussitôt
il lui déclare qu'il va le dénoncer à son Empereur ;
les autres chefs se turent. Ils excusaient l'emportement de la douleur du roi, et n'attribuaient qu'à sa
fougue inconsidérée des expressions que la haine et
l'esprit soupçonneux de Davout n'avaient que trop
bien comprises.

Murat resta décontenancé : il se sentait coupable.
Ainsi fut étouffée cette première étincelle d'une
trahison qui devait, plus tard, perdre la France !
L'histoire n'en parle qu'à regret, depuis que le re-
pentir et le malheur ont égalé le crime.

Il fallut bientôt porter notre abaissement dans
Kœnigsberg. La Grande Armée, qui, depuis vingt
ans, parcourait triomphante toutes les capitales
de l'Europe, reparut, pour la première fois, mutilée,
désarmée, fuyante, dans l'une de celles qu'elle
avait le plus humiliées par sa gloire. Ses peuples
accoururent sur notre passage pour compter nos
blessures, pour évaluer, par la grandeur de nos
maux, ce qu'ils pouvaient se promettre d'espérances. Il fallut repaître de nos misères leurs avides
regards, subir le joug de leur espoir, et, traînant
notre infortune au travers de leur odieuse joie, mar-

cher sous l'insupportable poids d'un malheur haï !

Les faibles restes de la Grande Armée ne plièrent point sous ce faix. Son ombre, déjà presque détrônée, se montra toujours imposante ; elle conserva son air de souveraine : vaincue par les éléments, elle garda devant les hommes ses formes victorieuses et dominatrices !

De leur côté, les Allemands, soit lenteur, soit crainte, nous accueillirent docilement : leur haine se contint sous les apparences de la froideur ; et, comme ils n'agissent guère d'eux-mêmes, pendant qu'ils attendaient un signal, ils furent contraints de soulager nos misères. Kœnigsberg ne put bientôt plus les contenir. L'hiver, qui nous y avait poursuivis, nous y abandonna tout à coup : en une nuit le thermomètre descendit de vingt degrés.

Cette transition subite nous fut fatale. Une foule de soldats et de généraux que la tension de l'atmosphère avait soutenus jusque-là par une irritation continuelle, s'affaissèrent et tombèrent en décomposition. La Riboisière, général en chef de l'artillerie, succomba ; Eblé, l'honneur de l'armée, le suivit. Chaque jour, à chaque heure, on était consterné par de nouvelles pertes.

Notre aile gauche commandée par Macdonald avait marché rapidement de Tilsitt à Mittau. La guerre de ce côté n'avait été qu'un déploiement de l'embouchure de l'Aa jusqu'à Dunabourg et une longue défensive devant Riga. Cette armée était presque toute prussienne. Elle ne trahit pas, mais fit défection sans se réunir aux Russes. Macdonald put réunir ses débris à ceux de Mortier le 3 janvier et couvrir Kœnigsberg.

A notre aile droite, du côté des Autrichiens qu'une alliance bien cimentée retenait, Schwartzenberg se détachait de nous, mais insensiblemnt, avec les formes que la position politique exigeait.

Le 3 décembre, les Russes de Riga furent encore repoussés par les Prussiens dans une de leurs tentatives. Yorck, soit prudence ou conscience, se contenait. Macdonald s'était rapproché de lui. Le 19 décembre, douze jours après le départ de Napoléon, huit jours après la prise de Vilna par Kutusof, lorsqu'enfin Macdonald commença sa retraite, l'armée prussienne était encore fidèle.

Ce ne fut que le 22 janvier, et les jours suivants, que les Russes abordèrent la Vistule. Pendant une marche si lente, et depuis le 3 janvier jusqu'au 11, Murat était resté à Elbing. Dans cette situation extrême, ce prince flottait, çà et là, au gré des éléments qui fermentaient autour de lui : tantôt ils portaient son espoir jusqu'au ciel, tantôt ils le précipitaient dans un abîme d'inquiétudes.

Il venait de fuir de Kœnigsberg, dans un état complet de découragement, quand cette suspension dans la marche des Russes, et la jonction de Macdonald, dont la réunion avec Heudelet et Cavaignac avait doublé les forces, l'enflèrent subitement d'une vaine espérance. Lui, qui la veille croyait tout perdu, voulut reprendre l'offensive, et commença aussitôt : car il était de ces esprits qui se décident à chaque instant. Ce jour-là il se résolut à pousser en avant, et le lendemain, à fuir jusqu'à Posen.

Au reste, cette dernière détermination ne fut pas prise sans motif. Le ralliement de l'armée sur la Vistule avait été illusoire : la vieille garde comptait tout au plus cinq cents combattants ; la jeune garde, presque aucun ; le premier corps dix-huit cents ; le second, mille ; le troisième, seize cents ; le quatrième, dix-sept cents. Encore la plupart de ces soldats, restes de six cent mille hommes, pouvaient-ils à peine se servir de leurs armes !

Dans cet état d'impuissance, les deux ailes de l'armée venant à se détacher, l'Autriche et la Prusse nous manquant à la fois, la Pologne devenait un piège qui pouvait se refermer sur nous. D'un autre côté, Napoléon, qui jamais ne consentit à aucune cession, voulait qu'on défendît Dantzick ! il fallut donc y jeter tout ce qui pouvait encore tenir la campagne.

D'ailleurs, s'il faut tout dire, quand Murat imagina, à Elbing, de refaire une armée, et rêva même une victoire, il trouva que la plupart des chefs eux-mêmes étaient épuisés et rebutés. Le malheur, qui porte à tout craindre et bientôt à croire tout ce qu'on craint, avait pénétré dans leur cœur. Déjà plusieurs s'inquiétaient pour leurs rangs, pour leurs grades, pour les terres dont ils étaient devenus possesseurs dans les pays conquis, et la plupart n'aspiraient qu'à repasser le Rhin.

Quant aux recrues qui arrivaient, c'était un assemblage d'hommes de plusieurs nations de l'Allemagne. Pour nous rejoindre, ils avaient traversé les Etats prussiens, d'où s'élevait l'exhalaison de tant de haines. En approchant, ils rencontrèrent notre découragement et notre longue déroute ; en entrant en ligne, loin de se trouver encadrés et appuyés par de vieux soldats, ils se virent seuls, aux prises avec tous les fléaux, pour soutenir une cause abandonnée de ceux qui étaient le plus intéressés à la faire triompher ; aussi la plupart de ces Allemands se débandèrent-ils au premier bivouac.

A l'aspect du désastre de l'armée qui revenait de Moscou, les troupes éprouvées de Macdonald furent elles-mêmes ébranlées. Cependant ce corps d'armée, et la division toute fraîche d'Heudelet, conservèrent leur ensemble. On se hâta de réunir tous ces débris dans Dantzick : trente-cinq mille soldats, de dix-sept nations différentes, y furent enfermés. Le reste, en petit nombre, ne devait commencer à se rallier qu'à Posen et sur l'Oder.

Jusque-là il n'avait donc guère été possible au roi de Naples de mieux régler notre déroute; mais, au moment où il traversait Marienwerder pour se rendre à Posen, une lettre de Naples vint encore bouleverser toutes ses résolutions. L'impression en fut violente : à mesure qu'il la lut, la bile se mêla à son sang avec une telle promptitude, qu'on le retrouva, quelques instants après, avec une jaunisse complète !

Il paraît qu'un acte de gouvernement, que s'était permis la reine, le blessa dans une de ses plus vives passions. Peu jaloux de cette princesse, malgré ses charmes, il l'était avec fureur de son autorité, et c'était de la reine surtout, comme sœur de l'Empereur, qu'il se défiait.

On s'étonne de voir ce prince, qui, jusqu'à ce jour, avait paru tout sacrifier à la gloire des armes, se laisser tout à coup maîtriser par une passion moins noble ; mais sans doute que, pour certains caractères, il en faut toujours une qui domine.

C'était, au reste, toujours la même ambition sous des formes différentes, et toujours tout entière dans chacune d'elles ; car tels sont les caractères passionnés. En ce moment, sa jalousie pour son autorité l'emporta sur l'amour de sa gloire ; elle l'entraîna rapidement jusqu'à Posen, où, peu après son arrivée, il disparut et nous abandonna.

Cette défection éclata le 16 janvier, vingt-trois jours avant que Schwartzenberg se détachât de l'armée française, dont le prince Eugène prit le commandement.

Alexandre arrêta la marche de ses troupes à Kalisch. Là cette guerre violente et continue, qui nous suivait depuis Moscou, se ralentit. Elle ne fut plus, jusqu'au printemps, qu'une guerre d'accès, intermittente, lente. La force du mal parut épuisée, mais c'était seulement celle des combattants : une plus grande lutte se préparait ; et cette halte ne fut

pas un temps qu'on accorda à la paix ; elle servit
plutôt à la préméditation du carnage.

Après quinze cents ans de victoires, la Révolution du quatrième siècle, celle des rois et des grands
contre les peuples, venait d'être vaincue par la
Révolution du dix-neuvième siècle, celle des peuples contre les grands et les rois. Napoléon était né
de cet embrasement ; il s'en était emparé si puis-
samment, qu'il semblait que toute cette grande convulsion n'eût été que celle de l'enfantement d'un
seul homme ! Il commandait à la Révolution comme
s'il eût été le génie de cet élément terrible. A sa
voix elle était soumise ! Honteuse de ses excès, elle
s'admirait en lui, et, se précipitant dans sa gloire,
elle avait réuni l'Europe sous son sceptre ; et l'Europe, docile, se levait à son signal pour repousser
la Russie de nos anciennes limites : il semblait qu'à
son tour le Nord allait être vaincu jusque dans ses
glaces !

Et cependant ce grand homme, dans cette grande
circonstance, n'a pu dompter la nature ! Dans ce
puissant effort pour remonter cette pente rapide,
les forces lui ont manqué ! Parvenu jusqu'à ces
régions glacées de l'Europe, il en a été précipité de
toute sa hauteur ! Et ce Nord, victorieux du Midi
dans sa guerre défensive, comme il le fut au moyen
âge dans sa guerre conquérante, se croit inattaquable et irrésistible.

Compagnons, ne le croyez pas ! Ce sol et ces
espaces, ce climat, cette nature âpre et gigantesque,

vous eussiez pu en triompher, comme vous avez
vaincu ses soldats !

Mais quelques fautes furent punies par de grands
malheurs ! J'ai dit les unes et les autres. Sur cet
océan de maux j'ai élevé un triste fanal d'une clarté
lugubre et sanglante ; et, si ma faible main n'a pas
suffi à ce pénible ouvrage, du moins aurai-je fait
surnager nos débris, afin que ceux qui viendront
après nous puissent apercevoir le péril et l'éviter !

Compagnons ! mon œuvre est finie : maintenant
c'est à vous de rendre témoignage à la vérité de ce
tableau. Ses couleurs paraîtront pâles sans doute
à vos yeux et à vos cœurs, encore tout remplis de
ces grands souvenirs ! Mais qui de vous ignore
qu'une action est toujours plus éloquente que son
récit, et que si les grands historiens naissent des
grands hommes, ils sont plus rares qu'eux ?

FIN DE LA CAMPAGNE DE RUSSIE.

IMPRIMERIE NELSON, ÉDIMBOURG, ÉCOSSE.

PRINTED IN GREAT BRITAIN.